Roman Fantastique

幻想と怪奇

10

イギリス怪奇紳士録

英国怪談の二十世紀

新紀元社

A Map of Nowhere

Illustrated by 藤原ヨウコウ

09 ブラックウッド「柳」のドナウ川

*作品は47ページから

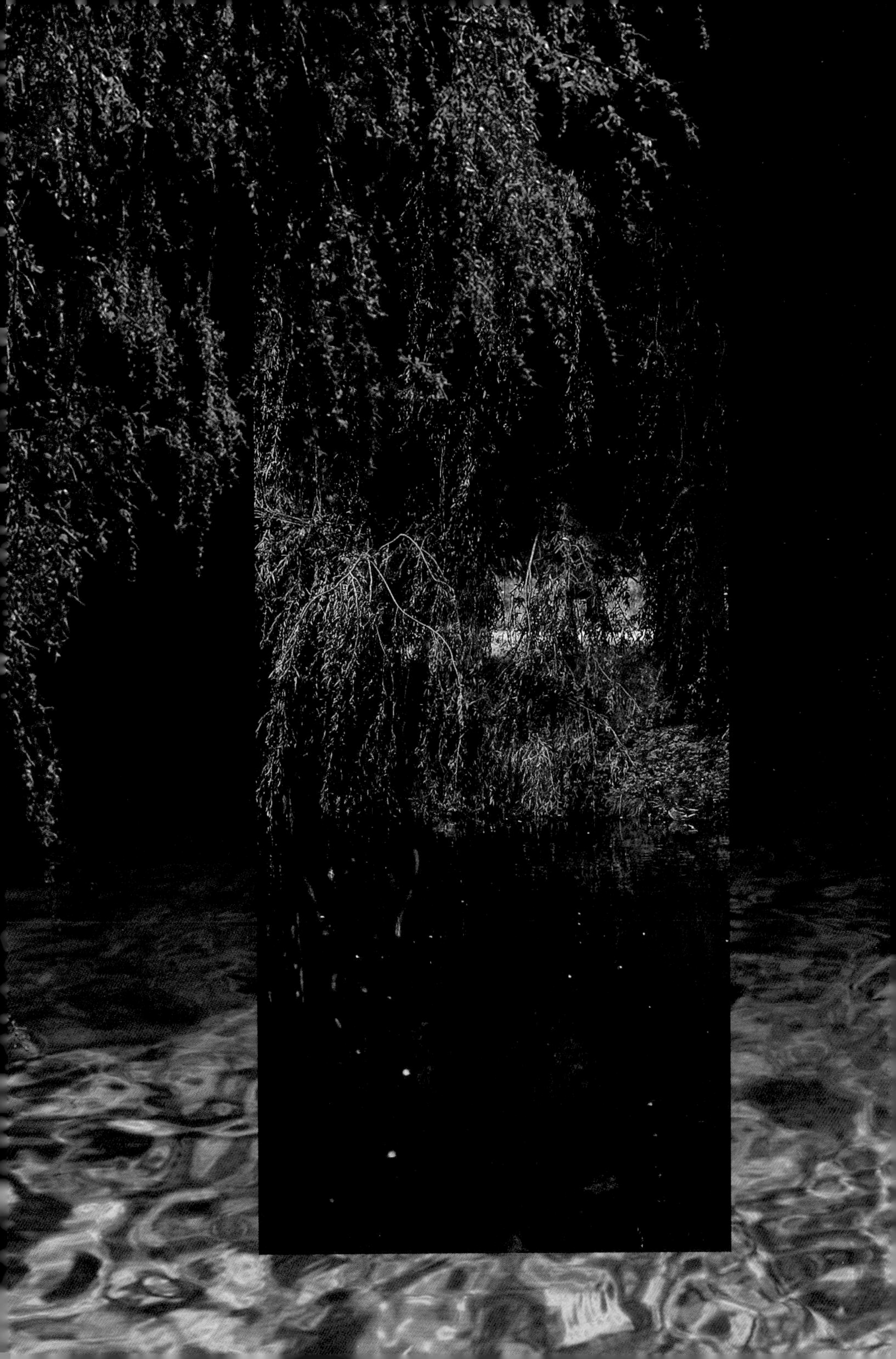

英国怪談・十五人の紳士

『幻想と怪奇』編集室

ゴシック小説の嚆矢『オトラント城奇譚』の著者ホレス・ウォルポールは、初代首相ロバート・ウォルポールの息子にして自身も政治家。文豪ウォルター・スコットは怪談にも筆を揮った。ダービー伯内閣の植民地大臣エドワード・ブルワー＝リットンは、ゴースト・ハンターものの古典「幽霊屋敷」を書いた。紳士の国イギリスは、古くから怪談の国でもある。

二十世紀に入り、M・R・ジェイムズ、アーサー・マッケン、アルジャーノン・ブラックウッドの三大巨匠（平井呈一いわく「お化けの三人男」）が傑作を次々に発表。彼らを追うかのように、数多くの書き手が逸品秀作を続々と世に問うた。英国怪談の全盛期を支えた作家のうち、十五人の紳士をここに紹介する。

M・R・ジェイムズ

M. R. James（1862-1936）

ケント州の国教会牧師の家に生まれ、イートン校からケンブリッジ大学に学んだ。中世文献や聖書の研究のかたわら怪奇小説を創作。晩年は母校イートンの校長をつとめ、生徒たちに自作の怪談を聞かせた。

紀田順一郎訳　東京創元社2001

アーサー・マッケン

Arthur Machen（1863-1947）

ウェールズの国教会牧師の家に生まれた。医師を目指すも叶わず文筆家に。「パンの大神」で称賛と非難を共に浴びた。一時的だが魔術結社「黄金の暁」に所属した。代表作に『白《びゃく》魔《ま》』『恐怖』がある。

南條竹則訳　光文社2009

E・F・ベンスン

E. F. Benson（1867-1940）

後のカンタベリー大主教となる聖職者の次男として生まれた。多岐にわたる著書をもつが、数多い怪奇短編には職人的な妙味がある。短編集『塔の中の部屋』『見えるもの見えざるもの』などが邦訳されている。

山田蘭訳　アトリエサード2018

アルジャーノン・ブラックウッド

Algernon Blackwood (1869-1951)

ケント州に生まれ、カナダとアメリカで多様な職業を経験。帰国後から創作活動を始め、数多くの怪奇小説を手がけて〈ゴーストマン〉の異名を得た。彼もまた「黄金の暁」に入団していた時期がある。

夏来健次訳　アトリエサード2018

ウォルター・デ・ラ・メア

Walter de la Mare (1873-1956)

ケント州に生まれ、幼少時にロンドンに移住。大手石油会社勤務のかたわら詩作、創作をした。短編「なぞ」は恐怖を直接に描かない名品。同作を含む『デ・ラ・メア幻想短篇集』（同書では「謎」）など邦訳多数。

柿崎亮訳　国書刊行会2008

オリヴァー・オニオンズ

Oliver Onions (1873-1961)

ヨークシャー州の銀行員の家に生まれた。商業美術家から小説家に転身、多岐にわたるジャンルを手がけた。怪奇小説では心理的な側面に重きを置き、中でも「手招く美女」はブラックウッドに絶賛された。

南條竹則他訳　国書刊行会2022

ウィリアム・ホープ・ホジスン

William Hope Hodgson (1877-1918)

エセックス州の国教会牧師の家に生まれた。船員からボディビルジム経営を経て文筆業に。「夜の声」や長編『幽霊海賊』など海の怪異譚に秀作が多い。第一次大戦に従軍し、出征先のベルギーで戦死した。

井辻朱美訳　東京創元社1985

A・E・コッパード

A. E. Coppard (1878-1957)

ケント州の仕立屋の家に生まれた。学校教育は受けられなかったが、読書好きが昂じて創作をはじめた。独特の怪奇味のある作品は、短編集『郵便局と蛇』『天来の美酒／消えちゃった』で読むことができる。

西崎憲編訳　筑摩書房2014

ヒュー・ウォルポール

Hugh Walpole (1884-1941)

ニュージーランドのオークランドに生まれた。国教会牧師の父はホレス・ウォルポールのいとこにあたる。歴史物はじめ数多くの小説を手がけたが、怪奇小説に類する作品は短編集『銀の仮面』に集められている。

倉阪鬼一郎編訳　東京創元社2019

ウィリアム・F・ハーヴィー

William F. Harvey (1885-1937)

ウェスト・ヨークシャー州でクエーカー教徒の家に生まれた。第一次大戦で負傷し、療養中に創作を始めた。「八月の暑さのなかで」や「五本指の獣」など、恐怖感にユーモアをまじえた作風は類を見ない。

国書刊行会より短編集刊行予定

H・ラッセル・ウェイクフィールド

H. Russell Wakefield (1888-1964)

ケント州の国教会牧師の家に生まれた。出版社勤務のかたわら創作を手がけ、ジェイムズを継ぐ作家と評された。短編集『ゴースト・ハント』には、自身の体験に基づく「赤い館」はじめ恐怖の逸品が揃う。

鈴木克昌他訳　東京創元社2012

A・M・バレイジ

A. M. Burrage (1889-1956)

ロンドンの文筆家の家に生まれた。Ex-Private X（元兵卒X）の筆名で第一次大戦従軍の回想を出版後、怪奇小説を数多く手がけた。短編集『ありふれた幽霊』があるほか、短編「遊び相手」「違う駅」も秀逸。

仁賀克雄訳　HM出版2020

ジョン・メトカーフ

John Metcalfe (1891-1965)

ノーフォーク州の元船員の家に生まれた。第一次大戦後、米・加・英を行き来しながら創作活動をした。寡作だが狂気を孕んだ作風は一読忘れがたいものがある。主な怪奇小説は『死者の饗宴』に収められている。

横山･北川訳　国書刊行会2019

デニス・ホイートリー

Dennis Wheatley (1897-1977)

ロンドンのワイン醸造者の家に生まれた。家業を継ぐも世界恐慌の際に廃業し小説家に転身。怪奇小説の主著に魔術の知識を活かした長編『黒魔団』。アンソロジー『恐怖の一世紀』の編者でもある。

平井呈一訳　国書刊行会1976

A・N・L・マンビー

A. N. L. Munby (1913-74)

ロンドンの建築家の家に生まれた。第一次大戦中、独軍の捕虜となり、収容所で手がけた怪奇小説がのちにM・R・ジェイムズに献じた短編集『アラバスターの手』となった。文献学者としても知られている。

羽田志津子訳　国書刊行会2020

幻想と怪奇10

イギリス怪奇紳士録　英国怪談の二十世紀

目次

表紙：ひらいたかこ（Pen Studio）

装丁：YOUCHAN（トゴルアートワークス）

『幻想と怪奇』題字：原田治

『インゴルズビー伝説』より

時計の怪／酒倉の妖魔

蘆谷《あしや》重常《しげつね》

イギリスの趣味人はおおむね怪談好きだが、それを象徴する本がある。ケント州の郷紳トマス・インゴルズビーがまとめた地元の古俗伝承――というよりは怪談の集成『インゴルズビー伝説』*The Ingoldsby Legends* 全三巻（一八四〇―四七）だ。「英国であらわされた書物のうちでも特にユニークな奇談集」と荒俣宏氏が評し、南條竹則氏が『ゴーストリイ・フォークロア』（ＫＡＤＯＫＡＷＡ）で一章を割いて紹介している同書を、ご存じの方も多いことだろう。なお、このインゴルズビー氏は架空の人物で、実際に著したのは聖職者リチャード・バーラム（一七八八―一八四五）。集められたエピソードのほとんどは韻文で、日本語への翻訳はなかなか難しいことだろう。散文のエピソードのうち一編は平井呈一が訳している（「ライデンの一室」創元推理文庫『幽霊島』所収）。

この『インゴルズビー伝説』から七編を選び、他のイギリスの口碑俗話三編と合わせて一巻にした本が、一九一九年に刊行されている。児童文学者の蘆谷《あしや》蘆村《ろそん》（一八八六―一九四六）が本名で上梓した『西洋妖怪傳説』だ。韻文を物語風に自由訳したものだが、軽妙な語り口は現在の読者にも楽しめると考え、同書から二編をここに再録することにした。二十世紀前半の作品を集めた本集に、これだけ十九世紀の作となるが、怪奇幻想の巨匠たちも楽しんだであろう英国怪談の一例として、お楽しみいただきたい。

底本は國民書院刊『西洋妖怪傳説』（一九二〇年増補再版）。再録にあたり、新字新かなに改めたが、文字遣いやふりがなはそのまま活かした。なお、この再版で増補された一編「呪咀の金髪」は、先掲の「ライデンの一室」のほぼ完訳である。

時計の怪

「時計を御覧なさい。一体何時だと思ってるのです。こんな夜半《よなか》まで飲《の》んだくれて歩いて何ということです。毎晩々々遅くまで人を起しておいて、この無頼漢《ならずもの》のやくざ野郎！　何時だと思うんだ。時計を見ろ」

ダビッド・プライスが遠慮勝《えんりょがち》に表の戸をたたくと細君《さいくん》のウィニフレッドは荒々しく戸を開けて嚙みつくように怒鳴りつけた。

ダビッド・プライスは一体ひどく悪い性質の男ではなかったが、兎《と》角《かく》ぐうたらで、それに飲《の》んだくれなのが欠点であった。彼は年《ねん》が年中《ねんじゅう》、村の居酒屋にごろごろしていて同じ様な飲だくれ仲間と馬鹿話に夜を更かすのが習慣であった。丁度此《ちょうどこの》日《ひ》ダビッドは、午後《ひるすぎ》から家《うち》を出かけて居酒屋に入り込み、矢《や》鱈《たら》無《む》性《しょう》に煙草を吹かしつつ、村の内儀《かみさん》たちの品評《しなさだめ》や、娘達の棚卸しに、貴《たっと》い時《タイム》の過ぎゆくを知らなかった。やがて日暮の近づくに随《したが》って、飲仲間の連中が、後から後から居酒屋に押しかけて来て、相も変らず、歌うやら躍るやらの騒ぎ、ダビッドは兼ねて御自慢の自作の唄を歌い出すと、やんややんややんややという喝采が起る。その自作の歌というのはこうであった。

飲んだ、飲んだ、皆飲んだ。
太陽様《おてんとさま》も飲んじゃった。
太陽様を飲んだらば
お月様まで飲んじまえ
昼がなくても困りゃせぬ。
我輩等《こちとら》昼に用はない。
昼に御用がござるのは
プライスさんの内儀《おかみ》さん
お前が一人あるばかり。

内儀《かみさん》が聞いていたらどんなに柳眉《りゅうび》を逆立てるか実に想像にも余りある次第だが、プライス君は一向呑気なもので、仲間の喝采にいよいよ有頂天になり、卓を叩いて拍子を取り取り歌をうたう有様は、正に革命の詩人カミーユ・デムーレンが、パレー・ロラヤールの後庭で、群衆を激励したと同様な熱心があった。

やがて夜のふけると共に、流石《さすが》の飲だくれ連中も三々五々退散して行ったので、此の天才的俗謡作家プライス君も、漸《ようや》く寂寥《せきりょう》を感じ

「どりゃ御帰館めさるかな、親爺《おやぢ》さんあばよ。」

と居酒屋の主人に別《わかれ》をつけて、鼻唄よろしく家へ帰って来た。その途端に晴天の霹靂《へきれき》。

「馬鹿野郎、時計を見ろ！」

と来たのである。プライス君、とろんとした目をすえて時計を見上げると、正に十二時を過ぐる十五分。

だが何しろ太陽様《おてんとさま》を飲んでしまってもまだ飲み足らぬという位《くらい》のプライス君だから、時計位には驚かない。

「箆棒《べらぼう》め、時計がどうしたっていうんでぇ。十二時が一時だって、他人様の酒でも飲《のん》でいるんじゃあるめえし、俺の金で俺が酒を飲むのに不思議があるけえ。愚図々々《ぐずぐず》言いやがると叩き出すぞ。此のお多福奴《たふくめ》！」

「おや、何だって、大層もない事をお言いだね、叩き出すなら叩き出して御覧。何の廉《かど》があって私を叩き出そうというのだえ、さあ叩き出されるものなら叩き出して御覧。斯《こ》う見えても汝等《おまえら》の様なやくざ野郎に叩き出されるような姐《ねえ》さんじゃないんだ。さあ、叩き出して見ろ、此の唐変木《とうへんぼく》め。」

「なに、こん畜生、太《ふて》い阿魔《あま》だ、どうするか見ろ。」

と、プライス君も、思うさま酔っていた事ではあり、赫《かっ》となっていきなり土間に落ちていた薪《まき》をとりあげ、内《かみ》儀《さん》目がけて発矢《はっし》と投げつけると、ねらい違わず。内儀《かみさん》の脳天《なてん》に命中して「あッ」と言ったまま、内儀はその場に倒れた。

「へ、何を白ばっくれてやがる。馬鹿。」

と、プライスは何の考《かんがえ》もなしに家に入りこんだが、暫《しばら》くたってもウィニフレッドは起き上がる様子がないので、気味わるくなって側《そば》へよって見ると、これはしたり内儀《かみさん》はとうに息が絶えている。

「やれやれ、これは飛《とん》だことになったわい。」

と、流石のプライスも大いに驚いて、酔いも一時にさめ、水を吹きかけるやら、薬を飲ませて見るやら、様々に介抱したが、何としても生き返らない。

プライス家の内儀《かみさん》が変死したという知らせは、広くもない村の隅々までいき渡って、えらい騒ぎとなった。死体検査官のトーマス氏は、十数人の陪審員を従えて現《げん》場《じょう》に臨んだ。ダヴィッドはそこで厳重な訊問を受けた。

ダヴィッドの罪跡は明々白々で、何としても隠すことは出来ないが、ダヴィッドはあくまでも正当防衛で、そして故意に殺したのではなく、全く過失であることを主張した。ダヴィッドは飲んだくれではあるが、平常そう妻を酷遇《こくぐう》したことはない。却《かえ》って内儀《かみさん》のウィニフレッドの方が、より大きな声で、より多くの悪態をつくことは、村の中に知れ渡っていた。畜生、飲んだくれ、ならず者、ぐうたら、唐変木、あらゆる斯類《このるい》の悪罵《あくば》は、朝夕にウィニフレッドの口から響き出るのは、検査官でさえ知《しっ》ていた。で、妻を殺したには違いないが、情状酌量すべきものがあるというので、極めて軽い刑を課せられて、事はすんだ。慎《つつし》むべき嫉妬なるかな。と、馬琴《ばきん》ならば言わなくては済まない所だ。

流石のプライスも此事《このこと》があってからは大《おおい》に悄気《しょげ》てしまって、居酒屋へは姿も見せず、殊勝げに働いていたが、飲み仲間の張三李四《くまこうはちこう》どもは、中々その儘《まま》にしてはおかない。何だかだと言っては誘い出しに来るので、折角《せっかく》しまった心の箍《たが》がゆるみ出し、又もや酒に耽《ふけ》るようになった。加之《おまけ》に今度は、いくら遅く家に帰っても怒る者がないので、前よりは更に悲しむべき状態になってしまったばかりか、独り寝の閨《ねや》さびしさに、あたりの村々をうろつき廻って、恋の相手もがなと物色する様になった。

さて茲《ここ》にプライスの住んでいる村から、山一つ越した彼方《むこう》にダヴィス家という一寸《ちょっと》した家柄の家があって、そこに可愛《かあい》らしい一人娘があった。ダヴィッド・プライスは何としたものか、何時《いつ》の間にかその娘と懇意な仲になって、これをウィニフレッドの後釜《あとがま》に据えようと考えだした。

或る晩のことプライスは例のように居酒屋へ入ってよろしく聞こしめしていたが、不図《ふと》ダヴィス嬢の可愛らしい顔を見たくなったので、フイと居酒屋を出て、隣村へと志《こころざ》した。その夜は、空はすっきりと晴れわたって、満月が皎々《こうこう》と天心に浮んでいた。人っ子一人通らないさびしい山道を辿《たど》って、漸《やっ》と峠までたどりついたプライスは、あまり疲れたので峠の上の岩に腰をかけ、そこで一休みしながら今来た村の方を見渡しつつ、瞑想に耽った。

月は真昼のように明るく山々谷々《やまやまたにたに》を照らした。彼の心には、幼時から聞きおぼえている、祖国ウェールスの歴史がありありと浮かんできた。遠い昔の伝説にあるアーサー王や、大魔術師メルリンの物語、さまざまな愛国者や詩人の事蹟、王や王妃の話などが、さながら活動写真でも見るように、それからそれへと彼の心に浮んできた。彼はそれらの興味多い思い出にふけりつつ、今更ながら美しいウエールスの山川《さんせん》の景色に見とれていたが、死んだ妻のことなどは爪の垢ほども思い出さなかった。

その時不図《ふと》怪しい音を聞いて、プライスは全身の血が氷《こお》るかとばかり驚いた。それはパタリ、パタリという異様な音で、どうやら棺桶がひとりで歩いているかと思われる様な、妙な音であった。地の中から響くのかと思うとそうでもない。空から聞《きこ》えるのかと思うとそうでもない。人の足音かと思うとそうでもない。話声《はなしごえ》かと思うとそうでもない。馬の足音でもなし、群衆の騒ぐ声でもなし、子供のわめくのでもなし、車の音でもなし、何の音とも判断がつかなかった。プライスは眼を皿のようにして、音のする方を見たが、生憎《あいにく》その時一抹の雲が流れて来て月を隠してしまったので、四辺《あたり》は一しきり薄暗《うすくら》くなった。その間にも怪しい音は止まないで、パタリ、パタリと次第に近づいて来る様子。どうしても棺桶がひとりで歩いている様な感じがしてならない。

プライスは甚《はなは》だ薄気味悪くなったので、俄《にわか》に逃げ出そうとすると、其のとき月は雲をはなれて、光が再び真昼のごとくあたりを照らした。そこでふイと振り返て見ると、彼の後《うしろ》にあらわれたのは、やッ、驚いた!

それは時計である。

ウィニフレッドが、「時計を見ろ、時計を見ろ」と口癖のように言った、その時計が、いつの間にかひとりで歩きだして彼の後を追いかけて来た。そしてことりことりと音をたてつつ、岩を飛びこえ、溝を渡り、彼のあとを追って来る。

「ひやあ、此奴《こいつ》は大変だ!」

と叫んで、プライスが逃げようとすると、いきなり時計がげらげらと気味わるい笑い声をたてた。プライスは驚いてふりかえると、時計の面《おもて》はいつの間にか死んだ内儀《かみさん》の顔になっている。

左右の孔は眼になった。そしてまるで火のように光ってプライスを睨みつけた。製作者《つくりて》の名を書いた文字は、口になった。

ダヴィッド・プライスはぎやッと叫んで、一飛びに一間《けん》あまりを飛んだ。そして韋駄天《いだてん》のごとく走り出した。どんな短距離競争の名手でも、此時のプライスほど早く走ったものはあるまい。正に脱兎《だっと》の如き勢いで走った。走ったのか転がり落ちたのか分からない。無我夢中にすッ飛んだ。しかし気味わるい時計の音は、ぱたり、ぱたりと後から聞えて来る。

プライスはまるで息もきれぎれになってダヴィス嬢の家の前に打倒れた。その音をきいて人々がかけ出して来ると彼は、

「時計を御覧なさい。時計を御覧なさい。」

と喚いた。

ダヴィス嬢は四辺《あたり》を見まわしたが、何の変わったものも見えなかった。

「何ですって、どこに時計があるのです。そうして時計が一体どうしたのです。」

「時計が……時計が……。」

と、プライスは口もろくに聞けずに縮こまっている。

ダヴィス嬢は呆れ果てて
「まあ、貴下《あなた》は何という方です。こんな夜中に人の家をたたき起して、こんな人騒がせをするなんて。貴下は狂《きち》気《がい》ですか。さあ、お帰りなさい。もう二度と来ないで下さい。」

といったなり、ピシャリと戸を閉めてしまった。プライスの狂気じみた騒ぎは勿論ダヴィス嬢の反感を買ったのだが、それ計《ばか》りではない。ダヴィス嬢は、プライスのウィニフレッドを殺したことを聞いて厭気《いやき》がさしたところへ、外にプライスよりはもう少し気のきいた相手を見つけたので、膠《にべ》もなくプライスに肱《ひじ》を食わせたのだ。

しかしプライスは閉め出しを食《く》ってびっくりしてしまった。

「どうかダヴィスさん、後生ですから入れて下さい。どこの隅でも我慢しますから入れて下さい。迚《とて》も今夜は帰れませんから。」

と、声をかぎりに嘆願した。しかしダヴィス嬢は一言も答えなかった。

プライスは精も根もつきはてて、そのあたりをうろつきまわり漸《やっ》とのことで納屋の隅に孔のあるのを見つけてそこにもぐり込み、がたがたと慄《ふる》えつつ一夜《ひとよ》をあかした。

彼ははじめて自分の罪の深いことを暁り、涙をながして心から死んだウィニフレッドの霊に謝罪《わび》た。

其の後プライスは二度と時計のお怪《ばけ》を見なかった。彼はこれから後《のち》すっかり真面目な男になり、家業をはげむようになった。そして據《よんどころ》ない用事があって、人々の集会に出る時でも、時計が十二時を指すと、俄かに立上《たちあが》って、「紳士諸君、時計を御覧なさい。」と言いつつ、別《わかれ》をつげるのを常とした。


第一巻（一八四〇）所収'Patty Morgan the Milkmaid's Story —"Look at the Clock!"' より自由訳

今日の人権意識に照らして不適切と思われる表現や語句につきましては、時代的背景を考慮し、作品を尊重する立場から、原本のまま収録しておりますことを、ご了承下さい。（編集室）

酒倉の妖魔

ジェームス王の御代のことだ。タッピングトン（英国の小邑《こむら》）のほとりにロビンという少年がいた。至って罪のない男ではあったが、悪いことには酒が好きで、何時《いつ》も村々の居酒屋を飲みまわり、酔えば若い女達をからかつて、不所行《ふしだら》を極めたので、『ウム、あのロッブの飲《のん》だくれ野郎が』と誰も真面目に相手にするものはなかった。矢張《やはり》その邑《むら》に、ゲルトルード・スレードと言って、年は二八《にはち》*ばかりの、まだ一向世間知らずな可愛《かあい》らしい娘があったが、どうしてロビンに打ち込んだのか、それともロビンの甘《うま》い口前《くちまえ》に欺《だま》されたのか、何しろ至極懇《ねんご》ろな間になった。

邑のはずれに、昔城でもあったものか、古い家の跡がある。古びた壁は青錆びて、蔦蘿《つたかつら》があちこちにまつわり、柱はところどころに骨のように突立《つった》ち、僅《わず》かに屋根の名残りとも見えるような梁木《うつばり》が辛《かろう》じて瓦《かわら》を支えているところもある。壁の内部には青草《あおくさ》が丈高く繁っている。唯一つ昔の俤《おもかげ》を残しているのは、鐘楼であった。その古びた尖塔が、月の光の中にぼんやりと立って見える時には、いかにも懐古の情を起こさせるに足るものがあった。

此《こ》の城跡《しろあと》は、恋する若者達には絶好の密会所であった。厚い、迂回《まが》った壁はよく彼等を人目から避けさせた。和《やわ》らかい青草の蓐《しとね》は彼等に安らかな恋を楽しませた。ロビンとスレードも勿論《もちろん》此の城趾《しろあと》の恩恵に浴した。

丁度《ちょうど》五月の或《あ》る日、ロビンは例の通り、ここでスレードに逢う約束をした。彼は日の暮れるにはまだ間のある夕方、何処で飲んで来たものか、酒臭い息を吹きながら、こそこそと城跡に入って来た。家路《いえじ》に帰る農夫は、樹立《こだち》の中から彼の姿を見て

「ははあ、ロビンの奴め、何処《どこ》の娘を欺していやがるか。」

と呟いた。

その日は何となく不安な日であった。また五月に入ったばかりなのに、妙に蒸暑く苦しい日であった。太陽は西に傾くに随《したがっ》て、血の様な色になって、空一面を染め、その眩《まばゆ》さと言《いっ》たらなかった。ロビンは口笛などを吹きながら、不安そうにその景色を眺めつつ、可愛らしいスレードの姿が、今にも樹蔭《こかげ》から出て来るかと待ちに待《ま》った。

待てども待てども少女の姿は見えないで、何時《いつ》の間に

か怪しい雲が空一面にひろがって来た。薄気味のわるい音が何処ともなしに聞こえて、冷たい風が頬を打つ。あたりが次第に暗くなるにつれて、森の木々は、寂しい唸り声を立てはじめた。やがてポツリ、ポツリと大粒の雨が落ちて来たと思うと、忽《たちま》ち車軸を流すような大雷雨となった。ロビンは驚いて破れた屋根の下に逃げ込んだが、防げればこそ、忽ち濡鼠《ぬれねずみ》の様《よう》になってしまった。

帰ろうと言ったって此の大雨の中を、可成《かな》り道程《みちのり》のある家まで帰れるものではない。さりとて此儘《このまま》にもしていられない。どうしたものかと当惑していると、不図《ふと》闇の中に火光《あかり》が見えた。おや、こんな所に何故《なぜ》火光が見えるだろうと不思議に思ったが、何しろ此《この》場合だからそんな事を愚図々々《ぐずぐず》考えてはいられない。直《すぐ》に火光を目がけて駈けて行《いっ》た。

其所《そこ》は古い家の一室とも見える所で、月の隙から灯が漏れている。ロビンは近寄てそッと隙から覗いて見ると、中には三人の女がいた。中で二人は可成《かなり》の老婆《ばあさん》だったが、一人は年の若い、何ともいわれない、素敵な別嬪《べっぴん》で、ロビンは一目見ると魂も何処かへ飛んで行ってしまった様な気持ちになった。三人は各自《てんで》に大きな樺の枝でこしらえた箒《ほうき》を持ち、青い外衣《うわぎ》を着、先の尖った帽子を被《かぶ》り、そして皆膝の上に黒い猫をのせていた。ロビンが一心に戸の隙からのぞき込んでいると、一人の老婆《ばあさん》が

「おい、誰か来た様じゃないか。こんな淋しい晩に、こんな所をうろついている奴は誰だろう。」といいだした。

すると若い美人は立上って

「誰でもいいじゃないか、構わない、お入り。さあ、ロッブさんお入り。」

と声をかけた。唯《ただ》さへ美人を見て恍惚《うっとり》となったロビンは、美人から此の歓迎を受けて、加之《おまけ》に自分の名を呼ばれたので、もう有頂天になって室《へや》の中に飛込んだ。すると美人はいきなりロビンの手を執《とっ》て

「さあ、舞踏《おど》りましょう、舞踏りましょう。」

と足拍子を取っておどりはじめた。ロビンは嬉しくてたまらない。美人のするままに一緒に舞踏ると、後の二人の老婆《ばあさん》も一緒になって、大声をはり上げて歌いながら、舞踏りはじめたのである。

だがまあ、外で此の騒ぎを聞いている人があったなら、どんなに驚いたことだろう。いや驚いた位では済まない。彼等は其の音をきいただけで身の毛をよ立《だ》てたろう。こんな怖しい音楽は、人間の世界では聞けない音楽だ。死《し》人《にん》の呻《うな》り、鬼の叫び、何ともいい様のない不思議な音楽が、此の城趾を満たしていた。だがロビンはそんな事は知らない。ただもう夢中で、いい気になって、美人の

手を執って躍り狂っていた。

　やがて舞踏《おどり》が済んで、席に着くと、三人の女は相談をはじめた。

「どうだろう、何処かへ行って夕飯を食べなくてはならないんだが……。」

「うむ、いい所があるよ、それは牧師のトパスの所だ。彼所《あすこ》へ行けば鹿の肉のパイもあるし、松鶏《らいちょう》のパイもある。肥った鵞《あひる》の焼いたのもあるし、七面鳥もある。領主の所だって何処だって、御馳走にかけては彼《あ》のトパスの家に敵《かな》やしないのさ。」

「そうかい。だが、美味《おいし》い酒のある所はどこだろう。」

「そりゃ矢張《やっぱり》トパスさ。彼《あれ》の所へ行けば何しろ無類飛切《とびき》っていう白葡萄酒《マルウオアジー》が大きな樽に一杯あるんだもの。そりゃタッピングトンホール（領主の家《うち》）へ行けば麦酒《ビール》はあるさ。だが彼所の主人は余り飲まないからねえ。」

「じゃあ行こう、さあ行こう。夜明《よあけ》までには帰らなくちゃあならないからねえ。そら烟突《えんとつ》を潜《くぐ》って！」

　といいながら一人の老婆《ろうば》は箒を取て、子供がするように、其上《そのうえ》に馬乗《うまのり》になった。すると身体《からだ》がふらふらと宙に浮いて、忽《たちま》ちの中に烟突の穴から外に飛び出して行《いっ》た。次の老婆《ばあさん》も同じ様にして其後《そのあと》につづいた。最後に美人はロビンを顧《かえり》みて

「さあ、ロッブさん、貴郎《あなた》も乗《の》って御覧なさいな。怖い？　さあ、斯《こ》うすれば宜《い》いんですよ。」

　と一本の箒を出してくれた。ロビンは美人のする通《とお》りを真似して箒に跨《またが》り、美人の出た後をついて

「そら、烟突を潜《くぐ》れ！」

と声をかけた。すると、ロッブの身體はふらふらと宙に浮んで、するすると烟突の穴をくぐりぬけた。

　暴風雨《あらし》は次第に静まり、夜は深々《しんしん》と更けていく丑満《うしみつ》の頃

　ここはサア・トパスのの住む牧師館である。牧師館は高い、重々しい建物で、石垣高く、門厳《いかめ》しく、どこからも盗賊の入るべき道はない。加之《おまけ》に館の前庭《まえにわ》には逞《たくま》しい、大きな番犬が、暗《やみ》に眼を光らして夜を警《いまし》めていた。

　突然犬は何を見つけたものか、低いうなり声を出した。彼は何時も事のある時にするように凄まじい声を立てて吠えない。彼は尾を尻の間に挟み、地の上にへた張って、頻《しき》りにうなるのであるが、何しろ夜半《よなか》のこととて誰《たれ》も気のつく者はなかった。

　牧師のトパス氏は、いい心持《こころもち》で寝ていたが、真夜半《まよなか》

になって、何となく物に襲われるような気持がしてよく眠れない。ウトウトとしている中《うち》、不図何処《ふとどこ》からか
「そら、烟突を潜って入れ！」

といふ声を二度ばかり聞いた。ハッと思って耳を聳《そばだ》てたが、それ切り何も聞こえなかったので、夢でも見たのだろうと、また眠ってしまった。

だが此時《このとき》トパスが目を醒《さ》まして酒倉兼食料部屋の有様を見たらどんなに喫驚《びっくり》したことだろう。そこには怪しい姿をした二人の妖婆と、美人と、少年とが、車座になって、戸棚から引き出した御馳走を貪り食らっていた。一人の老婆《ろうば》は七面鳥の雛の揚物を甘《うま》そうにムシャムシャ食《や》っている。一人の、歯の一本もない老婆《ばあさん》は梨のお菓子を食べている。美人は雛鶏《チキン》の胸をつッついているし、少年は口じゅうをパイで一ぱいにしながら、流睫《ながしめ》でしきりに美人の横顔に見とれていた。やがて美人は杯《さかずき》を取て
「さあ、お祝いに飲みましょう、盗んで食べるのは美味《おいし》いものだわねえ。さあ、一ぱいに注いで下さい。ロップさん。」

と満々《なみなみ》と葡萄酒を注がせて飲み、それから杯を廻《まわ》して皆々いい心持に酔《よっ》た。

ロビンも至極いい気持ちになって、女達の喋舌《しゃべ》るのを聞いていたが、よく意味が分らない。が、その中に、スクラッチだの、オールド、ボゲイだの、ニックだのという、悪魔の名が度々《たびたび》出て来ることだけは分った。暫《しばら》くしてロビンは、自分の持っているトーストを女達に分けてやろうとしたが、あまり自分ばかり黙っているのも変に調子が悪いと思って、何か洒落たことを言おうと思った。その時にロビンの頭脳《あたま》に浮んだのは、聖書に書いてある義人《ただしいひと》ノアのことだ。大洪水で世界の滅びた時、神に助けられた人、そして初めて葡萄を作った人のことだ。ロビンは何の気もなしに葡萄酒を注ぎながら言た。

「さあ、注ごう、そら初めて葡萄を植えたノアの健康を祝《しゅく》そう。」

ロビンがそう言たか言わないうちに、不思議の現象が起った。三人の女達はどういう理由か一斉に噴嚔《くさめ》をする、咳嗽《せき》をする、息がつまる、むせかえる、その騒々しさったらない。ロビンは呆気に取られていた。

だがそれよりも、もっと驚くべき事が起ったというのは、ロビンが此昔《このむかし》の義人《ただしいひと》の名を呼ぶと同時に、牧師館に住んでいた人々は、さながら魔法から解かれたように、一斉《とき》に目を醒ました。そして酒倉のあたりから、騒がしい音のするのを聞いて、そら泥的《どろてき》*だ！　一時には ね起きたのである。そして手々《てんで》に手に触れる武器を執《とっ》て走り出した。

料理人は炙串《やきぐし》を攫《つか》んで飛び出した。馬丁《べっとう》は馬具を攫んで飛び出した。庭師は鋤《すき》を抱えて飛び出した。従僕と小間使は、二人で一つの蠟燭を持って飛び起きたので、甚《はなは》だ怪《け》しからぬ秘密が暴露《ばれ》た。豚牧《ぶたか》いも、番人《ぼうにん》も皆飛び起きた。最後にトパス牧師は、異様な風体で、こわごわと出て来た。

彼等は期せずして一縦隊となり、ドヤドヤと料理部屋へ突進し、戸を押し開けて潮《うしお》のやうに雪崩《なだ》れ込んだ。怪しの者共はそれを見るより口々に

「さあ、烟突を潜れ！」

と叫び乍《なが》ら、箒に跨って、ふらふらと宙に飛び上がり、烟突の穴から逃げてしまった。ただ一人残ったのは、少年ロビン！

「そら泥棒め、フン縛れ！」

とばかり一同は寄ってたかって、蹴る、打つ、投げる、散々な目に遭わしたが、ロビンは一向平気なもので、こりやこりやなどと掛け声をして、縛りあげられるままで舞踏《おどつ》ていた。

夜はほのぼのと明けた。牧師の家に泥棒が入ったという報知《しらせ》は直《すぐ》に領主の所へ来た。

領主は泥棒を裁判すべきことを布令《ふれ》た。牧師館の人々を初《はじ》め、近所の人々は、賊を見んものと犇々《ひしひし》と詰めかけ、傍聴席を埋《うず》めた。やがてロビンは、馬丁と従僕に両手を引張られて、領主の前に引出された。

何しろ犯罪の現場《げんじょう》で捕まったのだ。多勢の人がそれを目撃している。何と抗弁《あらがう》べき筋のものでもない。即刻有罪を宣告された。ロビンは悄然《しょうぜん》として誰か自分に同情する人もがなと四辺《あたり》を見まわすと、傍聴人の中から真《まっ》黒《くろ》な眼がじっと自分を見つめている。何だか見たような眼だ。と思って、よく見ると、豈図《あにはか》らんや、昨夜の妖女《ようじょ》。

ハッ！　と思って顔色をかえると、妖女はツカツカと進んだ。領主の前に、証拠物件として置かれてあった、ロビンの持《もつ》ていた箒、それを領主が取り上げようとする所を、いきなり引っぱって、領主の胸を突いたので、領主は目をまわして倒れる。その隙に妖女は箒を奪ってロッブをかきのせ

「さあ、ロッブさん、お逃げなさい。そら烟突を潜れ！」

と叫ぶと、妖女とロビンをのせたまま、箒は宙に浮き上がつた。傍聴人が呆気《あつけ》に取られて、アレヨアレヨと叫んでいる間に、二人の姿は何所《どこ》へか見えなくなってしまった。

やがてロビンが城趾にいた！　という報知を聞いて、人々はゾロゾロと例の城趾へ行って見ると、ロビンは今

夢から覚めた様な顔をしてぼんやりと坐っていた。足もとには火酒《オードウィ》の空瓶がころがっていた。

やがてロビンはすっかり正気づいた。人々はロビンから昨夜《ゆうべ》の出来事を聞き取り、全く魔物の仕業に違いあるまい。深く尤《とが》めるのは可愛そうだというので、ただ将来を戒《いまし》めて帰した。

ロビンは此時《このとき》からすっかり行《おこない》を改めた。彼の姿は全く居酒屋に見えなくなった。彼は愛人スレード嬢を娶《めと》り、真面目に稼業を励んで働き者という評判を取るほどになつた。そして幸福な一生を送って、六十歳で此世に「左《さ》様《よう》なら」を告げた。……

第一巻（一八四〇）所収 'The Witches' Frolic' より自由訳

《註》

二八　十六歳。

泥的　泥棒を見下して、あるいは軽く呼ぶ言葉。

『西洋妖怪傳説』について

牧原勝志

『インゴルズビー伝説』は、ケント州の郷紳トマス・インゴルズビー氏、実はリチャード・ハリス・バーラム師が収集し、一八四〇年から出版したイギリスの伝承集で、エピソードには怪談奇譚が多くを占める。

これを『幻想と怪奇』で取り上げてみては、という御提案を紀田順一郎先生から受けたのは、刊行開始前後の頃だったか。南條竹則氏の『ゴーストリイ・フォークロア』が『幽』の連載だった頃に読んで得たくらいの知識しかなかったので、興味を持って原書を入手したはいいが、エピソードのほとんどが韻文で、翻訳をどうしたものかと悩んだまま、棚上げになっていた。

同書によると、英文学者の平《ひら》田《た》禿《とく》木《ぼく》（一八七三―一九四三）はこの『インゴルズビー伝説』を愛読していたというが、サッカレーの『虚栄の市』やラムの『エリア随筆集』などで知られる名訳者の平田も自ら訳してはいないようだし、南條氏による作品紹介も、御自身がおっしゃるように、粗筋本意でしておられる。

韻文の翻訳を打診できそうな訳者はいるか……と思い悩むうちに、幸運にも知り得たのが、『西洋妖怪傳説』（國民書院　一九一九増補再版）だった。同書はイギリスの怪談奇譚十一編を自由訳したもので、うち八編が『インゴルズビー伝説』を出典とする。

著者の蘆谷重常《あしやしげつね》（一八八六―一九四六）は児童文学者で、蘆村《ろそん》と号した。島根に生まれ、栃木に育ち、一九〇八年創刊の児童雑誌『新少年』の編集を経て、明治末期から大正期に児童文学の創作と研究、普及を先導した。東洋宣教会（ホーリネス教会の流れを汲むメソジストの一分派）の洗礼を受けたキリスト教徒ゆえか、作品には聖書のエピソードの再話をはじめ、西洋の文学を原作にしたものが多い。

同書の序文で蘆谷は、幽霊や妖怪は存在しないが、いないものがいそうに思えるのが怪談の面白さだと言い、このように語っている。

「到底信ず可《べ》からざる出鱈目であるけれども、之《これ》を聞けば大《おおい》に面白い。何だか知らぬが怖くなる……テンから嘘っ八だとは考えているが、その嘘っ八が面白いから、一生懸命に怪談に親しむのである」

そして、西洋の怪談は日本のものより「より空想的であり、より超自然的であり、より多く馬鹿げている」ところに楽しさがある、と述べている。

その代表格として『インゴルズビー伝説』を挙げているのだが、韻文であることはさておき、原文に交じるラテン語やフランス語に難渋し、さらにイギリスの故事は日本の読者にはなじみがないと見て「文章の上では毫も原作に拘泥せず、ただ原作を基とし、これを面白可笑しく書き改めて本書を成した」という。

同書に収録された『インゴルズビー伝説』のエピソードは、本書に再録した二編の他に次の六編がある。

「不思議な医者」"The Leech of Folkstone: Mrs. Botherby's Story"／「ズボンの行方」"The Spectre of Tappington"／「ニコラス聖者」"A Lay of St.Nicholas"／「ニックの袋」"Saint Medard: A Legend of Afric"「悪魔の宴会」"The Lay of St. Cuthbert; Or The Devil's Dinner-Party: A Legend of the North Countree"／「呪咀の金髪」"A Singler Passage in the Life of the Late Henry Harris, Doctor in Divinity"

「ニックの袋」と「悪魔の宴会」は原書第二巻から、他は第一巻から選ばれている。蘆谷がどのように訳したかは本書に再録したとおりで、口演童話の普及を目指した人の筆だけに、落語にも通じる話芸の味わいがある。原作の滑稽味を的確に捉えていると言えるだろう。

なお蘆谷は、同じ出版社から蘆村居主人の名で上梓した、戦士と美姫の恋がテーマの自由訳作品集『戦士と戀』（一九二二）にも『インゴルズビー伝説』から「奇妙な襯衣」"Aunt Fanny– A Legend of a Shirt"を選んでいる。余談だが、同書巻末の『西洋妖怪傳説』の広告がちょっと面白いので、引用しておく。

「世界の妖怪文学中に名高い奇書インゴルヅビー伝説を始とし西洋の怪談の中で最もすぐれた、奇抜な怪談十数篇を選んで訳述したもので、何人も一読…………

実に怪しからぬ本だ!!

と腹を立てずには居られぬほど、奇抜な面妖な書物である。」

『インゴルズビー伝説』は、E・ネスビットが自作の登場人物に魔法の参考書として言及させるなどの引用例もあり、イギリスの幻想文学を知るのに重要な書物と言えるだろう。韻文を翻訳する難問は避けられないが、邦訳の機が巡ってくるのを、そして先駆者たる蘆谷に光を当てる時が来るのを、待つことにしよう。

（引用文は新字・新かな遣いにあらためた）

恐怖の巨匠たち

チッペンデールの鏡

The Chippendale Mirror

E・F・ベンスン　E. F. Benson

伊東晶子 訳

E・F・ベンスンもイギリス怪奇小説の巨匠の一人に数えるべき作家である。上流階級の生活をコミカルに描いた長編で人気を博する一方、師であるM・R・ジェイムズを上回る数の怪奇短編を書いたのだから。なお、兄の詩人A・C・ベンスン、弟の聖職者R・H・ベンスンも、怪奇小説を手がけている。本作はPearson's Magazineの一九一五年五月号に掲載されたが、生前刊行の単行本には収録されず、七八年にアンソロジストのヒュー・ラムにより発掘された。イギリスの怪談では古書と並んで古物骨董がしばしば題材に取り上げられるが、これは古い鏡をめぐる物語だ。

近年の犯罪で、〈ウィンブルドンの謎〉と呼ばれるものほど、鋭い洞察力をもつアマチュア探偵諸氏の関心を大いにかきたて、刺激した事件はなかったのではないだろうか。殺害されたイェイツ夫人の恨みがずっと晴らされずにいたあの事件だ。

半年近くのあいだ、警察が専門外の〈協力者〉たちの惜しみない助言を受け入れることまでしたにもかかわらず、犯人逮捕に至らなかったのは周知の事実だろう。犯人が申し分のない自制心を示したことは確かだ。たいていの犯罪では、気が緩んだ犯人が軽率な行動をとることから足がつく。だが、この犯人はそうした月並みな過ちは犯さなかった。

とはいえ、完全に逃げおおせることができたかどうかは疑問だ。犯罪の果実を懐に穫り入れる危険は冒さなかつたものの、容疑をかけられたときに持っていてはまずい証拠を手放せなかったのだから。だが、みつかってしまったのはヘマをしたからではない。彼には防ぎようのない状況のせいだった。

　この犯罪に関してわかっていることを大雑把にさらっておいたほうがいいだろう。イェイツ夫人は、長年、ウィンブルドン・コモンに面した快適な屋敷で夫と暮らしていた。結婚生活は、主に夫人の飲酒癖のせいで、ずっとうまくいっておらず、彼女が亡くなる一週間ほど前に夫妻は別居に合意していた。夫人はイタリア人で、夫からかなりの額の手当が支給されることになっていたので、南国の空の下に戻り、そこで暮らすことを希望した。

　出発の前日、イェイツ氏は、夫人に百五十ポンド渡した。彼女とメイドの旅費であり、ローマで銀行口座を開設するまでの手持ちの金だった。主に五ポンド紙幣からなる札束と幾らかの英国金貨が、このとき夫人の手元にあったわけだ。

　その日の午後、イェイツ氏は急ぎの仕事でロンドンに呼び出された。夕方、氏から夫人に電話があり、仕事が夜遅くまでかかりそうなので、その日は市内に泊まり、翌朝ヴィクトリア駅で待ち合わせようと言ってきた。イェイツ氏が事務所まで乗ってきた車と運転手は屋敷に帰らせるから、夫人とメイドはその車で駅まで来ればいい。

　翌朝七時、メイドが女主人を起こそうと部屋に入ると、夫人はベッド脇の床に倒れており、喉を掻き切られていた。長枕が顔を覆い、後ろで縛ってあった。ベッドも床も家具も血まみれだった。

　どうやら犯人は手袋をしていたようで指紋はみつからなかった。そればかりか、火格子の灰の中にイェイツ氏の手袋一組が燃えた跡があった。完全に灰になっていたことから犯行時刻は夜の早いうちだとわかる。そうでなければ、手袋が灰になる前に暖炉の火が消えていたはずだ。金がなくなっていたので犯行の動機は明らかだ。住み込みの使用人たちはなんの物音も聞いていなかった。

　手がかりが得られないまま半年近く経った。夫の犯行でないことは疑う余地なく立証された。真夜中過ぎまで事務所に足止めされており、一時少し前に宿泊先のホテルで夜間のポーターが彼を中に入れ、エレベーターに乗せて部屋まで案内したのだ。それ以降、朝になるまでホテルを出入りした者はひとりもいなかった。

　使用人たちは厳しく取り調べられ、消えた金の捜索が行われたが、この陰惨で不可解な犯罪に光を投げかけるものは何もみつからなかった。客間の窓が開いており、窓の下の花壇に足跡がついていたことから、屋敷の外から侵入した何者かによる犯行であることは明らかだと思える。だが、この足跡は犯人によって踏み消されたらしく不鮮明で、手がかりにはならなかった。

　紙幣の中には、番号のわかっている新札もあったが、使われた形跡はなかった。執事、運転手、従僕二人という四人の男性使用人は注意深く監視されたが、疑わしい金遣いの荒さを見せる者はいなかった。犯人は、入ってきたときと同様、ひそやかに、誰にも気づかれずに、夜の街に消えてしまった。

　結局、イェイツ氏は二度とこの屋敷で暮らすことはなく、借地権は競売にかけられ、家具の一部（妻の寝室にあったもの）は売りに出された。あれほど残忍な悲劇を目撃した物を目にするのが耐えられなかったのだ。

　こうした出来事から五か月ほど経ったころ、ぼくは夕食をとった帰りに、最近市中に住むようになった友人、ヒュー・グレンジャーを訪ねた。急に遺産が転がりこみ、素晴らしい新車と腕のいい運転手、毛皮の外套、ベドフォード・スクエアの家といったものに金をつぎ込んだのだ。だが、狭いところから引っ越したので、家の中は今のところ家具が少なく殺風景だった。

　あわてるとろくなことにならないとわかっているヒューは、適当に買い集めたもので空いたスペースをすぐに埋めたりせず、目と懐を大きく開いて、天井の高いアダム様式の部屋部屋にしっくりくる品を少しずつ手に入れた。こうして、今日はサイドボード、今日は木の背もたれが付いた簡素な椅子を一脚、今日はシェラトンの飾り棚というふうに室内を彩っていった。

　今夜の彼はチッペンデールの鏡にご満悦だった。パトニーにあるまさかこんなところにと思うような店で見つけ、まさかこんな値段でと思うほど安く手に入れたという。配送されたばかりで、居間の床の上に立ててあるが、いずれマントルピースの上の、どんぴしゃりという場所に取り付けることになる。

　なるほど魅力的な品で、ヒューは惚れ惚れと眺めては象嵌《ぞうがん》細工の見事さ、木枠の優雅な曲線、塗り直されていない金箔、なかでも特に製作時のままの鏡面をぼくに指し示した。

「そのうえ値もいい」と彼は言った。「そう、今の時代に作られた模造品だってもっとするよ。しかもパトニーで！　あそこでこんな逸品が手に入るなんて思ってもみなかった」

　ニャアというかすかだが有無を言わせぬ鳴き声がドア

の向こうから聞こえ、ヒューはすぐさまサイラス大王の命にしたがった。彼の飼っているペルシャ猫だ。威風堂々と姿を現した猫は、ドアを抑える人間をできるだけ長く待たせてやろうと、のんびり部屋に入ってきた。

　サイラスは、皮肉にも〈主人〉と呼ばれている男には、そしてぼくにも、当然のように目もくれず、いつもの椅子に飛び乗ろうとしたところでさっと振り返り、しっぽをぴんと立てて鏡のほうへ走っていった。鏡の何かがえらく気に入ったようすで（雷鳥肉の冷製だとでも思ったのだろうか）、ごろごろと大きく喉を鳴らしながら鏡の前を行ったり来たりし、体をこすりつけた。足を高く上げてはそっと踏みしめ、一歩ごとに爪を出したり引っ込めたりしながら、目を輝かせ、尻尾を揺らした。鏡の裏側に回ると満足気に大きく喉を鳴らし、やがて鏡の前に座り込んだ。鏡面に鼻が触れそうなほど近くに寄り、うっとりと覗き込む。だがサイラスは、猫がよくするように、鏡に映る自分の姿を見ていたのではない。首を左右にすばやく振りながら鏡面全体を見渡していた。

「サイラスもきみと同じくらいご満悦だね」とぼくは言った。ヒューは答えなかった。不思議そうに猫を見ている。美しいものに目がない彼が、それ以上に魅かれるものがあるとすれば、それはただひとつ、奇異なものだ。目に見えない心霊世界につながるもの、物質世界と同じくらい確かにぼくたちの周りに存在し、たまに垣間見ることができるものだ。ぼくたちはこれまで、降霊会や幽霊屋敷で奇異な出来事を数多く経験してきた。それで、サイラスの行動がヒューの目には心霊学的に興味深いものと映ったのだろうか。ぼく自身はそのときはまだ、鏡に我を忘れている猫を見て、動物が感じていることはわからないなあとしか思わなかった。

「サイラスが何を見ているのか教えてくれるなら、鏡はあいつにくれてやるんだけどな」しばらくしてからヒューが言った。「なにしろ、」そこで急に言葉を切り、鏡面を指差した。

「あれはなんだ？　鏡の中で何かが起こっている」

　そのとき、そう言われたせいかもしれないが、心霊現象を体験した人ならよく知っているはずの奇妙な感覚に襲われた。何かに呼ばれたような、外からではなく体の内側、脳の中から注意をうながしてくる感覚だ。この不思議な合図と同時に部屋の空気が急に動いた。かすかだがはっきりわかる冷たい空気の流れを感じた。その瞬間、それまでじっとうずくまっていたサイラスが、愉悦の表情を浮かべて体を起こし、鏡の中をまばたきもせずに見つめながら絨毯を引っ掻いた。

ヒューが指差す先をぼくも見た。明るいところに立ててあるのに鏡面が暗くなっていた。映っているはずの猫も、その後ろに立つヒューも、そばのテーブルの上の火を灯した蠟燭も見えなかった。鏡の中のぼんやりとした薄暗がりの中を、何かが、ぼくには見えないものが通り過ぎた。次の瞬間、鏡の中には本来の鏡像が戻っていた。サイラスはすぐに興味を失い、鏡に背を向けると絨毯を横切っていつもの椅子へと歩いていった。

　ヒューが口を開いた。

「消えてしまった。でも、ぼくは……いや、きみの考えを聞かせてくれ」

　ぼく自身、少なからぬ衝撃を受けていた。鏡像がいきなり消えたのもさることながら、あの暗がりの奥に何かがあったという感覚がなんとも言えず気味が悪かった。

「暗くなった」とぼくは言った。「それから、その暗闇の中で何かが動いた」

　ヒューが声を上げて笑った。

「思っていたよりさらに買い得だったよ」と彼は言った。「ぼくにも全く同じものが見えた。心霊現象研究協会なら集団幻覚の事例と呼ぶだろう。でも、それじゃあ、説明がつかない気がする」

「だったら憑霊鏡《ひょうれいきょう》と呼ぼう」とぼくは言った、「もっと説明がつかないかもしれないけどね」

「でも、どういうことかはわかるよ」

　ぼくがまたヒューの家を訪れたのは、それから二日ほど後だった。そのあいだに鏡は所定の位置に据え付けられ立派に見えたが、鏡らしからぬ反応や、鏡像が消えるような兆候は見せなかった。

　今ではぼくの目の高さに近いところにあるので、この前よりらくに精巧な細工を確かめ、鑑賞することができた。前述したように鏡面は作られた当時のままで、そういう場合によくあることだが、表面にかなりの数の黒っぽい斑点が散っていた。ガラスの裏に塗布した水銀が欠け落ちてできたものだ。

　だが、もっと詳細に眺めてみると、斑点の幾つかはガラスの裏側ではなく、表面にあることがわかった。その数は半ダースにも満たないが、鏡の下端、木製の枠との隙間には、鏡面に散っている小さな斑点と同じ茶色の滓《かす》のようなものが少し溜まっていた。なんらかの液体が流れこみ、そのまま乾いて錆のようになったらしい。果樹園の木枠《トレリス》に打ちつけた釘から錆が流れ落ちてできたシミのようだ。けれど、だからどうということもなかったので、ヒューがぼくのそばに来たときも口に出さなかった。

ヒューは、鏡が当たり前の反応しか見せないことに不満たらたらだった。

「午前中の半分はこいつを見てたんだ」と彼は言った。「見えたのは自分の顔だけだ。いやがるサイラスを抱えて近づけてもみた。これっぽっちも興味を示さなくて、ぼくの手から逃れようとくねくねするだけだった。それはともかく、この鏡はまさにここに架けるために作られたようじゃないか、そう思わないかい?」

「だが、幻はもう見えないんだね?」ぼくは訊いた。

「ただのひとつも。幽霊のひとりも、といったほうがいいのかな。それでもサイラスがこのあいだの晩、何かを見てえらく喜んでいたのは事実だ。猫には並外れた感知力があるし、ぞっとするようなことが好きで、死人が好きだからな。ところで、明日の晩、食事に来てくれないか。素晴らしく退屈ないとこが二人、呼んでもいないのに訪ねてくるんだ。同じようなことがあったときにはいつでもぼくが手を貸すから、持ちつ持たれつでいこう。いいだろう?」

　素晴らしく退屈ないとこは評判に恥じない人たちで、ぼくとヒューはうんざりする一夜を過ごした。二人ともカード遊びをしなかった。ご婦人は煙草の匂いを嫌った。どちらも、どんな話題にも、意見を持ちあわせていないようだった。そして何より最悪なことに、帰ろうとしなかった。

　もう真夜中に近かった。ヒューは絶望の色を目に浮かべ、外交政策に関する退屈でどうでもいい話をしている。そのときふいに、例の秘密の合図がぼくの脳に伝わり、ひんやりした隙間風がゆっくりと顔を撫でた。

　その瞬間、いつもの赤い椅子で平和に眠っていたサイラスが、興奮したようにごろごろ喉を鳴らしながら目を覚ました。伸びをして尻尾を揺らすと、さっと鏡に目をやり、見事な跳躍を見せてマントルピースの上に跳びのった。

　外交政策について滔々《とうとう》と話していたヒューの声が途切れ、二歩でマントルピースまで行くと、鏡の中を覗き込んだ。

「なんてきれいな猫なの!」煙草の匂いが嫌いなご婦人が言った、「おまけにあの優雅な跳びっぷり! マントルピースの上に壊れものがなくてよかったわ! 猫ちゃんたら!」

　ぼくも立ち上がっていた。ご婦人の声は夢の中で聞いているようで、ぼくにとっての現実はあの輝く鏡の中にあり、その鏡はまた、みるみる暗くなっていく。ヒューの肩越しに身を乗り出し、鏡に見入る彼の呼吸が早く短くなるのを聞きながら、明るい部屋の壁に架かった闇の中にあるものを見た。

ぼくは暗い部屋の中を見ていた。向こう側にある窓のブラインドから差し込むかすかな光と、部屋を横切るように動くランタンの灯りだけがその部屋を照らしている。ベッドが仄白く光っている。ベッドの中の人影は、移動するランタンが近くまで来るとぱっと身を起こした。ランタンを運んでいたのは男で、一瞬、その顔がちらっと見えた。

この情景が現実の時間と空間の世界でどれくらい続いたのかはわからない。人が部屋を横切るのにかかるのと同じだけだったように思える。次の瞬間、ぼくもヒューもごく普通の鏡を見ていることに気がつき、サイラスがぽふっと軽い音を立てて暖炉前の敷物の上に跳びおりた。

だが、鏡の中を見ていたそのわずかな時間、ぼくはすさまじい恐怖の闇に落ちていた。強い好奇心だけが、その恐怖に絡めとられることをなんとか防いでいた。ぼくが目にした、磨かれた鏡面を数秒間曇らせた途轍もなく恐ろしい何かが、どこにでもある広場に面した堅固な家の内側、この部屋の穏やかな倦怠の中へと侵入してきた。惨劇の物言わぬ目撃者がやってきてこの家の平和を乱したのだ。鏡が見せたのは、なんだかよくわからない極悪非道な行為を写した一枚の写真などではなく、行為そのものだった。とはいうものの、その行為がなんなのかはまだわからないし、推測もできない。とにかく、細面で髭のない男（どうも現実の世界で見た覚えがある）が、ランタンを手にあの寝室に入ってきたのだ。一瞥しただけでも何か恐ろしいことであるのは間違いない。

ぼくの意識が元いた部屋に戻ったとき、こうした思いが頭に浮かんだ。そのときにはもう長っ尻の客は席を立ち、ようやく帰り支度をしていた。サイラスは自分の椅子で丸くなり、ヒューはひどく不自然な声で「え、もう？　まだ早いでしょう？」と言っていた。

ヒューが客をさっさと送り出す任務から戻ってくると、ぼくたちは鏡にちらちらと目をやりながら、夜中の二時、三時まで話し合った。どうやらぼくたちが見たものは同じ場面だったようだ。だが、ぼくがランタンを手にした男の顔を見たのに対して、ヒューはベッドに体を起こした女の顔を見ていた。ぼくから見えた部屋のその部分はぼやけていて、ベッドに横たわっているのが男か女かもわからなかった。ヒューはまた、ランタンを持つのとは反対の手で男が握っていたものを灯りが照らし出すのを見ていた。それを聞いてぼくは、鏡と枠の隙間にあった茶色い滓のことを思い出した。

幻影が二度とも真夜中に現れたことで、ぼくたちの仮説、とてつもなく恐ろしい仮説が形を取りはじめた。ぼくたちが目にしたような惨劇が、いつか、どこかで、あの時間に幕を開けたのではないだろうか。この鏡には写真の銀板のようにその映像が保存されており、霊的な環境が整うと再生され、人の目に見えるようになるのではないか。不思議な巡りあわせで鏡はぼくの友人の手に渡った。ヒューもぼくも霊的なものを感じやすい性質なので、鏡の前で行われた犯罪の断片が見えたのだろう。それに、鏡が再生する力は強まりつつあるようで、伝えようとするものが前よりはっきりしてきた。最初のときは暗闇しか見えなかったのに、二度目はその中で行われたことが見えた。

ぼくたちは、翌日の夜また会うことにした。十一時頃に訪ねると、ヒューが書いた短信が待っていた。よんどころない事情で出かけるが、真夜中までには戻るつもりだと書いてある。「女の顔を見ること」と書いた下に線が引いてあった。「思いついたことがあって……」

二階に上がってヒューを待つのはかなり勇気のいることだった。階段を上がっていくと、のぼりきったところにあるカーテンの向こうで何かが身をよじるように動いたのでぎょっとしたが、サイラスが跳び出してきて、鏡のある部屋までぼくの前を歩いた。ドアを開けてやると、勢いよく走りこみ、電灯をつけたときにはもう絨毯の真ん中で前脚をそろえて背筋を伸ばし、堂々と得意そうに座っていた。

しばらくは夕刊各紙の生活情報を読んで時間をつぶした。サイラスは椅子の上で丸くなっていた。使用人が裏の階段を上がっていくひそやかな足音が途絶えると、家の中は静まりかえった。外は霧に包まれ、時折通りすぎる自動車のクラクション以外、広場からはなんの物音もしない。部屋の灯りがしだいに薄暗くなってきた。まるで霧が家の中にまで入り込んできたようだ。やがて新聞を読むことができなくなった。だが、見たところ室内の空気は靄《もや》ってはいない。ぼくが座っているところから、マントルピースの上の鏡の中で、部屋の天井や蛇腹《じゃばら》飾りに暖炉の炎がちらちらと踊っているのが見えた。

時計を持っていなかったので、実際にどのくらいの時間が経ったのかはわからないが、ヒューは何をぐずぐずしているのだという不安な気持ちが募っていった。そのとき、サイラスがふいに目を覚ますと、目をきらきら輝かせて椅子の上で体を起こし、ひとつ跳びでマントルピースの上に跳び移った。猫の動きを追ったぼくの目は、鏡の中に明るく映し出されていたものが薄暗くぼんやりしてくるのを捉えた。それと同時に、強く呼びかける警戒の合図が頭の中で聞こえ、どこからともなく吹いてくる冷たい隙間風で髪の毛が逆立つのを感じた。あれが、それがなんであるにせよ、やってくる。

　その時、わけのわからない恐怖に襲われた。ゆうべはヒューがいたし、二人の客という同席者もいて心強かったはずなのに、それでもあれほど怖かった。今、ひとりきりでいるぼくに襲いかかる恐怖は十倍にも膨れあがっていた。それでも部屋を出てはいかなかった。いや、出ていけなかったというほうが正しい。出ていくんだと本能は叫ぶのだが、何かが、獣のように抑えがたい力がぼくを立ち上がらせ、部屋を横切らせ、鏡の前へと歩かせた。鏡は今や壁の上の黒い長方形と化していた。

　鏡の中は暗かった。だが、すぐに気がついた。暗いのは鏡の中の薄暗い部屋にぼくが実際に立っているからだ。向かいの窓のブラインドの隙間からわずかな光が入ってくるので、薄暗がりの中でも部屋の中にあるものが見えるようになってきた。なにもかもが実物大で、本当にそこにいるようだ。

　ぼくの向かい側はあのわずかな光が入ってくる窓だが、その左側にある鏡台の上で銀の化粧道具がかすかに光っている。グラスとデカンタも見える。その左側にもうひとつ窓があり、カーテンが掛かっている。左側の壁からベッドが部屋の中央に向かって横に置かれ、枕に女の頭が載っている。ぼくはベッドの足元近くに立っているようだ。向かいの窓の右横にある壁にはドアがあり、閉まっている。その近くにある暖炉の上に架かった鏡は、形も曲線も大きさも、今ぼくが覗き込んでいる鏡と同じだ。

　突然、ドアが開き、ランタンを持った男が入ってきた。男はランタンを素早く動かして室内をぐるりと見回し、女が寝ているベッドのほうに歩いてくる。ぱっと起き上がった女の顔を灯りが照らし、一瞬、その顔がはっきり見えた。次の瞬間、男が枕をつかんで女の顔に巻きつけ、両端を結ぶ。女は必死に手を振り回し、あらがう。男の片手が女の喉を横切るようにさっと動いた。胸が悪くなるような恐ろしい動きだ。女の寝間着に血が滴った。それでも女はまだ男にしがみついている。二人は床の上でもみあい、そのあいだずっと、女は血を流していた。

　やがて、女の命が尽きて抵抗が止まり、床にぐったりとくずおれた。だが、ぼくは女の顔を見た。枕で覆われる前に見た顔は、写真でだったが前に見たことがあった。

ゆっくりと鏡の中に光が戻ってきた。ぼくが見ているのはもうあの恐怖の場面ではなく、白く光る自分自身の鏡像だった。そばの床でとんという軽い音がしたので見ると、サイラスが跳びおりていた。

そのとき、玄関前に自動車が止まる音が聞こえたので階下に降りていった。ヒューがちょうど入ってきたところで、その後ろには、敷物を持った運転手が立っていた。途端にぼくは、あの夜、あの寝室に侵入し、眠っていた女性を殺した男が誰だったのかがわかった。

翌日、古新聞を漁って女性の身元を確認し、必要な手筈を済ませた後、真夜中少し前にヒューが呼び鈴を鳴らして運転手を呼んだ。ヒューが運転手と少し話をしているあいだ、ぼくは鏡を見ていたが、また暗くなり始めたのでヒューに向かってうなずいた。彼は椅子から立ち上がった。

「アトキンソン、その鏡を見ろ」ヒューが言うと、ぼくの背後のカーテンがぴくりと動いた。ぼくはアトキンソンの顔だけを注視していたのだが、その顔の上を通り過ぎた変化はすさまじいものだった。恐怖を仮面にしたらこうなるのだろうか、とても人間の顔とは思えなかった。ざーっと血がひいたかと思うと汗がだらだらと噴き出し、口がぱっかり開いて苦しそうに喘いだ。目は自分が犯した罪を映し出す鏡に釘付けで、顔から飛び出しそうだった。

それから、今でもぼくの耳に残る悲鳴をあげると暖炉前の敷物の上に倒れ込んだ。カーテンの陰からスコットランド・ヤードが送り込んだ二人の刑事が歩み出た。

あとはもう、たいして話すことはない。この卑劣な男の部屋のタンスの裏から、番号がわかっている紙幣が見つかった。その後、ぼくはウィンブルドンまで行ってみた。あの朝、イエイツ夫人のメイドが死体を発見した寝室のマントルピース上方の壁紙には、褪色していない長方形が見られ、その形とサイズはあのチッペンデールの鏡とぴったり同じだった。

恐怖の巨匠たち

ポインター氏の日記帳

The Diary of Mr. Poynter

M・R・ジェイムズ　M. R. James

紀田順一郎訳

イギリス怪奇小説のアンソロジーを編むとなると、やはりM・R・ジェイムズの作品は欠かせない。が、彼の怪奇小説は全作が邦訳され、『M・R・ジェイムズ怪談全集』（東京創元社　全二巻）にまとめられている。有名にすぎるかと懸念したが、同書も入手が難しくなっている様子なので、あらためてこの古書怪談の逸品を、紀田順一郎氏の名訳でお届けする。初出は *A Thin Ghost and Others* (1919)。古書売立会場の情景や、登場人物の飄逸なやりとりと共に、怪異を描く筆の冴えを御堪能いただけますよう。

ロンドンの、ある古い有名な古書オークショナーの売立会場は、当然のことながら蒐書家や図書館員や古本業者らが一堂に顔を合わせる場所でもある。売立が行われているときばかりでなく、展観下見のときなどは、たぶんそれ以上の賑わいを見せる。次に述べようとする一連のおどろくべき出来事の発端は、このような場所の一つで起こった。私はつい先ごろ、この事件の詳細を当の被害者から聞いたばかりである。その人物は文学士、考古学協会員その他の肩書を持つジェイムズ・デントン氏で、一時トリニティ学寮に奉職しており、現在――いや、つい最近までウォリックシャー州のレンドコム荘に住んでいた。

もう何年もまえのある春のこと、彼は折から竣工したレンドコム荘の室内調度をあつらえるのを主目的に、数日間ロンドンに滞在した。読者はレンドコム荘が新しい建物と知って、さぞや失望したと思われるが、それは私の関知するところではない。もっとも、その地所にはたしかに古い館があったのだが、べつだん優れたものでもなければ大方の興味を惹くべき点もなかった。よしんば優れた建築だったとしても、火災は免れることができなかったろう。この邸は、物語のはじまるおよそ二年ほどまえ、失火で烏有に帰してしまったのである。むしろそのおかげで、デントン氏は自分や家政をきりもりしてくれる伯母のために、より新しく便利な家を気軽に設計できたといえよう。

　さて、ロンドンに出た彼は時間のゆとりもあることだし、前述の古本売立会場もさほど遠くないとあって、ちよっと小一時間ほどひやかして見ようと思いついた。折から写本の分野で名高いトマス・コレクションが展示されていることを知っていたので、その中にウォリックシャー州の地誌に関するものでも含まれてはいないかという期待をいだいたのである。

　というわけで彼は会場へ行き、目録を一部買い求めて二階の展示場へと入っていった。そこには例によって古本が書棚の中や、長方形の平台の上に陳列されていた。まわりにはもう何人かが集まっていて、彼の顔見知りもチラホラいた。数人の者と会釈をかわすと、彼は腰を落ちつけて目録との照合を開始し、めぼしいものに印をつけていった。展示品目は五百冊ほどだったが、ときおり書棚から抜き出してざっと一瞥するという具合にして、二百冊ぐらいまではすぐ片付けてしまった。——そのとき、だれか肩に手をおいた者があったので、彼は作業を中断して相手を見あげた。その相手というのは尖り髭を生やし、フランネルのシャツを着こんだ男で、当時有数の知識人の一人だった。私などはこの人物のおかげで、世紀末という時代が実り豊かなものになったと思っているほどだ。

　二人の間にどんな話がかわされたかを述べるのが当面の目的ではない。ただ、話題の多くが両人の共通の知りあい——たとえばそのデントン氏の相手の甥にあたる人物が最近結婚してチェルシーに落ちついたとか、同じく義理の妹で重病にふせっていたのが好転したとかいうようなことばかりで、さらにはその相手が数か月ほどまえ陶器を安い値で掘り出した話もつけ加えられたとだけいっておこう。要するに読者も想像されるように、これでは相手が一人で喋りまくっていたようなものだが、そのうち彼はようやくデントン氏の邪魔をしていることに気づいたと見えて、こういった。

「なにか探しものでもあるのかね？　今日はあまりめぼしいものもなさそうだが」

「いや、ウォリックシャー関係の資料でもないかと思ってね。もっとも目録にはそういったものは見当たらないけど」

「うん、なにもないようだね。しかし、目録はともかくとして、ウォリックシャーのことが出ている日記を見かけたような気がするな。ええと、筆者はだれだったかな？　ドレイトンだったか、ポッターだったか、それともペインターだったか――いずれにせよPかDのつく名まえだよ」と、彼はパラパラと目録のページをめくった。「あった、あった、ポインターだよ。整理番号四八六だ。これはきみに向いてるんじゃないかな。あっちの平台の上にあるよ。さっきだれかが見ていたようだがね。おや、ぼくはもう行かなければ。さよなら。また会えないかな？　今日の午後どうだい？　四時にささやかな音楽会をやるんだがね。……そうか、それなら次にロンドンに出てきたとき会おうじゃないか」

　彼は去っていった。デントン氏は時計を見たが、もう荷物をまとめて汽車にとび乗るまでにあまり時間がないのを知って大いに慌てた。そのわずかな暇をぬすんで、彼は四巻の厚い本に仕立てられた日記を開いて見た。およそ一七一〇年ごろのものとおぼしく、中にはいろいろな資料のようなものが挟みこんである。こいつは二十五ポンドぐらいの指値《さしね》を入れておく価値はありそうだ。会場を出ようとしたとき、折よく出入りの古書業者に出会ったので、入札を依頼することができた。

　夕刻、デントン氏は伯母の待つ仮住居に戻ってきた。それは普請中の邸からあまり離れていない、寡婦用住居《ドゥワー・ハウス》（荘園所属の住宅が相続人に移った場合にも、寡婦用に与えられる住居）であった。次の朝、二人はこの何週間というものかかりっきりの、新居の家具についての相談をむし返しはじめた。デントン氏は伯母のまえにロンドンで購入した品目――絨毯や椅子や衣装箪笥や寝室に飾る陶器などの計算書をおいた。

「おや、そうかい」と、伯母はいった。「でも、更紗の木綿はどうしたのだえ？　××の店へはお行きだろうね」

　デントン氏はテーブルの下で地団駄を踏んだ（じつは、そこよりほかに足の踏み場もなかったのである）。「こりゃいかん、そいつをすっかり忘れていた。どうもすみません。じつは途中でちょっとロビンス商会へ寄り道したのでね」

　伯母はお手あげの仕草を示した。「ロビンス商会だって！　するってえと、またあの小汚い、とんでもない値段の古本が届くというわけだね。ジェイムズや、よく考えておくれよ。あたしゃこれでもおまえの面倒を一切合切見てるつもりなんだよ。そのあたしの頼んだことの一つや二つは思い出してくれてもよさそうなものじゃないかえ。あたしゃね、何も自分のために頼んだんじゃないんだよ。それも伊達や粋狂じゃない。そうお思いだとしたら間違いだよ。あたしがこんなにああでもないこうでもないと苦労してることなんざ、おまえにはわかりっこないのさ。ただヒョイと店へ行って、ヒョイと買ってきちまうんだからね」

「まあまあ、伯母さん――」

「いえ、けっこうですよ。あまりきついことをいうつもりはないけどさ、あたしがどんなにやきもきしてるかということぐらい知っといておくれ。だって、もう何もかも遅れ遅れで――今日が水曜だろう？　あすはシンプスンさん一家がお見えになるんだよ。そうなると手が離せない。土曜日はお友だちがテニスにくるし、招待状はおまえが出したんだよ。それなのにあたしがおことわりの返事を出さにゃならないようだね。なんだい、そんな変な顔して。ご近所づきあいは大切になさいよ。そんなことどうでもいいというのは、ものの道理もわきまえないがさつ者ですよ。ええと、あたしゃ何をいってたんだっけね？　そうそう、とにかくおまえが次にロンドンに行けるのは、早くて来週の水曜日になりそうだね。それまでに更紗が手に入らないうちは、何もかもおあずけですよ」

デントン氏は、ペンキや壁紙が手に入ったのだからそんなに深刻に考えなくても……とほのめかしてみたが、伯母は頑として受けつけなかった。それ以外のどんな提案をしてもむだであった。もっともその後、日がたつにつれて、いささか軟化し、甥が提出したカタログや値段表を万更でもなく見入るようになり、ものによっては彼の選んできたものに条件つきながら賛同の意を示すまでにはなったのである。

一方のデントン氏には、当然ながら義務を果たせなかったというしこりのようなものが残ったし、テニスのパーティもあまりぞっとしなかった。とはいえ、八月のテニスならともかく、五月なら何とか我慢できるだろうと思い直したりした。こんなくさくさした気分でいたところへ、金曜日の朝になって、例の日記が十二ポンド十シリングで彼の手に落札できたという通知がきたものだから、心はいくぶん晴れた。しかもその現物が翌朝届いたので、いっそう気分が回復してきた。

ところがその土曜日の午前中は、シンプスン夫妻をドライヴに連れだしたり、午後には近所の連中に押しかけられたり、客のもてなしなどで小包を開ける暇もなく、ようやくその日の夜寝間に引き上げてから中を見る機会を得た。以前からそうではないかと思っていたのだが、日記はアクリントン（この教区から四マイルほど離れた場所）の領主ウィリアム・ポインター氏の書いたものとわかった。一時はオクスフォード考古学会のメンバーで、その学会の中心人物だったトマス・ハーン（英国の考古学者一六七八―一七三五）と議論を戦わしたこともある。――このことは碩学ハーンの生涯の挿話としても比較的広く知られている。ハーン自身の蒐集と同様、ポインターの日記も、毎日の記録のほかに諸論文からの引用や、彼の注意を惹いた貨幣その他古物の記述や、それについての考証や書簡が挿みこまれていた。古書目録からは、こんなに興味深いものが含まれているとは思えなかった。彼はその夜遅くまで腰を落つけて、四冊のうち、はじめの一冊に読みふけったのである。

　あくる日曜日の朝、教会から戻ったデントン氏が書斎にいると、入ってきた伯母が机の上に載っている四冊の茶革表紙の大型本に目をとめ、用件はそっちのけにして「まあ、これは何だね？」と訊ねた。「新しく買ったんだね？　そうかい、このおかげで更紗を忘れたってわけかい。そうにちがいないよ。なんてこったろうね。いくらはたいたのか聞かせてもらいたいよ。十ポンドの上かい？　ジェイムズや、おまえはほんとに罪つくりだよ。もし、おまえがこんなしろものにお金を捨てるくらいなら、当然たんまり寄付もできるだろうね――ほれ、あたしの生体解剖反対同盟さ。寄付してくれないと、あたしゃ困るんだよ。こんな本、だれが書いたんだい？　アクリントンのポインター老だって？　そりゃ、この辺のことを書いた古いものは面白いだろうけど、でも十ポンドとはね！」

　彼女は甥がまだ手をつけていない一冊をとりあげてパラパラと開いていたが、とつぜんキャッと叫んで放りだした。ページの間からハサミムシが一匹ポトンと落ちた。デントン氏は息も止まる思いで本を拾いあげた。

「本がかわいそうじゃありませんか？　伯母さんはポインター氏に恨みでもあるんですか？」

「とんでもない。そりゃあたしが悪かったけどさ、ハサミムシはきらいなんだよ。でも、本を傷めなかったかどうか、ちょっと見せてごらん」

「いや、何ともないようですよ。ところで、伯母さんの開いていたこのページを見てくださいよ」

「おやまあ、これはおもしろい柄だね！　ちよっと、ジエイムズや。このピンを取って、よく見せておくれ」

それはおよそ本の一ページ大の、模様のある布地だったが、古風なピンで留められていた。ジェイムズは布地をはずすと伯母に渡し、ピンのほうは注意深く本の上に戻した。

　私はそれがどんな布地だったのか、くわしいことは知らない。とにかくデントンの伯母はその染模様がえらくお気に召してしまった。すっかり燥《はしゃ》いで壁にあてがって見たり、次にはジェイムズにその布地を持たせて、自分は離れたところからとみこうみし、それからまた近くへ寄ってしげしげと観察し、最後にこのような布地の見本を日記の中に保存しようとしたポインター氏の思いつきを、口をきわめて賞めちぎった。

「こんなにきれいな柄って見たことないね」と、彼女はいった。「すばらしいじゃないかえ。まあどうだろう。ジェイムズや、この縞が波をうってるところなんぞ、あたしゃすぐ髪の毛を思いうかべたわよ。それに、ところどころリボンが結んであるのは色どりのためだろうかね。もしかしたら――」

「ちよっと待ってくださいよ、伯母さん」と、ジェイムズは遠慮がちに口をはさんだ。「この模様をカーテン用に複製したら、どのくらいかかるでしょうかね」

「複製だって？　どうやって複製をつくるんだね？」

「いや、こまかいことはわからないけど、要するにこれは捺染だから、木版か金版に型を取らせればいいんでしょう？」

「そりゃいい考えだよ、ジェイムズ。こうなるとあたしゃ、おまえが日曜日に更紗を忘れたことが、かえって幸いだったかもしれないね。とにかく、おまえがこの素敵な布きれを複製してくれたら、先だっての失敗を許して、きれいさっぱり忘れてやってもいいよ。これだけの品は、そんじょそこらの連中には手に入らないだろうからね。ほかに売ってはいけないよ。さて、あたしゃ忙しいんだから、もう行かなきゃ。何をいいに来たか忘れちまったけど、またあとでのことにしようよ」

　伯母が出ていったあと、ジェイムズ・デントンはまだゆっくり見る機会のなかったその布きれを、しばらくの間こねくりまわして見た。なぜ伯母があんなに熱烈に執着したのか、さっぱりわけがわからなかった。彼の見るところでは、その布きれはとくにすばらしくも、きれいでもなかった。もっともカーテン地としてはぴったりだった。縦の縞が上のほうへ行くにしたがい一点に集まるかのように、わずかばかり寄っていた。伯母がいったようにその縞が波うっているさまは、たしかに巻毛にそっくりだった。よし、まず必要なことは業者名簿か何かで、この種の古布の複製をしてくれる染物屋を探し出すことだ。読者をこれ以上いらいらさせないため手短にいうと、デントン氏は名簿からそれらしき店を二、三探し出し、布地をもって訪問するスケジュールを立てたのである。

　最初に行った二軒の店にはことわられた。しかし、奇数には縁があると見え、三軒目の店がこの手の仕事に馴れていることがわかった。製品の出来ばえからも信用されている店であった。主人のカッテル氏は、見本を手にして個人的にすこぶる熱心な興味を示した。

「旦那、あっしはもうぞくぞくしてきましたよ。こんな泣かせる時代ものを染めるなんてね。そこらの田舎家じゃ見ようったって見られるもんじゃありませんぜ。へたすると、屑屋行きってえとこでしたねえ。ほれ、シェイクスピアもいってるじゃありませんか――〃つまらねえ小物〃ってね（『冬物語』第四幕第三場のオートリカスのセリフ）。まったくあの男は、あっしらのいいたいことばをみんな知ってやがるんですからね。もっとも、シェイクスピアってのが、あっしの柄じゃねえことはよく知ってますがね。けど、このあいだも面くらったことがありましてな、ある紳士の方がお見えになって――その方は肩書のある方なんですがね、古代布について書きたいのだがと仰るんで、あっしはヘラクレスの時代（ヘラクレスに恩恵を与える女神アラクネーは機織に巧みだった）から今風の捺染にいたるまでの歴史をちょっくら講釈して進ぜたというわけでさ。いやどうも、こんな話はど退屈でしたかな。ところでこの布ですがね、旦那がこうしてあっしに任せるというのなら、せいぜい腕をふるってみせましょうよ。あっしは二、三週間ほどまえにいらした大事なお客さんで手一杯ですが、うちの者にやらせて、まず一か月も見ていただけりゃ、おのぞみのものに仕立てますよ。ええと、ここへご住所をどうぞ」

　以上がデントン氏の初対面の折のカッテル氏の抱負であった。それからおよそ一か月たって型見本ができたという連絡があったので、デントン氏はもう一度足を運んだが、もとのサンプルそっくりの複製を見て大いに満足した。模様の上の部分は、こうもあろうかと推理したらしく、縦縞が結び合わさっていた。ただ、色具合はもう少し研究する必要があった。カッテル氏はそれについていろいろ技術的なことをいったが、そのような面倒なことは省略してよかろう。彼はまた、この柄は一般好みではないともいった。

「お話ですと、この品はお近しい方々におすそわけするほかは、あまりよそにお出しになるようなこともなさらないということで。あっしどもも流出せんように注意いたしませんとね。ご自分だけで持っていたいというお気持はよくわかりますよ。ずる賢いやつの手に入ったら、服地にされるあたりが落ちじゃありませんかい？　ほれ、だれでも持ってるものは、持ってないも同然といいますしね」

「これが一般の手に入ったら、流行ると思うかい？」と、デントン氏は聞いてみた。

「旦那、それはどうですかな」と、カッテル氏は顎髭をしごきながら疑わしそうに「あっしにはそうは思えませんな。俗受けはしないし、それにこの型をつくったヒギンズという男も気にいらなかったようですよ」

「つまり、苦労したのかね？」

「いいえ、そんなことは申しておりませんがね。けど、なんといっても職人気質というやつでして――ええ、それはもう、うちあたりの者はみな名人で、世間でいうところの芸術家ですがね、そういう連中にかぎって、とかく選り好みがはげしくてね。この布がいい例ですよ。あっしは仕事の進み具合を二、三べんは見に行ってるんですがね、どうもいつもの癖でいうことがはっきりしねえんですが、あっしがいくらいいものだといっても、さっぱり気にくわねえ様子なんで。どうもよくわかりませんがね」と、ここでカッテル氏はデントン氏の顔をじっと見て「この模様になにやら邪《よこしま》なものを感じるなんて申しますんで」

「なんだって？　そんなことをいったのかね？　別にいかがわしいようなものとは思えないがね」

「あっしだってそうですよ。で、いってやったんでさ。『おい、ガトウィック（ヒギンズという職人の名か）どういうわけだ？　どうしてそんな偏見をもつんだ？――だって偏見としかいえねえじゃないか』ところが、やつはそれ以上なにもいわねえんで。あっしゃ根負けして、こんな具合に肩をすくめましたね。まったく処置なしでさ。けど、出来あがることは出来あがりましたぜ」と、ここでまた技術的な説明がはじまった。

　地の色や縁どり、リボンの結び目の色合わせなどに意外に手間どり、もとの布と複製が何度も送られたり返されたりした。そのうえ八月から九月と新しい住まいの竣工は延び延びになってしまった。けっきょく三つ四つの寝間にかける布ができてきたのは、十月の声を聞いてからであった。

　聖シモンと聖ユダの祭日（カトリック二級大祭日の一で十月二十八日。なお聖ユダはヤコブの子）に、伯母と甥は落成した住まいを見に出かけ、全体として大いに満足して戻ってきた。とりわけ例の新しいカーテンは、それこそ部屋にぴったりで、近所の連中から大いに賞めそやされたものである。

晩餐用の服に着かえながらデントン氏は、そのカーテンが一面に窓を覆っている自分の部屋をつくづくと見まわし、あらためて幸運に感謝した。伯母の用事を忘れたのが、怪我の功名となったわけだ。彼は食事の最中にも、その模様が落ちついた、飽きのこないものだという感想を述べた。しかし、伯母は自分の部屋には一枚もかかっていないので、大いに不服そうであった。

あくる日、朝食のとき、デントン氏は自分の満足にちょっぴり条件をつけたいとでもいうかのように、「一つ惜しいことをしましたね。あれは縦縞が上のほうで結び合わさっているけど、そのままずーっと流しておいたほうがよかったと思うんですよ」

「なんだって？」と、伯母は怪訝そうにいった。

「いや、昨晩ベッドの中で本を読んでいたら、どうもあの柄が目についてしかたないんですよ。つまり、カーテンのほうにしじゅう目がいってしまうんです。どうもだれかがカーテンの間から覗いてるような気がしたんですがね。それも縁どりのところではなくて、あっちこっちからね。たぶん、縞が上で合わさっているせいですよ。昨夜は風も強かったけど」

「おや、昨夜はとっても静かな晩だったじゃないかえ」

「部屋の向きによるのかなあ。カーテンがゆれたりゴソゴソいったりして、うるさいくらいでしたよ」

その日の夜、ジェイムズ・デントンの独身仲間が訪れて泊まった。寝間はデントンの部屋と同じ階であったが、長い廊下の奥まったところにあり、おまけにその中ほどには、すきま風や物音を遮るための赤い羅紗張りのドアが設けられていた。

寝る時刻になって、三人はそれぞれの部屋に引き上げた。伯母は最初にお休みをいい、二人の男は十一時に腰をあげた。ジェイムズ・デントンはまだ寝床に入る気がしなかったので、肘掛椅子に坐ってしばらく読書をつづけた。ときどきうつらうつらいい気持になりながら、いつもならいっしょに二階についてくる茶色のスパニエルを、今夜にかぎって見かけないな、などと思っていた。いや、そうではなかった。というのは椅子の腕から床の上わずかのところまでダラリと垂れていた彼の掌が、ふと、なにやら毛のようなものに触れたからだ。手をのばして撫でたり軽く叩いたりして見ると、丸っこいものであることがわかった。ところが、そうして撫でてやっても、相手はじっと動かない。変だなと思って、彼は下を覗いて見た。そのとたん、さわっていたものがヌッと身を起こし、こちらに顔を見せた。いままで床に腹這いになっていたものがムックリ起きあがったような具合だったが、どう見ても人間の恰好をしていた。だが、いまやデントンの鼻先につきだされたその顔には、目も鼻もなかった。一面が毛に覆われていた。顔のない、毛むくじゃらなそのものがグーッと迫ってきたとたん、デントンは椅子から転げおち、魂消《たまぎ》るような悲鳴をあげると部屋からとびだした。足が宙に浮くという表現があたっていた。そして廊下の中ほどにある羅紗張りのドアに突進したが、内側に引くことを忘れてしまい、無我夢中で体当りをつづけた。その間も彼の背中を何か手のようなものが、いや、手よりももっといやらしいものがまつわりつき、それがだんだん猛り狂って力を強めてくるではないか。その時ようやくドアの構造を思い出し、かろうじて友人の寝ている部屋へと転がりこんだ、という次第である。

ここで妙なことは、デントン氏がポインターの日記を入手していらい、挿みこまれた布地の由来を探索しようと試みた形跡のないことである。もっとも日記はいちおう通読したのだが、布地について触れた個所はなかった。

ところで、彼はいま述べたような恐ろしい経験をした翌日、至極当然のことながらレンドコム荘を離れたのであるが（もっとも永久に去ることになるとは知らなかった）、そのさい日記を携えて出た。そして海辺の宿で、布地を取ったあとのページを注意深く調べて見た。彼の予感はあたった。灯りにすかして見ると、文字の書きこまれたページが、巧みに二、三枚貼り合わされていることがわかったのである。糊がすでに利かなくなっていたので、蒸気をあてると簡単に剝がれた。そこには布地の由来が書きこまれていた。

記事は一七〇七年に書かれたものである。

「アクリントンのキャスバリ老、本日余に年若きエヴァラード・チャレット卿の事どもを詳細に語れり。老の記憶に依れば、チャレット卿はオクスフォードの自費生なるも、老の同輩にして現に大学の学寮長たるアーサー・チャレット博士の同族なりと覚ゆ。此《この》若きチャレット卿は容姿衆《しゅう》に秀でたるも、けしからぬ無神論者の上、当時人も呆るゝ大酒飲みなりし。其《その》悪名近隣に隠れもなく、放蕩無頼のすゑ捕縛されしことも屢々《しばしば》なりき。キャスバリ老の曰く、万一斯様なる悪行のすべてが寮長の耳に入りしことあらば、凡そ学籍ありても意義なしと放校に処せらるゝこともあるべしと。此男、頗《すこぶ》るつきの美男にて、常に豊かなる髪を蓄へ、放逸の故もありてアブサロムとの異名をとりしが、自ら好んで親父ダヴィデの寿命を縮めてやるなどと放言し居れり。こは武名隠れもなき古武士ジョブ・チャレット卿の事ならん（アブサロムはダヴィデの第三子。王位をのぞんで父に叛逆した過激な性格の持主。毛髪が豊かであった）。

キャスバリ老はエヴァラード・チャレット卿の歿年を正確には記憶せざりしも、一六九二年あるいは三年の十月に急死せるは確実なり（ここに数行ほど彼の忌わしき習慣と、犯した罪の噂が記述されているが省略）。その前夜、卿の上機嫌たるを見かけしキャスバリ老は、其急死の報に接し意外なる思ひをなせしと。巷の溝の中にて発見されし彼は、何者かに頭髪を毟《むし》りとられ居りたる由。貴人の故をもって、オクスフォードの鐘こと〴〵く弔ひの音を発し、其遺骸は翌晩東区のセント・ピーターズ寺院に埋葬せらる。しかるに二年後、相続者が郷里に墓を移さんとせし折、誤って棺を破る。内には多量の毛髪を認めしといふ。如何にも虚説めきたる話なれども、プロット博士の『スタフォードシャー史譚』にも同様の例に言及せし所あるが故、余は先人の記録を信ずるもの也。

のちに卿の住居を捜索せし折、キャスバリ老は部屋の掛布の一部を得たり。こはチャレット自らたくみし図案にて、一室に職人を閉ぢ込め作らしめたるものといふ。余は老よりその一片を恵贈され、見本として此処に貼付せるものなり。老はよき図柄とするも、その余のことには気づかざりし様子にて、さなきだにつら〳〵眺め入る事の躊躇《ためら》はるゝ如き図柄なり」

というわけで、カーテンに費やした金は、火中に投じたも同然となった。この話を伝え聞いたカッテル氏は、さっそくシェイクスピアの引用句をもって答えた。読者はすぐ想像がつくであろう。それは次の文句ではじまる――。「この天地の間には……」（この天地の間には、われわれの哲学にはとうてい考えおよばぬことがたくさんあるのだからな――『ハムレット』第一幕第五場）

『M・R・ジェイムズ怪談全集2』（東京創元社　二〇〇一）より再録

恐怖の巨匠たち

柳

The Willow

アルジャーノン・ブラックウッド
Algernon Blackwood
田村美佐子 訳

英国怪談には古物の話だけでなく、旅の話も多い。ジェイムズやベンスンあたりが書くと、汽車旅の宿の話になるが、ブラックウッドは若い頃にカナダとアメリカを放浪したこともあってか、野宿の話をよく書いている。本作の語り手は、カヌーの旅の同行者と、ドナウ川の中州にキャンプを張るが……。「いにしえの魔術」と並び称されるこの代表作を、ここに新訳で収録する。初出は一九〇七年の短編集 *The Listener and Other Stories*。なお、既訳には一九五〇年代の宇野利泰訳、七〇年代の中西秀男訳、近年では遠山直樹訳（BOOKS桜鈴堂『木の葉を奏でる男』所収）がある。

I

　ウィーンを離れ、ブダペストにはまだはるか遠いあたりで、ドナウ川は独特のもの寂しさをたたえる地域へ流れこみ、四方八方へ枝分かれして、本流を置き去りに駆けていく。このあたりには何マイルにもわたって湿地が続き、低い柳の茂みが広大な海のごとく地面を覆っている。人もめったに足を踏み入れぬこの土地を大判の地図で見れば、たいていその場所が青く塗り潰されていて、川岸から離れるにしたがって薄い青色になっていき、その上に、間隔を開けた大きな文字で“Sumpfe《ズンフェ》”すなわち〝湿地〟と記されている。

　川が氾濫して水位が上昇すると、この砂と礫《れき》だらけの広大な土地や柳の生い茂る中洲はほぼ水没してしまうが、そうでない時期には、吹き抜ける風にたわむ低い木々の枝がさらさらと音をたて、銀色の葉を陽光にきらめかせながら絶えず波打つ平原となるさまは、恟然《きょうぜん》とするほど美しい。この場所に生える柳には、大樹というような貫禄はない。硬い幹を持たず、丈も低いままで、全体に丸味を帯びた形をしていて輪郭も柔らかく、細い枝はかすかな微風にすら揺らいでしまう。草のようにしなりながら絶えず形を変えていくそのようすには、まるでこの広野全体が生きて動いているかのような印象すら受ける。風がその表面を撫でるたびに、水の波ならぬ葉の波が寄せては返し、海と見まごうほどの緑色のうねりが生まれる。さらに枝が風に煽《あお》られれば、葉の裏側に日射しが当たり、銀白色のきらめきがこぼれる。

このあたりでは、ドナウ川はみずからを押しとどめる両の岸から解放され、嬉々として、編み目のごとく入り組んだ河道を縦横無尽に流れていく。そのあとにはいたるところに中洲が生まれ、それらの間を縫って走る、柳の並木道のようなひろびろとした水路では、轟音を響かせながら勢いよく水が流れていく。水は大きくちいさく渦を巻きながら、泡立つ早瀬となって砂の土手を突き崩し、川岸や柳の木立を削り取っては、新たな中洲を次から次へとこしらえる。いずれ氾濫《はんらん》の時期がくれば、存在そのものが消し去られることを知ってか知らずか、中洲は日々形や大きさを変え、儚《はかな》い命を精一杯に謳歌する。

厳密にいうと、ドナウ川のこうした醍醐味を味わえるのはブラチスラヴァを出た直後からなので、僕らはカナディアン・カヌーにキャンプ用のテントとフライパンを積みこみ、七月中旬の氾濫期の真っただ中にそこへ向かった。まさにその朝、日が昇る前の、空が赤く染まりはじめた頃、僕らはまだ人々も目覚めぬウィーンを速やかに抜け出し、その二時間後には、もはや街は〈ウィーンの森〉の山々の青い尾根を背景にぼんやりと霞《かす》むばかりとなっていた。オーストリアではフィッシャムエントの、風に巻かれて轟きをあげる樺《かば》の木立の下で朝食をとったのち、激流に乗ってオルトを、ハインブルクを、ペトローネル（かつてマルクス・アウレリウス・アントニヌスが滞在したローマ帝国の駐屯地《カルヌントゥム》だ）を過ぎ、カルパティア山脈の支脈である、テルセンの不気味な山々の麓《ふもと》をすり抜けた。左手よりモラヴァ川が密やかに流れ寄り、オーストリア＝ハンガリー間の国境と交わるあたりだ。

時速十二キロメートルでカヌーを駆っているとまもなく国境を越えてハンガリーに入ったが、水は泥で濁っており——これぞまさしく氾濫のしるしだ——砂利だらけの河原に何度も乗りあげたり、突然あらわれた渦に巻きこまれては、コルク栓よろしく吸いこまれそうになったりもしたが、やがていくつもの塔が空に聳《そび》え立つブラチスラヴァ（ハンガリー語では〝ポジョニー〟）の景色が見えてきた。そこからは、暴れ馬のごとく上下に跳ねるカヌーを操りながら、灰色の壁の下を全速力で駆け抜け、水中に沈んだケーブルフェリーのチェーンもうまくやり過ごして、急カーブを左折し、黄色に泡立つ水の上を突き進んだ。やがて辿り着いた場所は、中洲と、砂の土手と、その奥に沼地のひろがる、人の手の入らぬ土地だった――一面に柳が生い茂っていた。

　あたかも、それまで街並みを映していた古い映写機の映像が、森と湖の風景に突然切り替わったかのように、風景ががらりと変わった。僕らはその荒涼とした場所へ意気揚々とカヌーを滑らせ、やがて三十分と経たぬうちに、ボートも釣り小屋も赤い屋根もまわりから消え、人の住む気配や文明の気配はいっさい感じられなくなった。人類世界から隔絶され、まったき孤独の中で、柳と風と水がつくりだすこの類い稀なる世界に魅了されて、僕らはたちまちにしてその虜となり、笑いながら冗談半分にいい合った。本来ならば特別なパスポートがなければ入れない場所なんだ、なのに僕らときたら、大胆にもなんの許可も得ずに、この人里離れた、驚きと魔力に満ちたちいさな王国に足を踏み入れちまった――ここは僕ら以外の、その権利を持つ誰かのために用意された王国なんだ、だから侵入者に対する警告があちこちにちりばめられている。だが想像力がなければ、そのどれにも気づくことはできないんだ、と。

　まだ午後の早いうちだったが、さんざん強風に煽られて疲れきってしまったので、夜に備え、早々にキャンプの場所を探すことにした。ところが中洲というのがこれまた厄介で、上陸するだけでもひと苦労だった。溢れんばかりの渦巻く水に流され、岸へ近づいたかと思えばまた遠ざかる。柳の枝を摑んでカヌーを止めようとしても掌に切り傷をつくるばかりで、砂の土手を何ヤードにもわたって水中に引きずりこんだあげく、横殴りの風を受けた勢いでなんとか返す波に乗り、水飛沫《みずしぶき》を浴びながらやっとのことで舳先を川岸につけた。重労働を終えた僕らは黄色の熱い砂の上に大の字になり、荒く息をつきながら笑い声をあげた。ようやく風から解放され、雲ひとつない空の下で灼けつくような日射しを浴びていると、ざわざわと揺れながら柳の茂みが四方から迫ってきた。柳が水滴をまとってきらめき、はためくような音をたてているさまは、まるで無数のちいさな手が、僕らの奮闘の結実を讃えて拍手喝采しているかのようだった。

「なんて川だ！」僕は相棒に向かっていった。思い起こせば〈黒い森《シュヴァルツヴァルト》〉の源流からはるばる旅をしてきた。七月初旬に上流をくだったおりには、浅瀬を歩いたりカヌーを押したりと、どれだけこの相棒に世話になったことか。

「とりあえずしばらくは勘弁してほしいもんだ」彼はカヌーを砂の上の、さらに安全な場所まで引きあげると、昼寝の体勢を決めこんだ。

　僕も彼のかたわらに寝転がり、この世界をつくりあげている四元素——水、風、砂、太陽の偉大なる炎——に身を委ねながら、満たされた穏やかな気分で、この先に待ち受ける長い旅路と、黒海と僕らとの間に横たわる広大な土地に思いを馳せた。そして、その旅の相棒としてこの快活で魅力的なスウェーデン人がともにいてくれるとは、僕はなんと幸運なのだろう、と思った。

　彼とは似たような旅を何度もしてきたが、僕の知っているどの川と比べても、このドナウ川にはふたりとも最初から度肝を抜かれた。この川はまさに生きものそのものだった。ドナウエッシンゲンの松林の庭園内にある、ほんのちいさな泡立ちが生まれた場所から始まるこの川が、誰に顧みられることも邪魔だてされることもなく、ついにはこうして人も踏みこまぬ湿地に流れこみ、あたかもおのれの身を削るような壮大なゲームを始めようとしているのを見るにつけ、僕らはまるで、命あるものの一生を見守っているような気持ちになった。流れはじめは眠たげにゆったりと、そののち奥底にひそむ魂が目覚めだし、荒ぶる欲望をしだいに剝き出しにして、まるで巨大な流体生物のごとく、肩に担いだ僕らのちっぽけな船をときおり荒っぽく弄《もてあそ》びながら、流域の国々を僕らとともに駆け抜けてきた。荒っぽいといいながら、どこか優しさがあって悪意は感じられず、いつしか僕らも、この川を〝大いなる存在〟と考えるようになっていた。

　みずからの神秘なる命について僕らに語ってくれた川を、それ以外に呼びようがあるだろうか？　夜になり、テントに入って横になっていると、川が月に向かって歌いかけるのが聞こえた。独特でどこか風変わりなせせらぎの音は、流れがひじょうに速いため、沈んだ砂利が川底を激しく削るからなのだという。あの泡立つような音は、ほんの先ほどまで凪いでいた水面《みなも》に、ふいに渦が巻き起こった音だ。浅瀬から、急流から轟音が鳴り響く。水底からは絶えず地響きのような音がして、冷たい水が土手を削りつづけていた。雨ともなれば、凄まじい音とともに水柱《みずばしら》が次々と立つのだが、その光景といったら！上流へ吹きあげる向かい風が、激しさを増す急流を阻もうとしたときの、笑い声にも似たあの轟きといったら！僕らはそうした、川がたてるあらゆる音や声を耳にしてきた。水が渦巻く音も、泡立つ音も、これでもかと橋に当たっては波が砕け散る音も。山々の麓を行くときにはそわそわと落ち着かなげな水音をたて、ちいさな町を通り過ぎるときには笑い飛ばすでもなく、すこし偉そうに悠々と波音を響かせていく。川が緩いカーブを描くあたりでは、日射しを受けた水面から湯気が立ちはじめ、甘くかすかな囁きのような音を漏らした。

　広い世界に存在を知らしめる前の、生まれたばかりの川にすぎないときでさえ、ドナウ川はじつに気まぐれな川だった。上流のシュヴァーヴェンの森あたりでは、まだ大河の片鱗すらなく、地面のあちこちに空いた穴に吸いこまれて水が干あがり、その水が多孔性の石灰岩に染みこんで山々を越え、反対側から、別の名前のついた新しい川として流れ出ている場所もあった。川底にはほとんど水がなく、僕らはカヌーをおりて船体を押しながら浅瀬を何マイルも歩くはめになった。

　この川が、傍若無人な若い川としての日々を満喫しているように見える場所は、アルプス山脈を駆けおりてくる何本もの細い支流と交わる直前のあたりだ。まるで民話の〝キツネどん〟（J・C・ハリス『リーマスじいやの物語』に登場する狐）よろしく地面に低く身を伏せ、横を流れる支流になど気づかぬふりをして、何マイルにもわたってひそかに併走を続ける。たがいの距離を常に意識しつつも、高度の異なる場所を流れることで、ドナウ川は新参者になど見向きもしないというわけだ。

　ところがパッサウの川下で、こうした気まぐれはふいに終わりを告げる。ドナウ川はこの地でイン川と交わるが、このイン川の流れこむ勢いが、知らんぷりを決めこむなど到底不可能なほどに凄まじく、本流であるドナウ川は追い立てられて、その先の曲がりくねった峡谷を押し合いへし合い流れていかねばならない。波はあちらの岸壁こちらの岸壁とぶつかって、激しくうねっては行ったり来たりを繰り返しながら、急かされるように谷間を駆け抜けていく。そうした戦いが繰りひろげられる中、僕らのカヌーはドナウ川の肩から胸のあたりへ一気に急降下し、逆巻く波にいいように振りまわされた。だが結局はこの古き川もイン川からの手荒い洗礼を受けて、そこから先では新参の川を蔑《ないがし》ろにはしていないようだった。

　むろんこれはだいぶ前のことで、それからも僕らは、この生ける大河が見せるいくつもの別の顔を見てきた。バイエルン州シュトラウビングの小麦畑を横切るあたりでは、七月のまばゆい日射しを受けて悠々と流れるその姿に、ひょっとすると水がたゆたうその数インチ下では、絹のマントに身を隠した水の精《ウンディーネ》の群れが行き交い、けっして見つからぬよう、音もなくゆっくりと通り過ぎては、人知れず海を目指そうとしているのではなかろうか、などという想像を巡らせることもあった。

だが川辺に生きる鳥や動物たちを温かく迎え入れているさまを目にすれば、ついこちらも絆《ほだ》されてしまう。ひとけのない場所では、まるで真っ黒な短い杭が並んでいるかのように、鵜がずらりと列をなしてとまっている。砂利だらけの河原では灰色鴉《はいいろがらす》が群れをなしている。鸛《こうのとり》が、中洲と中洲の間の見通しのよい浅瀬で魚を狩っている。鷹、白鳥、湿地に暮らすあらゆる鳥類のきらめく翼やさえずる声、けたたましい鳴き声があたりに満ち溢れていた。朝焼けの中、鹿が飛沫をあげて水に飛びこみ、カヌーの舳先をかすめて泳いでいく姿を目にしようものなら、この川の気まぐれに腹を立てる気などすっかり失せてしまった。下生えから仔鹿がそっとこちらを覗いていることもあれば、船体を思いきり傾けてカーブを曲がりきった瞬間、茶色の瞳をした牡鹿とはっきり目が合うことも珍しくはなかった。狐も川岸ではよく見かけたが、流木をまたいで優雅に飛び跳ねていたかと思えば、いったいどんな業《わざ》を使っているのか、いつも忽然と姿を消してしまうのだった。

しかしいま、こうしてブラチスラヴァを離れると、あらゆるものがほんのすこしずつ変化し、ドナウ川は粛々とした雰囲気をたたえはじめた。無駄口をいっさい叩かなくなる、とでもいおうか。黒海まであと半分の距離にまで到達すると、その先にひろがる景色はほぼ見知らぬ国のものとなり、もはやどんな気まぐれも許されなければ、なにもかも受け入れてはもらえなくなる。そこでドナウ川はふいに大人びたように、敬意と畏怖を捧げるよう僕らに迫ってくる。このあたりで川は三股に分かれ、百キロメートルほど下流まで出合うことはないのだが、カヌーで行くにはどの川筋をとるべきなのか、標識のようなものはいっさい見当たらなかった。

「支流を行こうもんなら」ブラチスラヴァで食料を調達していたとき、店にいたハンガリー人将校がいっていた。「たとえどのあたりにいようと、水が引いたら四十マイルは川が干あがって、あっという間に飢え死にするぞ。あのあたりには住む人間もいなけりゃ、農夫も漁師もまったくいない。悪いことはいわない、これ以上は進まないほうが身のためだ。氾濫もまだ収まっていないうえ、風もこれからますます激しくなる」僕らとしては、水位が上昇するぶんにはまったく構わなかったが、万が一、急激に水が引いて川が干あがりでもしたらおおごとなので、とりあえず予備も含めて食料を買いこんでおいた。このことだけでなく、将校のいっていたことはあながち間違っていなかった。雲ひとつなく晴れわたる空を吹き抜けていた風がじわじわと激しさを増し、強い西風に変わりはじめたからだ。

キャンプを張った時間はいつもより早かった。太陽が地平線に沈むまで一、二時間はあるだろうという気がした。寝ている相棒を熱い砂の上に残し、僕は今宵の宿となるこの場所の散策を始めた。やがて、僕らがいる中洲は広さが一エーカーもなく、川面からせいぜい二、三フィートほど隆起しただけの、単なる砂の土手にすぎないことがわかった。夕日に向かって延びている中洲の突端では、砕ける波頭が猛烈な風に煽られ、水飛沫が絶えず舞い散っていた。中洲は三角形をしていて、突端は上流を指していた。

僕はしばらくそこに佇んだまま、轟音をあげて猛然と向かってくる深紅の激流が、土手を押し流さんばかりに幾度も波を叩きつけ、やがて渦を巻きながら泡立つ川となって二股に分かれ、中洲の両側へ流れていくさまをじっと見つめていた。あまりの水勢と衝撃に、まるで足もとが震えているかに思えた。さらに、風に巻きあげられて激しく揺れる柳の茂みのせいで、あたかも中洲そのものが動いているような奇妙な錯覚すらおぼえた。

一、二マイルほど上流から、この大河が僕めがけてなだれ落ちてくるのを感じた。たとえるならば、われ先に陽光を浴びようと、競い合うように斜面を白く泡立たせた山を見あげているかのようだった。

それ以外の場所は、柳が鬱蒼と生えていたため愉快な散歩とはいかなかったが、それでも僕はひたすら探険を続けた。当然ながら、川下に向かうにつれて光の加減が変わり、しだいに川は黒々と、怒りをたたえはじめたように見えた。目に映るものといえば躍る波頭くらいで、白い泡の筋が走る波を、強い向かい風が激しく押し戻している。一マイルほど先までは、中洲と中洲の間を水が駆け抜けていくさまは見えるものの、それ以上は鬱蒼と茂る柳が隠していた。まるで古代の巨大生物の群れが、水を飲もうと屈みこんでいるかのようだった。巨大なスポンジのような茂みが、川の水をすべて飲み干してしまうのではないかとすら僕には思えた。

柳が完全に川を視界から隠していた。柳は、圧倒的な数で群れをなしていた。

ともかくも見事な景色だった。なにものも寄せつけぬもの寂しさも、どこか異様な雰囲気も。長いこと見入っているうちに、胸の奥底でなんとも不思議な感情が渦巻きはじめた。野生のままの美しさに包まれる喜びに満たされているのに、どこか不穏な、警戒心とすら呼べるような胸騒ぎが、いつしかひたひたと湧きあがってくるのを感じた。

　氾濫する川とはなべて不吉に思えるものなのかもしれない。目の前の中洲のほとんどは、おそらく朝までには川に呑まれてしまうだろう。轟きをあげて駆けていく、手のつけようのないこの川に、僕は圧倒されるよりほかなかった。だがいっぽうであの胸騒ぎが、恐怖や驚嘆といった感情よりもさらに深いところで疼《うず》いていることにも気づいていた。僕が感じた胸騒ぎは、それらとはいっさい関係のないものだった。だが、かといってこの猛烈な——数エーカーにわたり生えている柳までもが宙へ巻きあげられ、やがて籾殻《もみがら》のごとくこの風景の上に降りそそぐのではないかと思わせる、この耳鳴りがするような——風の力とも直接関わりはなかった。このあたりは起伏のない平坦な地形なので、風はなににも妨げられずに機嫌よく吹き荒れているだけで、僕もあえて、どこか心が躍るような興奮をおぼえながら、大いなるゲームに仲間入りしたつもりになっていた。とはいえやはり、初めて感じるこの感情は、風とはまったく無縁のところにあった。じつをいえば、胸騒ぎといえどほんのかすかな感覚だったので、原因を探ろうにもしかるべき対応を取ろうにも手も足も出なかったのだが、僕は薄々、この周囲を取り巻く自由気ままな地水火風の神々の前では僕ら人間など取るに足りない存在なのだ、と僕自身が気づいてしまったことが、このことと関わりがあるのではないかと思いはじめていた。大河へ成長を果たした川の存在も切り離して考えることはできなかった——やがて漠然とした不安が頭をもたげはじめた。昼夜を問わず、いついかなるときでも、僕らは大いなる地水火風の神々にはひれ伏すしかできないはずなのに、こともあろうにその掟を踏みにじってしまったのではなかろうか。まさしくこの場所では、万物を司《つかさど》るものたちが巨人のごとく戯れ、想像力を刺激する光景が繰りひろげられているではないか。

　とはいえ、自覚している範囲にかぎってのことだが、僕の感情と結びついているのはむしろ柳の茂みだという気がした。何エーカーにもわたり密集して生えている柳は、それは鬱蒼と茂り、見渡すかぎりの場所を埋め尽くして、まるで川自体を窒息させようとしているかのように覆い被さっている。空の下、何マイルも先までびっしりと生えた柳の姿は、あたかも周囲にじっと目を凝らし、耳をそばだててなにかを待ち構えているようだった。

　さらに柳は、地水火風の神々とはまったく別のやりかたで、僕の不安感をかすかに揺さぶりながら、数を武器にじわじわとこちらの心を攻めつつ、さまざまな手で僕の想像力をかき立てて、これまで感じたことのない凄まじい力を見せつけてきた。しかも僕ら人間に対して、まったくといっていいほど好意的ではない力を。

　むろん偉大なる自然を目の前にすれば、いずれにせよ深い感銘を受けることは確かであり、僕とてそうした気分を幾度も味わってきた。山々に圧倒されたことも、海に対して畏怖を抱いたこともあったが、深遠なる森に秘められた謎には、とりわけその場所特有の魔力を感じた。だがそれらにはかならずといっていいほど、人間の生命や人生経験となにかしら密接に繋がる部分があり、たとえ警告であるにせよ、わかりやすく感情を揺さぶってくるものだった。しかもそれは歓喜を呼び覚ますことのほうが多い。

　ところがこの群生する柳は、まるで異質だ、という感じがした。心を苛《さいな》む精油のようなものがこの柳から立ちのぼっていた。このとき生まれた畏怖の念には、漠然とした恐怖感が漂っていた。列をなしてみっしりと茂った柳が、影が濃くなるにつれ、ますます僕のまわりを黒々と染めていく。強風に煽られながらもしなやかに荒ぶるそのさまを目の当たりにして、なんとも奇妙で煩《わずら》わしい考えが僕の中でむくむくと形をなしてきた。ひょっとすると僕らはここに来たことで、うっかり異界に踏みこんでしまったのではなかろうか。僕らのほうが侵入者であり、滞在の許可も、招待すら受けていない世界に――足を踏み入れたら最後、取り返しのつかない危険が待ち受けている世界に――迷いこんでしまったのでは！この感情を分析し、理由をすべて明らかにしようという気にはならなかったが、そのような思いを抱いたからといって、危険に足を踏み入れることになんら躊躇はなかった。とはいえ、強風に煽られながらテントを張り、シチュー鍋をかけるために火を熾《おこ》すという現実的な作業をしているときですら、そのことが頭から離れなかった。それがずっと頭にこびりついたまま、心が晴れず、最高の気分を味わえるはずのキャンプ地までもが色褪せて見えた。だが相棒には黙っていた。彼はあまり想像力が豊かなほうではないと思いこんでいたからだ。話すにしてもうまく伝えられる自信がなかったし、話したら話したで一笑に付されることは目に見えていた。

　中洲の真ん中あたりに窪地があり、僕らはそこにテントを張った。周囲の柳が多少なりとも風除けになってくれた。

「ひどい場所だな」ようやくテントを張り終えると、肝の据わったスウェーデン人の相棒がいった。「手頃な石もなけりゃ、薪《たきぎ》もほんのすこししかない。明日の朝早めにひとつ探ししてこよう——どうだ？　この砂地ときたら、なにひとつ立てられやしない」

　とはいえ、さんざん真夜中にテントが倒れるという経験をしてきて、そのたびに工夫を凝らしてきたので、僕らは可能なかぎり安全で居心地のよい仮の住処《すみか》をこしらえ、就寝時まで保《も》つだけの薪を集めにかかった。柳の木々は枝を落としておらず、拾えるものといえば流木くらいだった。僕らは川岸をくまなく物色した。氾濫で嵩《かさ》を増した水が、飛沫と水音をたてながら砂を大きく削り取っていくので、土手のいたるところが崩れ落ちていた。

「上陸したときより狭くなってる」スウェーデン人がじっさいのところを口にした。

「このようすじゃあまり長く保ちそうにないな。カヌーをテントのそばまで寄せておいて、朝一番に出発しよう。服は着たまま寝ることにするよ」

　相棒は、やや離れた場所を土手沿いにのぼりながら、楽しげな笑い声交じりになにやら喋《しゃべ》っていた。

「うわっ！」しばらくして彼の大声がし、僕はなにごとかと振り向いた。だが相棒の姿はちょうど柳の陰に隠れており、どこにいるのかわからなかった。

「いったいどういうことだ？」またしても叫び声がした。しかも今度は深刻な声だった。

　僕は慌てて駆け寄った。彼は土手の上から川を見おろし、水中のなにかを指さしていた。

「なんてこった！　死体だぞ！」彼は興奮ぎみにいった。「見ろよ！」目をやると、なにやら黒いかたまりが、泡立つ波に揉まれて、沈んでは浮きながら、ゆっくりと流されていくのが見えた。こちらの岸からは二十フィートほど離れていたが、ちょうど対岸へ流れ着いたところで、その物体がぐるりと向きを変え、僕らのほうへ顔を向けた。身体が裏返ると同時に、夕日を照り返すふたつの目が、不気味な黄色にぎらりと光った。そいつはドボンと水音をたてて素早く水中に潜ると、一瞬にして視界から姿を消した。

「なんだ、川獺《かわうそ》じゃないか！」僕らは笑いながら、声を揃えていった。

　魚を獲りにあらわれた、生きた川獺だった。だがその姿は、急流に弄ばれる溺死体にそっくりだった。だいぶ離れた下流のほうでふたたび姿をあらわしたとき、濡れた黒い毛皮が陽光にきらめくのが見えた。

さらに、両手に流木を抱えて戻ってきたときにふたたびちょっとした事件があり、またしても僕らは土手へ走った。今度はほんとうに人だった。もうすこしいえば、ボートに乗った男だった。ドナウ川を小舟が行く光景など、そもそも季節を問わずめったに見られるものではないが、このひとけのない場所で、しかも氾濫の時期に、とはあまりにもそぐわなすぎて、目の前の光景が現実とはとても信じられなかった。僕らは立ちつくしたまま目を凝らした。

傾《かし》いだ夕日のせいなのか、美しく水を照らす光の屈折のせいなのか定かではなかったが、理由はともかく、その浮遊する亡霊のごときなにかの姿は、視界がぼやけて僕にはあまりよく見えなかった。だが、どうやら男がひとり、立って長いオールを繰りながら、平底ボートを猛スピードで対岸へ走らせているようだった。男は間違いなくこちらを見ていたが、あまりにも離れているうえ光の加減も微妙なので、いったいなんのつもりでそうしているのかさっぱり見当もつかなかった。身振り手振りで僕らになにか伝えようとしているように僕には見えた。対岸からなにごとかしきりに叫んでいるらしき声はするが、風の音にかき消されてひとことも聞き取れない。なにもかもが妙だった——男も、ボートも、身振り手振りも、声も——すべてがちぐはぐに思えた。

「十字を切ってるぞ！」僕は叫んだ。「ほら、あの男、十字を切ってる！」

「どうやらそのようだな」スウェーデン人は額に片手をかざし、遠ざかっていく男の姿を見送った。男の姿はみるみるちいさくなり、やがて柳の海に吸いこまれていった。ちょうど川の曲がるあたりに太陽の光が降りそそぎ、柳はまるで美しい巨大な壁のように見えた。霧も出てきて、あたりは霞んでいた。

「それにしてもあの男は、こんな黄昏どきに、氾濫した川でいったいなにをしてたんだ？」僕はなかばひとりごとのようにいった。「いまからどこへ行こうっていうんだ？　しかも十字を切ったりこちらに呼びかけたりしていたが、あれはいったいどういうつもりだったんだ？
僕らになにか警告しようとでも？」

「焚き火の煙を見て、俺たちを幽霊かなにかと勘違いしたんだろうよ」相棒は笑い飛ばした。「ハンガリー人ってのはなんでもかんでも迷信を信じすぎていけない。ほら、ブラチスラヴァでも女店員に脅《おど》かされたじゃないか。このあたりは誰ひとり足を踏み入れない、人ならぬものの棲まう場所だ、と！　連中は妖精やら四元素を司る精霊やら、ひょっとしたら悪霊まで信じてるんじゃないかね。ボートに乗ったあの農夫もおおかた、中洲に人がいるのを初めて見たんだろうよ」そこでふと黙りこみ、やがていい添えた。「で、恐ろしくなっちまった、どうせそんなとこだろう」その口ぶりにはあまり説得力がなく、そぶりもどこか変だった。話の間に、スウェーデン人のようすの変化にはすぐ気がついたが、それをなんと名づけたらよいのか僕には測りかねた。

「連中にもうすこし想像力があれば」僕はわざと大きな笑い声をあげた——とにかく大声を出そうと思ったのを覚えている——「これほどの場所なんだから、古《いにしえ》の神々が棲まう場所だ、くらいのことをいえばよかったんだ。そうすればこのあたりには霊廟やら聖なる森やら地水火風の神々やらが祀《まつ》られて、ローマ人の霊がたくさん集まっただろうに」

話はそこまでとなり、僕らはシチュー鍋のそばへ戻った。わが友人はそもそも空想話に熱中する質《たち》ではなかったからだ。このときばかりは、彼が想像力の豊かな男ではないことが心底ありがたかった。ある意味鈍感で、地に足のついた彼の性格がふいに好ましく、心強く思えた。見あげた気質だ、と感じた。船を駆って激流をくだる腕はアメリカ先住民も顔負けというほどだし、危険な橋や渦をカヌーで渡るときも、これまでに会ったどの欧米人よりも巧みに乗りきった。彼こそまさしく冒険旅行の申し子であり、万が一のときにも頼れる男だった。流木の山を抱えて（しかも僕の集めた流木の倍の大きさはある）足を取られながら歩いてくる彼の自信に満ちた顔と明るい色の巻き毛を見て、心から安堵をおぼえた。そうだ、ほんとうに頼もしかったのだ——あのスウェーデン人がそういう男であり、含みのあるものいいをするような人間ではない、ということが。

「それにしても、まだ増水してるな」僕の心の声が聞こえていたかのように彼はいい、荒く息をつきながら、抱えていた木をどさりと下に置いた。「このままじゃ、二日もすればこの中洲は沈んじまうだろう」

「風さえやんでくれりゃいいさ」僕はいった。「川はこのさいどうでもいい」

川の氾濫など、僕らにとっては問題でもなんでもなかった。十分もあれば抜け出せるし、むしろ大歓迎だった。そうなれば水嵩が増えて、砂利だらけのでこぼこした河原が水中に沈むので、カヌーの底に砂利がこすれて傷がつく心配をいちいちしなくてすむからだ。

僕らの期待もむなしく、太陽が沈んでも風は収まらなかった。闇が深まるとともに風は荒ぶり、僕らの頭上で猛り狂い、周囲の柳を藁同然に揺さぶった。ときには大砲を放つような聞き慣れぬ音を響かせては、川面や中洲にこれでもかと吹きつけることもあった。そのような音がじっさいに聞こえるかどうかは知らないが、惑星が宇宙空間をよぎっていくときにはこんな音がするんじゃないか、とふと僕は思った。

　とはいえ空にはあいかわらず雲ひとつなく、夕食後まもなく満月が東の空に姿をあらわして、川と、そして巻きあがる柳の原は、まるで昼間のような光に包まれた。

　僕らは焚き火のそばの砂の上に寝転がり、パイプをふかしつつ夜の物音に耳を傾けながら、ここへ辿り着くまでの旅路と、この先の計画について楽しく語らった。テントの入口に地図を貼ったものの、強風に煽られて落ち着いて見ることはできず、結局僕らは仕切りをおろしてランタンを消した。焚き火の明かりだけでも、パイプをふかしながらたがいの顔を見るくらいにはじゅうぶんに明るく、頭上に散る火の粉がまるで花火のようだった。数ヤード先では川が水音をたてて流れ、ときおり重い水音を響かせては、土手がさらに大きく削られたらしきことを告げていた。

　いつしか僕らの話題は、昔〈黒い森〉で初めて一緒にキャンプをしたときの景色やできごとについてといった、当面の状況とはおよそ関係のないことばかりになっていた。どちらとも、まさにいま自分たちを取り巻くものについて必要以上に口にしようとしなかった——まるで、このキャンプで起こったできごとについては話さないとふたりして示し合わせたかのように。川獺の話題もボート男の話題もいっさい出なかったが、いつもの僕らであれば、これらの話でひとしきり盛りあがって長い夜を過ごしたはずだった。それがこういう場所での醍醐味というものだ。

　薪が少ないので、火を絶やさぬよう注意を払った。風が、どこに座っていようと顔に煙を吹きつけてくるばかりか、炎を煽って薪を燃やし尽くそうとするからだ。僕らは交替で暗がりへ薪探しの旅に出たが、スウェーデン人が持ち帰ってきたぶんを見るたびに、その量にしては時間がかかりすぎじゃないのか、などと思うこともあった。僕としては、ひとりで置いていかれるのは別になんとも感じなかったが、じつをいえば、月明かりを頼りに茂みに潜りこんで探しまわったり、足もとの悪い土手を這いつくばったりしているのはいつも僕ばかりではないかという気がしてならなかった。一日じゅう風や激流と格闘させられて——まったく、あの風と激流ときたら！——僕も彼も疲労困憊していたので、当然ながら早めに寝るつもりだった。だがどちらもテントに入ろうとはしなかった。ふたりしてその場に寝転がり、焚き火の番をしながら、とりとめのない話をしては、鬱蒼とした柳の茂みに目を凝らし、風や川の轟きに耳を澄ました。この場所のもの寂しさが全身に染みわたり、静寂こそが正しきものであるような感覚をおぼえた。しばらくこうしていて、非現実的かつ自然に反しているのはむしろ僕らの声のほうではないかと思えてきた。話すにしても声をひそめるべきだ、という気がした。そもそも人間の声などというものは、地水火風のどよめきのもとではもはや滑稽でしかないが、まさにこのときには、いたずらに声をたてるなど不埒千万であるという気がしてならなかった。教会の中か、あるいはうっかり盗み聞きすればとんでもない目にでも遭いそうな場所で、大声で話しているような気分だった。

　無数に生えた柳に四方を囲まれ、暴風に晒されながら、水深い激流の真ん中にぽつんと浮かぶこのもの寂しい中洲の不気味な雰囲気に、僕らの感覚はどこか麻痺していたように思う。この中洲は人に踏みこまれることなく、誰にも知られぬまま、月明かりを浴びながら、人の思惑とは無縁な場所で、異界との境目のあるこの場所にずっと佇んでいた。人ならぬものの世界、柳だけが生息し柳の魂のみが棲まう世界との境目に。ところが僕らときたら、その場所に踏みこんだだけでは飽き足らず、利用しようとまでするとは！　焚き火に足を向け、砂の上に寝転んで葉の隙間から星を眺めていると、不思議な力どころではすまないようななにかを感じて、心がざわつきはじめた。そこで立ちあがり、最後にもう一度薪を集めに行くことにした。

「こいつが燃えつきたら」僕はきっぱりといった。「寝ることにするよ」相棒の眠そうな目に見送られ、僕はあたりを埋め尽くす影の中へ歩み入った。

　散文的な性格にしては、今夜の彼はやけに過敏になっているように見えたし、第六感に関するものごとについてもいつになく寛容だった。やはり彼も、この場所の美しさともの寂しさに心を揺さぶられたのだ。僕は彼のそうした些細な変化をどうしても認めたくなくて、すぐに枝集めには取りかからずに、反対側の突端の、月明かりに照らされた平野と川がよく見える場所までとぼとぼと歩いていった。急にひとりになりたくなったのだ。ふたたび先ほどの胸騒ぎが怒濤のように押し寄せてきた。その感情と向き合って徹底的に正体を探ってみたい、などとぼんやりと考えていた。

　波間に聳える砂の突端まで来ると、この場所を満たす魔力がふいに現実味をもって迫ってきた。ただの〝風景〟にこのようなことができるわけがない。なにかそれ以上のものが、警戒すべきなにかがこの場所にはあるのだ。

　僕は荒漠たる激流を見つめ、その向こうのさざめく柳に目を凝らし、絶え間なく吹きつける風のはためきに耳を澄ました。そのひとつひとつに心をいいようにかき乱され、嫌な不安感が胸の中に渦巻いた。なかでも柳はとりわけ不愉快だった。寄り集まってお喋りをし、かすかな笑い声をたて、かん高い喚き声をあげ、ときおりため息をつく――だが連中がいったいなにをそんなに騒ぎ立てているのか、それは、柳たちの棲まう大平原に息づく命の秘密に触れねばわからないことだった。そこは僕の知る世界とも、また地水火風の神々に護られた、厳しくも優しい世界とも異質の存在だった。その柳の姿はまるで、別の地平からやってきてまったく異なる進化の過程を経たものが群れをなし、ほかに知るもののない謎について激しく議論しているようにすら見えた。風がやんでいるときでさえ、柳は葉の生い茂った大きな頭を異様に振りまわしながら、無数の葉を翻《ひるがえ》し、忙《せわ》しなく一斉に揺れ動いていた。僕はそれをじっと見つめていた。意思を持った生きもののさながらのその動きに、どういうからくりか、恐ろしいものを感知する僕の感覚がいっそう研ぎ澄まされた。

　月明かりに浮かびあがる柳の姿は、まるで大軍隊が僕らのキャンプ地を包囲し、おびただしい数の銀色の槍を振りかざして、いまにも一斉攻撃をしようと構えているかのようだった。

　場所というものが与える心理状態、あるいはそこまでいかずとも、場所によってもたらされる想像というものはひじょうに鮮やかだ。その場所に足を踏み入れた者、とりわけキャンプを張った者ならばとりわけ、歓迎されているとか拒絶されているといった〝気配〟を感じるものだからだ。初めのうちはテントの準備や食事の支度に忙しいのであまり気づかないことも多いが、いったんひと心地つくと――たいていは夕食後あたりだ――それはしのび寄ってきてはっきりと姿をあらわす。つまり、僕は柳のそばにキャンプを張ったことにより、あからさまなその気配をひしひしと感じていた。こちら側が闖入者《ちんにゅうしゃ》であり侵入者なのだ。僕らは歓迎されていなかった。景色を見つめながら立ちつくすうち、しだいに疎外感が膨らんできた。僕らは境界線に近づき、怒りを買ってしまったのだ。ひと晩泊まるくらいならばなんとか勘弁してもらえるだろうか。だが長居してあたりを探るなど――とんでもない話だ！　あらゆる樹木と未踏の地の神々にかけて、けっして許されるものではない！　僕らはこの中洲の平穏を乱した最初の人間どもであり、招かれざる客だった。僕らは敵とみなされてしまったのだ。

　こうした奇妙な考えや突飛な妄想がどこからともなく湧いてきて、立ちつくしたまま耳を澄ましている僕の頭の中に居座った。もし、この低く蹲《うずくま》る柳の茂みが生きて動いているのだとしたら。蠢《うごめ》く生きものの群れさながらに突然立ちあがり、僕らが侵した領域を司る神々に先導されてこの広い湿地を滑るように進軍し、轟きをあげながら、夜陰に乗じて僕らの頭上に――なだれこんできたとしたら！　見ていると、あの柳の茂みがじっさいに動くようすがやすやすと想像できた。近づいてはすこしあとずさり、ひしめき合いながら、敵意をみなぎらせ、風によって総攻撃の命令がくだされるのをいまかいまかと待っている姿が。誓ってもいいが、そのときほんとうに柳のようすがわずかに変化した。木立が濃さを増し、さらに密集したのだ。

　上空で夜鳥《よどり》がもの悲しい、かん高い鳴き声をあげ、僕は思わずよろめいた。増水で削り取られた土手の一角が足もとで崩れ落ち、大きな水音をたてて川へ落ちていった。すんでのところで飛びすさり、妙な妄想にすっかり囚われていた自分を鼻で笑いながら、あらためて薪集めに取りかかった。そういえばスウェーデン人が、明日になったら移動しよう、といっていた。まったくもって大賛成だ、と考えていたまさにそのとき、はっと気づいて振り向くと、その本人が目の前に立っていた。すぐそばにいたのに気づかなかった。地水火風の轟きに、気配がかき消されていたのだった。

Ⅱ

「なかなか戻ってこないから」彼は風に負けじと大声でいった。「なにかあったのかと思ったぞ」

　だがその声色やときおり見せる表情に、いつも交わしている会話以上のなにかが滲んでおり、僕は一瞬にして、彼がここまでやってきたほんとうの理由を悟った。彼もまた、この場所に漂う魔力に気づかされ、ひとりではいられなくなったのだ。

「川はまだ増水してる」月明かりに浮かぶ激流を指さし、彼は声を張りあげた。「風もとにかくひどい」

　いっていることはいつもと変わらなかったが、ともかく口にすることが大事だったのだ。それは、誰かと一緒にいたいという心の叫びだった。

「運が向いてたな」僕も声を張りあげた。「テントを張った場所は窪地だからなんとか保《も》つだろう」そのあと、しばらく姿をくらましていたことについて、薪がなかなか見つからなかっただのなんだのといいわけをしてみたものの、風が声を絡め取って対岸へ運び去ってしまったので、彼には聞こえなかったとみえ、相棒は枝越しにこちらを見て、こういっただけだった。

「ほんとうに運が向いてりゃ、災いには遭わずにここともおさらばできるだろうよ！」彼が大声でそのようなことをいった。まさかそれを口に出すとは、と少々腹が立ったのを覚えている。まさにそれこそ、僕が感じていた不安そのものだったからだ。どこからか災いが迫っている、という不吉な予感が心にまとわりついていた。

　僕らは焚き火のそばへ戻り、最後にもう一度、足でつついて炎をかき立てた。そして、あらためてふたたびあたりを見まわした。風はあっても暑苦しい夜となりそうだった。僕がそう口にすると、彼は思いがけない返事をした。暑苦しいくらいならまだましだ、いかにも七月の気候じゃないか、この〝悪魔のごとき風〟に比べれば、と。

　夜の準備も整った。カヌーをテントの近くに伏せ、黄色のパドルは二本揃えてその下に入れた。食料袋は柳の枝にかけ、洗い終わった皿は、明日の朝すぐに使えるよう、火からすこし離れた場所に置いた。

　焚き火に砂をかけて消し、テントに入った。入口のフラップをあげておいたので、そこから木々の枝や星や白い月明かりが見えた。柳がざわめき、風が、僕らのちっぽけなテントのぴんと張った布を激しく叩いていたことまでは覚えていたが、やがて睡魔が訪れて、ありとあらゆるものを穏やかで甘美な忘却の彼方へ連れ去ってしまった。

　ふいにはっと目が覚めた。僕は砂でざらつくマットレスに横たわったまま、テントの入口の外を見つめていた。帆布にピンで留めてあった時計を見やると、まばゆい月明かりのおかげで、午前零時をすこし回ったところだとわかった——新たな一日の始まりだ——ということは二時間ほど眠ったようだ。スウェーデン人は隣でぐっすりと眠っており、風はあいかわらず激しく吹き荒れていた。ふいに心臓を鷲掴みにされたような感覚をおぼえ、そら恐ろしくなった。すぐ近くで不穏な気配が蠢《うごめ》いていた。

　僕は跳ね起きて外を見た。木々は吹き荒れる突風に激しく煽られていたが、緑色の帆布でできた僕らのちっぽけなねぐらは窪地にすっぽりと守られていた。強風はテントの上をほぼ素通りしていったのだ。それでも僕は不安が拭えず、こっそりとテントを抜け出して、持ちものが無事かどうかを確かめに行くことにした。相棒を起こさないようにそっと起き出した。僕は奇妙な興奮をおぼえていた。

　両手両膝をついて這いつくばり、外へ出かかったとき、真正面の茂みの上端がまず目に入った。葉が集まってできた動く窓枠のような縁取りが、空を背景にしたなにかの姿に見えた。僕はその場に座りこんでじっと目を凝らした。まさかと思ったが、確かに目の前の柳の茂みのあたりに、やや僕を見おろすように、なにともつかぬ姿がいくつも聳えている。風が揺らぐたびに枝が絡み合って奇妙な輪郭をつくりあげ、月光に照らされながら次々と形を変えていった。たった五十フィート先でのできごとだった。

　とっさに、相棒を起こして彼にも見えるかと訊こうとして、ふと思いとどまった――たぶん即座に自覚していたのだろう。僕は確証を得たくなかったのだ。呆然とその場に座りこみ、見つめすぎて両目がちくちくと痛んだ。完全に眠気は失せていた。こいつは夢じゃない、とひたすら自分にいい聞かせていたように思う。

　大きななりをしたそのなにかは、初めは茂みの上端にだけくっきりと姿をあらわしていた――巨大で、色は赤銅色、揺れる枝とは別の動きをしていた。ようやくすこし落ち着きを取り戻し、先刻よりも冷静に観察できるようになってみると、それらが人間よりもかなり大きく、見かけからして、まるで人とは似ても似つかない姿をしているのがわかった。まったくもって、枝が絡み合ってできた動く窓枠が月明かりを後ろから浴びている、などというしろものではなかった。絶え間なく動き、逆流する川さながらに次々と上空へ舞いあがっては、夜闇に吸いこまれて消えていく。それらはたがいに絡み合って巨大な柱をつくりあげ、四肢や太い胴体をときおり覗かせながら、やがてひとつに溶け合い、まるで蛇のような一本の筋となって、風に揉まれて身をよじる木々に倣《なら》うように、曲がったり揺らいだりねじれたりしながら螺旋を描いて昇っていった。ぬらりとした群れが、柳の茂みの中、とりわけ葉叢《はむら》の間から――生ける柱となって続々と空へ飛んでいく。顔らしきものは見わけられなかった。ただ立て続けに、大きな曲線を描いて右へ左へ揺れながら、肌の色らしき赤銅色をぼうっと滲ませて空へ舞いあがっていったのだ。

　僕は、どんな些細なものも見逃すまいとひたすら目を凝らした。姿を消しては枝の動きに吸いこまれていくように見えるが、おそらく目の錯覚だろう、としばらくは思いこんでいた。目の前のできごとが現実だという証拠を必死に求めながらも、現実というものの定義自体が引っくり返ってしまったのだということはとうに理解していた。見れば見るほど確信せざるを得なかった。あれは現実にここに棲まうものであり、そのいっぽうでカメラや生物学者が提示する基準には当てはまらないものであるということを。

　僕は怯えるどころか、これまで一度として感じたことのない畏怖と驚嘆の念に心を奪われていた。このなにものかが棲まう太古の地で、仮の姿をまといあらわれた地水火風の神々の力を、まさにいま目の当たりにしているのだ、と。僕らが踏みこんだせいで、この場所の眠れる力を目覚めさせてしまった。禁を犯したのは僕らのほうなのだ。もはや僕の頭の中は、さまざまな歴史において万人に語り継がれてきた精霊や神々の物語と伝説の類いで溢れ返っていた。だがなにかしらの理屈に辿り着くより早く、さらに外へ出てみるべきだという心の声がして、僕は砂の上をしばらく這っていくとやがて立ちあがった。素足で踏んだ砂はまだほんのりと温かかった。風が髪をかき乱し、顔に激しく吹きつけた。川の轟く音がふいに耳を揺さぶった。では、感覚は正常にはたらいているということだ。だが例のものはあいかわらず、音もなく粛々と、巨大な螺旋を力強く、そして優雅に描きながら、地上から天を目指して昇っていた。僕は深い崇拝の念に心を穿《うが》たれたまま、ただひたすらに圧倒されていた。もはやひれ伏さんばかりだった——絶対的な崇拝を捧げねば、と思った。

　まさしくそれを実行に移しかけたとき——突風が横ざまに吹きつけてきて、そのあまりの勢いに、思わずよろけて転びかけた。それが僕を夢の中から揺さぶり起こしてくれた。とりあえず違う目でものごとを見られるようにはなった。例のものはまだ目の前におり、夜の深みから空へ向かって舞いあがりつづけていたが、ここへきて、僕の理性がようやく存在を明らかにしはじめた。僕は心の中できっぱりといった。これは僕の主観的体験にすぎない——現実であることは間違いないが、僕の主観でしかないのだ。月明かりを浴びた枝を見たことにより、僕の想像力という鏡に、いま目の前にある光景が映し出され、それを僕自身が勝手に外の世界に投影して、客観的なものだと思いこんでいるだけのことだ、と。そうだ。そうに決まってる。すると気が大きくなり、僕は広い砂地へ出ていった。しかし、ほんとうにすべて幻覚だったのだろうか？　ただの主観的体験だったのか？　僕の理性が声高に主張しているのは、既知のものに当てはめられたちっぽけな基準にすぎない、古臭い役立たずな方法なのでは？

僕に唯一わかっているのは、例の巨大な柱が、長すぎると思わせるほどの時間をかけ、誰もが疑いすら持たずに受け入れてしまうような完璧きわまりない現実感を与えつつ、密やかに天へ昇っていったということだけだ。しかも、やがてふいに消え失せてしまったのだ！

そして影のようなものが姿を消し、僕の中で突如として生まれた、その大いなる存在に対する驚嘆の思いがすっと引いたとたん、まるで凄まじい冷気のごとく恐怖が湧きあがってきた。この、なにものかが棲まうもの寂しい場所の秘める、知る人もないほんとうの意味が、燃えあがる炎のごとく僕の胸を灼き、急激に震えが止まらなくなった。慌てて周囲を――恐怖に震え、パニック寸前で――見まわし、無駄とわかっていながらも逃げ道を探した。だが結局はあがいても無駄だと悟り、おとなしくテントに戻って、砂だらけのマットレスにふたたび横になった。その前にまず入口の仕切りをさげて月明かりに浮かぶ柳を視界から遮断し、そして毛布をできるだけ深くかぶって、ぞっとするような風の音に耳を塞いだ。

夢などではなかったと思い知らされるかのように、だいぶかかってからようやく、不安に満ちた浅い眠りに落ちた。だが眠っていたのは僕の表皮だけで、その下の僕はまんじりともせず、あたりを警戒してじっと気を張りつめていた。

だがふたたび飛び起きたのは、まさしくほんものの恐怖を感じたからだった。僕を目覚めさせたのは風でも川の轟きでもなく、ひたひたとなにかが近づいてくる気配だった。身体の眠っていた部分がすこしずつ狭《せば》まっていき、やがて完全に消え失せて、気づいたときには上半身を起こして――耳をそばだてていた。

外で、はためくような無数の音がしていた。僕にはわかっていた。あれがこちらへやってこようとしているのだ。眠っていたときからとうにその音は聞こえていた。まるでこれまで一睡もしていないかのように目が冴え、僕は身を竦ませてその場に座りこんでいた。呼吸がうまくできず、身体の表面がずっしりと重かった。じっとりと冷や汗をかき、僕は思わず身震いをした。両側から、さらには上からも、なにかがテントをじわじわと圧迫していた。風のしわざだろうか？　はためくような音は、雨が葉を叩く音なのか？　風に巻かれた川の水飛沫が大粒の水滴となって降りそそぐ音か？　僕はとっさにあれこれと理屈をこねはじめた。

ふいに、これぞという説明を思いついた。中洲に一本だけ生えていたポプラの大木の枝が風で折れたにちがいない。まだほかの枝に引っかかっているのかもしれないが、次に突風が吹けば、いつ僕らの頭上に落ちてくるともかぎらなかった。おそらくその折れた枝の葉が、ぴんと張ったテントの帆布の表面にこすれたり当たったりしているのだろう。僕はスウェーデン人についてこいと呼びかけて、垂れたフラップをあげてテントの外へ飛び出した。

ところが表で立ちあがってみると、テントはなんともなかった。たわんでいる枝もなければ雨も降っておらず、水飛沫も飛んでいない。近づいてくるものもなかった。

冷たい灰色の光が茂みを透かして、かすかにきらめく砂の上に降りそそいでいた。満天の星々はまだ頭上に輝き、風も荘厳なる唸りをあげていたが、焚き火はすでに熾火《おきび》となり、朱に染まった東の空が、木々の狭間からいくつもの筋となって覗いていた。立ちつくしたまま、天に昇る影を見つめていたときからすでに数時間が経過していたようだった。あのときの光景が、まるで悪夢のごとく、凄まじい恐怖をともなってよみがえってきた。ああ、あのけっして吹きやまぬ、荒れ狂う風のせいで、なんと疲れきってしまったことか！　だが、眠れぬ夜を過ごして身体はひどくだるいものの、収まらない不安に胸がざわついて神経が高ぶり、もう一度眠る気にはとてもなれなかった。川はさらに増水していた。轟きがあたりに響きわたり、僕の薄い寝間着のシャツに、細かい水飛沫が染みこむ感触がした。

だが危険を予感させるようなものはいっさいどこにも見当たらなかった。しこりのように残る深い不安だけが、僕の中で行き場をなくしていた。

相棒は呼びかけたときにも目を覚ましすらしなかったので、もはや彼を起こしたところでどうなるものでもなかった。僕はあたりを用心深く見まわし、ひとつひとつを確認した。伏せてあるカヌー、黄色のパドル――ちゃんと二本ある。木の枝にかけた食料袋と予備のランタン。そして周囲のいたるところに、すべてを包みこむように鬱蒼と茂る柳。柳の木々は揺れ動きながら、どこまでも続いていた。一羽の鳥が朝のさえずりを響かせ、鴨が隊列をなして、朝焼けの中、風を切りながら上空を飛び去っていった。砂が風に巻きあがり、乾いた粒が素足にちくちくと当たった。

僕はテントのまわりを一周してから茂みへ入っていき、対岸の景色を見渡してみた。地平線まで果てしなく続く柳の海が、どこか幻想的に、薄明の中にぼうっと浮かんでいるさまを見ていると、あの漠然とした不安感が胸の奥からふたたび湧きあがってきた。僕はうろうろと歩きまわりながらひたすら考えを巡らせた。僕を眠りから引き剝がした、あのおびただしい数のはためくような奇妙な音、それにテントを圧迫していたあの力はいったいなんだったのだろう。風のしわざだったにちがいない、と結局はそこへ行き着いた――熱い砂を含んだ風が吹いて、ぴんと張った帆布の表面に乾いた砂粒が当たったのだ――僕らのテントの薄い屋根を押し潰そうとしていたのもおそらくは風だったのだろう。

　だが不安と苛立ちはますます募るばかりだった。

　さらに川岸を進み、夜の間に川との境目がどれほど変化したか、土手の砂がどのくらい削られて持っていかれたのかを確かめた。冷たい流れに両手両足を浸し、額を水につける。すでに朝日が差していて、あたりは一日の始まりを告げるきらびやかな清々しさに満ちていた。戻るときにはわざとあの茂みの、空へ昇っていく柱が見えた場所の真下を通ってみた。木立の真ん中で、ふいに凄まじい恐怖に全身が凍った。木陰から巨大な影があらわれて、素早く僕をかすめていったのだ。なにかが僕のすぐ近くを通り過ぎた。まるで人とすれ違ったかのようにはっきりと……。

　体当たりのような突風に背中を押され、僕はふたたび進みはじめたが、ややひらけた場所へ出ると、恐怖は嘘のようになりをひそめてしまった。風のやつめ、やりたい放題だな、などと口にしながら歩いたおぼえがある。なにしろ風ときたら、みずからが大いなる存在であることをひけらかすように、けっしてやむことなく木陰を吹き荒れていたからだ。ともかく、まとわりつく恐怖がまるで未知の桁外れなしろものであり、さらにそれまでに経験したいかなる感覚ともまったく異質のものだったせいで、かえって僕の中に畏怖と驚嘆の念が目覚め、恐怖のどん底に落とされるなどという目に遭わずにすんだのかもしれなかった。やがて中洲の中央にある、川が見渡せる高台に辿り着き、その壮大なる流れが朝焼けにあかあかと染まるのを目の当たりにしたときには、まるで魔法のように美しいそのすべてに圧倒され、強い憧れにも似た思いが湧いてきて、思わず叫びだしたいくらいだった。

　だが叫び声は出口を失った。彼方にひろがる平野から自分のいる中洲に目を戻し、柳の茂みに半分隠れた僕らのちっぽけなテントを見やったとき、なんとも恐ろしい事実に気づいたからだ。やりたい放題の風に対して抱いていた恐怖など、それに比べればないにも等しかった。

風景の配置が違う。見晴らしのよい場所からなので見えかたが変わった、などというものではない。柳を見てからテントを、さらにテントを見てから柳を見ると、明らかにたがいの位置が以前とは変化しているのがわかった。茂みとの距離が前よりもぐんと狭まっている——近すぎて気味が悪かった。柳が僕らのほうへ迫ってきていた。

　柳は不安定な砂の上を音もなく這い寄り、いつの間にかじわりじわりとにじり寄って、夜の間にここまで近づいたのだ。風に運ばれたのだろうか、まさか自分で動いたとでも？　無数のちいさなはためきが耳によみがえり、テントも僕の心臓も押し潰されてしまうのではないかという恐怖のあまり、思わず目を覚ましたときのことを思いだした。一瞬、砂の小山にまっすぐ立っていられなくなり、まるで風に揺らぐ木のようにぐらりと身体が傾いだ。この場所には人格らしきものを持った力と、確固たる意図と、こちらに対して攻撃的な敵意の気配がある。思わず身が竦んだ。

　反動はすぐさま訪れた。じつに突飛《とっぴ》で馬鹿げたことばかり考える自分を笑い飛ばしてやりたくなったのだ。だが先ほどの叫び声と同様に、笑い声が口から放たれることはなかった。この手の想像上の危険なものに対して自分は敏感なほうだと知っていたがために、そうした攻撃が得てして肉体を通じてではなく精神を通じておこなわれるものであり、いままさにそうなりつつある、という新たな恐怖が首をもたげてきたからだった。

　そうして風に吹かれているうちに、いつしか太陽が地平線から姿をあらわしていた。すでに午前四時を回っていた。間近に柳と相まみえるのが恐ろしくて、思いのほか長く砂の峰に佇んでいたようだ。物音をたてないようにそろそろとテントに戻ったが、その前にもう一度あたりをじっくりと見まわし——このさいだから白状してしまうが——いくつかの見当をつけておいた。熱い砂の上を歩いて柳の茂みからテントまでの歩数を数え、最短の逃げ道を頭に叩きこんだ。

　僕はそっと毛布に潜りこんだ。相棒はぐっすりと眠っているようで、それを見てありがたく思った。僕の体験したことがほんとうだったという確証さえ得られなければ、そもそもそんなものはなかったのだといい張る気力も生まれようというものだ。日が昇るとともに、あれは僕の主観によるただの幻覚だったのだ、行きすぎた想像力が見せた夜の夢想だ、と自分の中でしだいに折り合いがついた。

　それ以上は心を乱されることもなく、疲れきった僕はたちまち眠ってしまったが、それでもやはり、ひょっとするとあの無数に響くはためきのような不気味な音がもう一度聞こえたり、息ができなくなるのではと思うほどの、あの胸の圧迫感にまたしても襲われるのはないか、と内心では怯えていた。

深く寝入っていたところを相棒に起こされ、ポリッジも煮えたし水浴びにはもってこいの時間だ、と声をかけられたときにはすでに日が高くなっていた。カリカリに焼いたベーコンの香ばしい匂いがテントの入口から漂ってきた。

「まだ増水してるな」彼がいった。「川の中ほどにあった中洲がいくつか完全に呑まれちまった。俺たちのいる中洲もだいぶ狭くなってる」

「薪はまだあるのか？」僕は眠い頭で訊ねた。

「薪もこの中洲も、どちらが先かはわからんが、明日にはもうなくなってるさ」彼は笑い声をあげた。「だがそれまではじゅうぶん保つだろう」

夜の間に中洲は大きさも形もだいぶ変わっていたが、僕は突端から水に飛びこみ、一気にテントとは反対側の岸まで流された。水はひんやりと冷たく、まるで田園風景を急行列車で飛ばしていくときのように、土手がみるみる通り過ぎていった。こういうときの水浴びはいい気晴らしになり、頭も冷やしてくれて、夜に感じた恐怖もきれいさっぱり洗い流せたように思えた。太陽がじりじりと照りつけ、空には雲ひとつなかった。だが風はわずかなりとも衰えるようすを見せなかった。

そのとき、先ほどスウェーデン人がいった言葉の意味を唐突に悟った。彼はもう慌てて出発しようとは思っていないのだ。気が変わったということか。〝明日まではじゅうぶん保つ〟というのだから――この中洲にもうひと晩とどまろうというのだろう。妙ではないか。昨夜《ゆうべ》はまったく正反対のことを口にしていたというのに。どういうわけで気が変わったのだろうか？

朝食をとっていると土手で大きな土砂崩れが起こり、盛大に水が跳ねて、風に運ばれた細かい水飛沫がフライパンにかかった。相棒は喋りっぱなしで、この増水じゃあウィーン＝ペシュト間を走る汽船も航行ルートを見つけるのにさぞ苦労してることだろうよ、などと話していた。だが僕としては、川の状態や汽船の都合などよりも、彼の心理状態のほうがよほど心配だったし気がかりでもあった。昨夜から彼はなんとなくようすが変だった。どこか彼らしくなかった――やや興奮ぎみで、すこし怯えているようにも見え、声と仕草に不安を滲ませている。いまこうして冷静になって考えてみるとなんとも説明しがたい事象なのだが、あのときの僕ははっきりと確信していた――彼はなにかに怯えているのではないか？　と。相棒が朝食をほとんど口にせず、パイプをふかそうとすらしなかったのは、あとにも先にもあのときだけだった。彼はかたわらに地図をひろげ、しるしのついた場所をひたすら確認していた。

「一時間以内に出発したほうがよくはないか」しばらくして僕は口をひらいた。彼がなにかしら白状しないかとさりげなく水を向けたつもりだった。だが彼の返事には戸惑うばかりだった。「それはそうだ！　だがそうさせてもらえるかどうかはわからんがな」

「誰にだね？　地水火風の神々だとでも？」僕は無関心を装いながら、即座に訊ねた。

「この畏れ多き場所を司るものたちだ。それがなんなのかは知らないが」彼は地図を凝視したまま答えた。「ほかがどうであれ、ともかくこの場所には神々が存在してる」

「地水火風を司るものなら、確かに神々にはちがいない」僕は精一杯いつもどおりに笑って答えてみせたが、どうやら本心がすっかり顔に出ていたらしく、彼は顔をあげて真面目な表情で僕を見据えると、煙の向こう側から、いった。

「これ以上の災厄に遭わずにここを出られれば御の字だ」僕が恐れていたのもまさにそれだった。そこで肚《はら》をくくり、単刀直入に質問をぶつけてみることにした。たとえるならそれは、歯医者にこれは抜きましょうといわれて、はいと答えるときの気分に似ていた。なんのかんのと口実を並べても、いずれは決断せざるを得ないのだ。

「これ以上の災厄だと！　どういうことだ、なにがあったんだ？」

「まずひとつに――パドルが消えた」彼がぽつりといった。

「パドルが消えただと！」僕は激昂ぎみにいった。パドルは舵を取るのに不可欠であり、舵なしで氾濫期のドナウ川を行くなど自殺行為だった。「だがどういう――」

「しかも、カヌーの底がひび割れてる」わずかに声を振るわせ、彼が言葉を継いだ。

僕は彼を穴が空くほど見つめたまま、ただおうむ返しに繰り返すことしかできなかった。太陽が容赦なく照りつけ、足もとの砂は燃えるように熱いのに、凍てつくような空気がしだいに僕らを包みこんだ。僕は立ちあがり、彼のあとを追った。相棒はただ無言で重々しく頷くと、焚き火の反対側へ回り、数ヤード離れたテントのほうへ先に立って歩いていった。カヌーは夜に見たときと変わらず、肋材を上にして伏せてあったが、二本あったはずのパドルは、片方だけがかたわらの砂の上に転がっていた。

「一本しかない」彼は屈んでそれを手に取り、いった。「しかもブレードが割れてる」

　思わず、つい二、三時間前までは確かにパドルは二本ともあった、と舌先まで出かかったが、ふと思いとどまり、そのまま黙っていた。僕は近づいてよく見てみた。

　カヌーの底には細長いひび割れができていた。木の底の部分に削ぎ落としたような細い傷がついている。まるで尖った岩の先か水中の倒木で船底をこすってしまったかのように、船首から船尾までほぼ一直線に削られていて、入念に調べてみたところ、傷は底板を貫通していた。万が一、ろくに調べずにカヌーを水におろしていたら、浸水沈没は免れなかっただろう。初めのうちは木が水を吸って膨張するので一時的に穴は塞がるが、流れの中ほどまで出た頃に浸水が始まり、喫水線から上が二インチもないカヌーでは、一瞬にして水浸しになり沈んでしまうだろう。

「つまり、生贄の準備を着々と整えているということだ」僕に向かってというよりも、ひとりごとのように彼はいった。「生贄ふたり、というべきか」屈みこみ、裂け目に指を走らせながら彼はつけ加えた。

　僕は口笛を吹きはじめ——八方塞がりになると無意識に出る癖だ——あえて彼の言葉を聞き流し、戯言だと思うことにした。

「昨夜はこんな傷はなかった」やがて彼は身体を起こし、僕ではなくどこか遠くを見て、いった。

「上陸のときにこすっちまったんだろうよ」僕は口笛をやめ、いった。「岩の先が尖ってたんだろう」

　そこで思わず黙りこんだ。彼がくるりと振り返り、まっすぐに僕の目を見据えたからだ。僕の理屈に無理があるのは明らかだったし、いいだした僕ですらそう思っていた。そもそも岩などどこにあったというのか。

「だったらこいつはどういうことだ」彼は僕にパドルを渡すとブレードを指さし、抑えた声でいい添えた。

　それを手に取りじっくりと調べながら、それまでとはまた違う不思議な感情が湧いてきて、血の気が引くのを感じた。パドルのブレードは、まるで誰かが丁寧にやすりがけをしたかのように均一に薄くなっていた。最初に力をこめてひと漕ぎしただけで、ぱきんと根もとから折れてしまうだろう。

「僕らのどちらかが夢遊病で、知らないうちにやったんじゃないか」うわずった声で僕はいった。「でなけりゃ

——でなけりゃ、風に飛ばされた砂が波のように幾度も打ちつけて、削れていったとか」

「なるほど」スウェーデン人は僕に背を向け、短く笑って、いった。「おまえにかかればなんでも理屈がつくんだな」

「もう一本のパドルも風がさらってったのさ。土手の近くまで飛ばされて、それが土砂崩れに巻きこまれて川に落ちたんだ」ならば、聞かされたことすべてに対して理屈をつけてやろうじゃないかと、僕は彼の背中に向かって怒鳴った。

「わかったよ」彼は頭だけで振り向いて僕を見るとそう怒鳴り返し、やがて柳の茂みの奥へ消えていった。

あらためてひとりきりになり、まるで人の手が加えられたかのような怪しい形跡を目の前にしてまず頭に浮かんだのは、〝彼か僕のどちらかのしわざにちがいない。でも僕じゃない〟というものだった。だが思い直してみると、あらゆる状況を鑑《かんが》みても、僕らのうちのどちらかがやったとは到底考えられなかった。

こういう旅を幾度もともにしてきた信頼する友人たるこの相棒がわざとそんなことをしでかしているとすれば、まるで笑えない話だった。そもそもたいていのことには動じず、超がつくほど散文的な性格の彼が、こんなふうにいきなり常軌を逸した行動を始め、正気の沙汰とは思えぬ目的を果たそうと躍起になっているなどとは、同じくらい馬鹿げた冗談だとしか思えなかった。

だが、これほど陽光がまばゆく降りそそぎ、美しい自然に囲まれた中でさえ、胸にわだかまる思いが僕の心をひどく乱し、恐怖心を煽《あお》りつづけた。間違いなく、彼の心になんらかの奇妙な変化が訪れたのだ——彼はいつになく神経を尖らせ、怯えており、疑り深くなっている。あえて言葉にはしないものの、なにか異変に気づいているようすで、ときおりとても口にはできないほど不可思議な目に何度も遭ったかのようなそぶりを見せていた——ひとことでいえば、彼はまるでこのあとに、それもまもなく訪れようとしている山場をじっと待ち構えているかのように見えた。僕の勘がそう告げていた——なぜそう思いいたったのかは自分でもよくわからなかった。

即座にテントとそのまわりを調べてみたが、昨夜測った距離はどこも変わっていなかった。そのとき、砂の上に深い穴がいくつも空いているのに初めて気づいた。穴は水盤形で、ティーカップくらいのものから大きめのボウルくらいのものまで、深さも大きさもさまざまだった。風がこの小型クレーターをこしらえたにちがいなかった。パドルが巻きあげられ川に落ちたのもその風のしわざだろう。カヌーのひび割れだけはどうにも理屈が通らない気はしたが、結局、上陸のときに鋭く尖ったものに引っかけたのだということで無理やり自分を納得させた。川岸を調べたところでこの説を裏づけるものはなにひとつなかったが、〝理性〟という名の思考力がしだいに薄れゆく中、あえて僕はどこまでもその説にしがみついた。なんらかのいいわけが必要だった。宇宙に対する説明として——たとえいかに馬鹿げていようと——おのれの義務をなすべく務め、人生の諸問題に直面している世界じゅうの人々の幸福のためには必要なものだ。つまりはそれと同じことだった。このたとえこそ、まさしくいい得て妙だとあのときの僕は思っていた。

　すぐさまタールを溶かしにかかり、やがてスウェーデン人も作業に加わったが、順調にいったとしても、このカヌーで心置きなく旅を再開できるようになるには明日まで待たねばならないようだった。僕はさりげなく、砂に空いた穴のほうへ話を振ってみた。

「ああ」彼はいった。「気づいてたとも。中洲じゅう穴だらけだ。だがおまえにかかればなんでも理屈が通るんだろうよ！」

「そうだ、風のしわざに決まってる」僕は即座に答えた。「ちいさな旋風《つむじかぜ》が道であらゆるものを巻きあげて回転するのをよく見てみたことはないか？　ここの砂は風に飛ばされやすい、それだけのことさ」彼の返事はなく、僕らはしばらくの間黙々と作業を続けた。僕はことあるごとに彼をちらちらと盗み見ていたが、彼のほうも僕のようすを窺っていた。彼はその間もずっと耳をそばだて、僕には聞こえないなにか、あるいは自分なら聞こえるかもしれないなにかの音をとらえようとしているように見えた。しきりに振り返っては茂みの奥を見つめたり、空を見あげたり、柳の木々の狭間に覗く川の対岸を見やったりしていたからだ。片手を耳に当て、数分間そのままじっとしていることもあった。かといってそのことを口にするでもなく、僕のほうからもわざわざ訊ねはしなかった。彼がそうして底の抜けたカヌーを、アメリカ先住民の技を用いて手早く修理しているかたわらで、作業に熱中している相棒の姿に、僕はかなり安堵していた。柳のようすが変わった、と彼がいいだすのではないかという漠然とした不安を感じていたからだ。もし彼までそのことに気づいてしまったら、もはや僕の想像力では理屈すら思いつかないだろう、と。

Ⅲ

しばらく経って、ついに彼が話しはじめた。

「じつに妙なんだが」気が急《せ》いているかのような口ぶりで彼はいい添えた。まるで、いいたいことはあるがさっさと済ませたい、とでもいうように。「妙なんだ。というのは、昨夜の川獺《かわうそ》のことなんだが」

　そう来るとはまったく予想していなかったので、僕は面喰らい、思わず顔をあげた。

「ここが、それだけ人のいない場所だってことだろう。川獺ってのはかなり臆病な動物だから――」

「そういうことじゃない」彼が口を挟んだ。「俺がいいたいのは――おまえはどう思う――あれはほんとうに川獺だったんだろうか？」

「ならいったい、それ以外のなんだというんだ？」

「俺はおまえより先にあれを見てる。最初に見かけたときには――川獺どころの大きさじゃなかった」

「西日で逆光になってたから大きく見えたんじゃないのか」僕は答えた。

　彼はふと、虚ろな表情を浮かべて僕を見た。別の考えで頭がいっぱいのようだ。

「目が真っ黄色だった」なかば自分に話しかけるように、彼が続けた。

「それも夕日のせいだろうよ」僕はすこし大袈裟に笑い声をあげてみせた。「なら次に気になるのは、例のボートに乗ってた――」

　そこでふいにいいやめた。彼がふたたび耳をそばだて、風をじっと見つめていた。その表情になにかを感じ、僕は黙りこんだ。会話はそこで途切れ、僕らはカヌーのひび割れを塞ぐ作業を続けた。僕がいいかけた言葉に、明らかに彼は気づいていなかった。だが五分ほど経つと、彼は湯気の立つタールを手に、きわめて深刻な表情で、カヌー越しに僕を見やった。

「聞きたきゃ話すが」彼がゆっくりと口をひらいた。「気になったんだ。あのボートに乗ってたものは果たしてなんだったんだろう、と。人ではないと思ったことは確かだ。ボートごと、いきなり水の中からぬらりとあらわれたように見えた」

　僕は彼を真正面から見据え、もう一度あえて陽気な笑い声をあげてみせた。だが内心では苛立ち、少々腹も立っていた。

「いいか」僕は声をあげた。「ここは僕らがわざわざ想像力を全開にしなくとも、じゅうぶんに奇妙奇天烈な場所だ！　あのボートはただのボートで、乗ってたのもただの人間、おおかた急いで川をくだってたんだろうよ。あの川獺だってただの川獺だ。とにかくもう、なんだかんだとくだらないことをいうのはよせ！」

彼は変わらぬ深刻な表情で僕をじっと見据えた。怒っているわけではないようだった。彼が黙っているので僕は大きく出た。

「それに、後生だから」僕は畳みかけた。「なにかが聞こえるようなそぶりはやめろ、見るたびに苛々するし、そもそも聞こえるものなんて、せいぜい川の音と、ずっと轟きをあげてるこの忌々しい風の音くらいじゃないか」

「馬鹿だな！」彼は呆れ返ったように、低い声で答えた。「おまえは大馬鹿者だ。生贄にされるやつほどそういうことを口にする。自分どころか俺までなにもわかってないようないいかたをしやがって！」彼は蔑むような、諦めた口調でせせら笑った。「せいぜい口を閉じたまま、心を強く持っておくんだな。そんな薄っぺらい自己欺瞞を振りかざしてると、ほんとうにそうなったときに真実を受け入れられないぞ」

悪あがきもむなしく、返す言葉すら見つからなかった。彼のいうとおり、馬鹿者は彼ではなくこの僕だ、と自分でもじゅうぶんにわかっていたからだ。このたびの予期せぬできごとに関しては、彼は苦もなく僕のはるか先を行っており、僕は置いてきぼりにされたような気がして腹立たしかったし、目に見えない存在に対して自分がじつはこれほど鈍感で、彼とは違い、こうした尋常ならざるものごとにすぐ気づくほうでもなく、鼻先で起こっていることにすらどこか悠長に構えている、などと露呈してしまったのも愉快ではなかった。だが、彼は初めから気づいていたようだ。ところが僕はこの瞬間まで彼の言葉のほんとうの意味を理解しておらず、この地が生贄を欲していて、しかもそれが僕らのことであるなどとは微塵も思っていなかった。このときを境に、僕はもう知らぬふりをするのは諦めたが、そのとたんに、じわじわと感じていた恐怖が頂点に近づきはじめた。

「だがおまえのいったことの中に、ひとつだけ正しいことがある」話し終える前に彼がいい添えた。「この件についてはたがいに口にしないのが身のためだ。頭の中で考えるだけでもいけない。考えればつい言葉にしてしまうし、口にしてしまえば、それは現実となってしまう」

その午後は、カヌーの修理箇所を乾燥させて固める間、ふたりで釣りをしてみたり、水漏れがないか調べたり、薪を集めたり、水嵩を増していく川が凄まじい勢いで流れていくのを眺めたりしていた。ときおり、僕らのいる川岸の近くに流木がまとめて流れてくるので、長い柳の枝を使ってそれを釣りあげたりもした。激しい水のうねりや飛沫が土手を突き崩し、中洲はみるみるうちにちいさくなっていった。午後四時になるまではずっと快晴で、風が、この三日間で初めて弱まる気配を見せはじめた。南西の空に雲がかかりだし、しだいにゆっくりとひろがっていった。

　しだいに風がやんできて、僕らは心から安堵した。荒れ狂い、叩きつけ、轟きをあげる風の音にいささか辟易していたからだ。だが午後五時頃になり、急に風がやんであたりが静寂に包まれると、空気が重苦しくなったような感覚をおぼえた。川が激しく流れる音だけがその場を支配していた。あたりを満たすその低いさざめきは、風の音に比べれば音楽的ではあるものの、一本調子で面白味はなかった。風は吹くごとに高く低くさまざまな音色を響かせ、大いなる原始の調べを思わせる多彩な音を奏でていたが、いっぽう川の歌声はせいぜい三つの音色を行き来しているだけだった――響きわたるその重低音は、風とはまるで相容れない陰鬱な雰囲気をまとっており、気弱になっていたあのときの僕には、あたかも終末の音楽が盛大に鳴り響いているようにすら思えた。

　まばゆい陽光がふいに翳りを見せるとともに、景色からすべての色彩が奪われた。これもまた常ならぬ光景だった。この独特の雰囲気をたたえた場所そのものが不吉に思えてしかたがないのに、さらにこのような変わりようをされてはむろんありがたくもなければ、気にするなといわれても到底無理だった。あたりがみるみる暗くなると、ますます不安が募り、いつしか、日没から東の空に満月があらわれるまでにはどのくらい待つのだったかとか、月光がこのちいさな中洲を照らしたとしても、先ほどの群雲にすっぽりと覆われてしまうのではないかなどと、頭の中で堂々巡りばかり繰り返していた。

　風がすっかり静まり――たまに短い疾風が躍ってはいたが――川はますます黒々と、柳もさらに濃く密集して見えた。柳はあいかわらず思い思いに暴れまわり、風はなくとも葉ずれの音を響かせて、根もとから不気味に揺れ動いていた。このように、ありふれたものに対してすら恐怖心が生まれてしまうと、さらに見慣れないものを目にしようものなら、とてつもなく想像力が飛躍してしまうものだ。このとき、暗がりの中を四方から迫ってくるような茂みが凄まじくグロテスクに見え、あたかもそこにある柳が、意思と命を与えられた怪物であるかのようにすら思えた。一見なんの変哲もない茂みなのだが、かえってそのせいで、じつは奥に、僕らに対する悪意と敵意をみなぎらせたなにものかがひそんでいるのではないかという気がしてならなかった。夜の訪れとともに、この場所に宿る力がじりじりと迫ってきた。この中洲を、というよりもむしろ僕らをじっと睨《ね》めつけている。想像の域を出ないとはいえ、かくして僕の中に、この尋常ならざる場所に対する、まさしく言葉にしがたい感覚が生まれたのだった。

　存分に昼寝もできたので、夜の睡眠不足による疲労はいくらか解消できたものの、かえってそれが裏目に出てしまい、明らかに前よりも、この場所に燻《くゆ》るものの魔力をひしひしと感じるようになっていた。僕は抗《あらが》い、これは生理現象だという見え透いた解釈を持ち出して、くだらない子どもじみた考えかたをするな、と自分自身を笑い飛ばそうとしたが、結局はそれも悪あがきに終わり、僕はただただ目の前の力に圧倒されて、夜闇が訪れるのを恐れる森の迷い子さながらに、迫りくる夜にひたすら怯えていた。

　カヌーは日中のうちに防水シートで丁寧に覆い、一本だけになったパドルもまた風にさらわれることのないよう、スウェーデン人の手で木の根もとにしっかりと結んであった。夕食当番は僕だったので、午後五時以降はシチュー鍋の前に座りこみ、せっせと支度に勤しんだ。鍋底に残った昨夜のシチューのなれの果てにジャガイモと玉葱、それにベーコンの脂身を加えて風味を足す。ここに黒パンを添えれば上出来だ。食後にはスモモの砂糖煮と濃く出した紅茶にミルクパウダーを添えて出すことにした。薪は手近な場所に山と積んであったし、風もなかったので万事順調だった。相棒はのんびりと腰をおろして僕を見守りながら、パイプを掃除しつつ、ときおり口を出してはなんの役にも立たないアドバイスを寄越した――非番の者に認められた特権というわけだ。彼は午後じゅう口数が少なく、僕が昼寝をしている間も、黙々とカヌーのひび割れを埋めたり、テントのロープを締め直したり、流木を釣りあげたりしていた。好ましからざるものたちについての話題はいっさい出ず、彼がそれまでに口にしたことといえば確か、中洲がだんだん原形を失いつつあることについてであり、もう上陸したときの三分の一もない、とかなんとかいっていただけだった。

　ちょうど鍋がぐつぐつと煮えはじめた頃、彼が土手から呼ぶ声がした。いつの間にそんな離れたところまで行っていたのだろうか。僕は駆け寄った。

「ここへ来て耳を澄ましてみろ。どう思う」彼はいい、これまでもよくそうしていたように、片手を丸めて耳の横に当てた。

「今度こそおまえにも聞こえるだろう?」と、興味深げに僕を見ながらいう。

　僕らはそこに佇み、ふたりしてじっと耳を傾けた。初めのうちは、低く響く水音と、波打つ水面のたてるさざめきしか僕には聞こえなかった。

　あとにも先にもこのときだけ、柳がぴたりと動きを止めて静まり返った。やがてかすかな音が聞こえだした。なんとも不思議な音だった――遠くで銅鑼《どら》が鳴り響いているような低い唸りだった。その音は、対岸に茫漠とひろがる湿地と柳のあたりから、夜闇を渡って聞こえてくるように思えた。一定の間を置いては鳴り響く。だが、汽船が遠くで鳴らす鐘の音でもなければ汽笛の音でもないことは確かだった。ほかにたとえようがないのだが、はるか上空に吊りさげられた巨大な鐘を誰かが繰り返し叩いており、金属的な籠もった音が響きわたって甘い音色を奏でている、とでもいうようだった。聞くうちに動悸がしはじめた。

「俺には一日じゅう聞こえてた」相棒がいった。「おまえが昼寝してる間も、この中洲じゅうに響いてた。音の源を辿ろうとしたが、まるで近づけやしない――いくら探しても場所が特定できないんだ。頭上で響いたかと思えば、水中から聞こえたような気がする。ひょっとするとこの音はまわりから聞こえるんじゃなく、俺の内側から聞こえてるんじゃないか、って気がしたのも一度や二度じゃなかった――ほら――四次元から音が聞こえてくるような感じだ」

　僕は混乱のあまり、彼の話をろくに聞いていなかった。じっと耳を傾け、考えつくかぎりの音を思い浮かべて、すでに知っている音とどうにか結びつけようとしてみたものの、まったくの無駄だった。音のする方角も次々と変わり、近づいたと思えばまた遠ざかる。だが、僕の耳にはじつに美しい旋律に聞こえたので、あれが不吉なものだったとは僕にはいいきれない。だが胸騒ぎをおぼえ、できれば聞きたくなかったと思ったのは紛れもない事実だった。

「おそらく、あの漏斗《ろうと》形の穴に風が吹きこんでるんだろう」僕はなんとか理屈を捻り出そうとした。「でなけりゃ、あのひどい風の名残で茂みが葉ずれの音をたててるんだ」

「湿地のいたるところから聞こえる」わが友は答えた。「そこらじゅうから一斉に」僕の理屈はいっさい無視だった。「どうやら柳の茂みから――」

「だがもう風はやんでる」僕はいい返した。「じゃあなにかね、柳が自分で音をたててるとでも？」

返ってきた答えに僕は心臓が縮みあがった。第一にはその答えを恐れていたからであり、第二には彼のいうとおりだと勘が知らせていたからだ。

「風がやんだから聞こえるようになったんだ。さっきまでは風の音にかき消されてたのさ。あれは悲鳴だ、おそらく――」

　僕は焚き火のそばに駆け戻った。シチューが焦げつきはじめる音がしたからだったが、とにかく、これ以上のやり取りから逃げ出したかった。

　可能なかぎり、彼とは意見を交わすまいと思っていた。また神々やら地水火風を司る力やらといった不穏な話を始められてはたまらないし、このあとの万が一に備えて気持ちを整えておきたかった。この憂鬱な場所から脱出するまでにはあとひと晩過ごさねばならず、そのうえ、それまでになにが待ち受けているのか知る術《すべ》さえないのだ。

「こっちへ来て、シチューに添えるパンを切ってくれ」美味《うま》そうな鍋の中身を威勢よくかき混ぜながら、僕は彼に呼びかけた。シチュー鍋のおかげでふたりとも正気を保てそうだ、と思うとふと笑い声が漏れた。

　相棒はゆっくりと戻ってきて食料袋を枝から外すと、底まで引っかきまわした末、足もとに敷いた防水シートの上に中身をすべてぶちまけた。

「急げ！」僕は声をあげた。「煮えたぎってるぞ」

　スウェーデン人がいきなり高笑いしはじめ、僕は驚いて飛びあがった。乾いた笑い声で、けっしてわざとらしくはなかったが、楽しんでいるようすはいっさいなかった。

「ないぞ！」彼は両脇腹を押さえつつ、大声をあげた。

「パンはどうした」

「消えちまった。ひとつかけらもありゃしない。盗《と》られちまったんだ！」

　僕は柄の長いスプーンを取り落として駆け寄った。袋の中身はすべて防水シートの上に転がっていたが、パンだけが消えていた。

　募りつつあった恐怖が一気にずしりとのしかかり、身体に震えが走った。やがて僕も、一緒になって馬鹿笑いを始めた。もう笑うしかなかった。そして自分自身の笑い声を聞いて、なぜ相棒が笑いだしたのかがわかった。精神的な重圧に耐えかねたのだ――僕らが揃って場違いな大笑いを始めたのは、溢れ出した力が逃げ場を求めたためであり、とっさに安全弁がはたらいたようなものだった。

　やがて、ふたりとも突如として笑いやんだ。

「とんだ間抜けぶりだ！」平静を装い、どこまでも屁理屈を並べてやろうとばかりに僕は声をあげた。「ブラチスラヴァでパンを買うのをすっかり忘れてた。あのお喋りなおばちゃんのせいで、カウンターに置いたまま――」

「オートミールも、今朝見たときよりも減ってる」スウエーデン人が口を挟んだ。

なぜそんなことをわざわざ口に出す？　と僕は腹立たしく思った。

「明日のぶんくらいは間に合うさ」僕は勢いよく鍋をかき混ぜながらいった。「コマーロムかエステルゴムでたっぷり調達すればいい。二十四時間後にはここから何マイルも離れた場所にいるはずだからな」

「そうであることを祈ろう――神に」彼は袋の中身をもとに戻しながら、ぼそりといった。「俺たちが生贄の捧げものとして真っ先に選ばれてるならどうしようもないが」と、けらけらと笑ってみせる。彼は袋をテントまで引きずっていくと、おそらく用心のために中へほうりこみ、なにやらぶつぶつとひとりごとをいっていたが、はっきりとは聞き取れなかったため、そのまま聞き流すことにした。

　当然ながら食事の間は重苦しい空気が漂い、僕らはただ黙々と食べ、たがいに目を合わせないようにしながら、あかあかと火を燃やしつづけた。そして顔を洗って寝る準備を整え、当面はすることもなくなって、パイプを燻らせながら寛《くつろ》いでいると、一日じゅう感じていた不安がしだいに膨らみ、はっきりと形をなしてきた。この時点ではおそらくまだ恐怖のどん底に陥っていたわけではなかったが、恐れているものの正体がじつはよくわからないということが、明確に名づけられたものと正面から対峙するよりもはるかに悩ましく思えた。先ほど銅鑼の音にたとえた奇妙な音色は、もはやひっきりなしに鳴りつづけていた。音がいくつも連なっているというよりも、かすかな音が夜のしじまに絶えず響きわたっているという感じだった。背中から聞こえたかと思えば、今度は前から聞こえてくる。

　ときには左側の茂みから、そしてまた右側の木立から響いているような気がしたこともあった。羽音のように頭の真上から音がしたように思えたこともあった。まさにいたるところから音は一斉に響いていた。後方から、前方から、左右から、頭上から。僕らは完全に包囲されていた。なんとも説明しがたい音だった。だが、湿地と柳がなす寂寞たる世界から絶えず立ちのぼる、あの籠もったような低い唸りは、僕の知識のどこにもないものだった。

僕らは黙ったまま腰をおろしてパイプをふかしていたが、緊張はひとときごとに増すばかりだった。最悪なのは、僕らを待ち受けているものの正体がまるでわからず、どう身を守ったらいいのかまったく見当もつかないことだった。なにひとつ身構えることができなかった。さらに、陽光のもとで必死に並べ立てた理屈の数々が、いまさらになって頭にまとわりついてきた。どれも馬鹿げたこじつけ以外のなにものでもなかったではないか。気は進まなくとも、相棒とは一度腹を割って話をしておかなければならないだろう、とたがいにわかっていた。

　どのみち、彼とはひと晩じゅう同じテントで隣り合って寝なければならないのだ。彼がしっかりしてくれなければこの状況を打開することは不可能だし、そのためには当然きちんと話し合うしかなかった。だが僕はこのちいさな山場をなんとか先送りにしようと、相棒が摑みどころのないことを口端に乗せようとするたびに素知らぬふりを決めこんで、聞き流したり笑ってごまかしたりしていた。

　そのうえ、彼が口にする言葉の中には、僕自身が感じたことに確証を与えるようなものがいくつか含まれていて、それがひどく僕を不安にさせた。しかもこれが――だからこそ余計に信憑性が高まるような気がしてしまうのだが――完全に別の視点から見たうえでの確証なのだから始末が悪かった。彼はそうして奇妙な言葉を紡いでは、なんでもないかのように僕に向かって投げつけてきた。まるで思考の本筋は自分だけが知っていればいい、消化しきれなかった断片だけをこうして外へ出しているのだ、とばかりに。口に出せばすっきりするらしく、話をしていたほうが気が楽なようだった。悪心を感じているときとよく似ていた。

「まわりになにかがいる、間違いない。秩序を乱し、破綻と破滅を、俺たちの破滅をもくろむなにかが」燃えさかる炎の向こう側から、彼がそのように口にしたことがあった。「俺たちはどこかで境界線を踏み越えて、安全な場所から迷い出てしまったんだ」と。銅鑼に似た音が僕らの頭上へ近づいてきて、それまでよりも大きな音で鳴り響いたとき、彼はひとりごとのように、こうもいっていた。

「蓄音機を使ったとしてもなにも録音されないだろう。耳で聞いてるわけじゃないからな。まったく別の方法で振動が伝わってきて、まるで俺の内側で鳴ってるみたいだ。四次元に音が存在するとしたら、まさしくこんなふうに聞こえるにちがいない」僕はあえて返事をせず、座り直して焚き火に近づくと、周囲の闇に目を凝らした。

空は一面の雲に覆われ、月明かりは完全に遮られていた。すべてが静寂に包まれ、川の音と蛙の鳴き声だけがあたりを支配していた。

「こいつは」彼は続けた。「日常的な体験とはまったく非なるもの、未知のものだ。もはやこう表現するしかないだろう。これは人外《じんがい》の音だ。つまり、人間世界の範疇の外にある音なんだ」彼は消化できなかった断片をこうして吐き出すと、そのあとはしばらく黙ったまま寝転がっていた。だが僕としては、彼がこちらの思っていたことまではっきりと口にしてくれたので、もはやひとりで抱えこむ必要もなくなり、むしろ言葉という枠の中に収めてしまったからには、もう頭の中であれこれとこねまわさずにすむと思うと、かえって気が楽になった。

　あのドナウ川のキャンプ地の寂寞感を忘れ去ることなどできようか？　無人の惑星に置き去りにされたようなあの感覚を！　街の光景や人間の息吹が走馬灯のように頭を駆け巡った。俗ないいかたをすれば、もし通り過ぎてきた何十というバイエルンの村々を〝感じられる〟のならば、魂を捧げても構わなかった。人の世界のありふれた日常が恋しかった。暑い日射しのもと、木陰のテーブルでビールを飲み交わす農夫たちや、岩の上の城跡と、その手前にある赤い屋根の教会。きっと旅人であろうと温かく迎え入れてくれたことだろう。

　だが僕が抱いていた恐怖感は、いわゆる霊的なものに対する感情ではなかった。それよりもはるかに巨大で、まったく異質の恐怖感であり、僕の体験も想像もまったく追いつかないほどの、古い記憶のどこかに刻まれた感覚によってとらえられた、じつに不穏きわまりないものだった。

　スウェーデン人の言葉どおり、僕らは〝迷い出て〟しまったのだ。凄まじく危険な、それでいて僕らにはまったく理解不可能な場所、もしくはそういう状況のただ中に。未知なる世界がすぐそばまで迫っていた。おそらくここは宇宙人かなにかに掌握された場所であり、やつらが姿を晒すことなく地球を観察することのできる覗き穴のようなもので、たまたま間仕切りのヴェールがここだけ薄くすり減ってしまったのだろう。僕らはこの場所に長くいすぎたせいで境界線のあちら側へ連れ去られ、肉体的な意味ではなく精神的な意味で、僕らのいう〝命〟を奪われてしまうのだろうか。その意味では、相棒のいっていたとおり、僕らは冒険の代償としてみずからの身を捧げることになるのだろう——生贄として。

　この手のことに関する敏感さや意志の強さには個人差があり、僕と相棒の受け止めかたもそれぞれに異なっていた。僕自身は、平穏を妨げられた地水火風の神々が人の姿を帯び、わざわざ毒に満ちた憎悪をみなぎらせて、みずからの領域へ厚顔無恥にも足を踏み入れた僕らに凄まじい怒りを抱いているのだろうと思っていた。いっぽうわが友人は初めから、古より伝わる聖地に足を踏み入れてしまったせいだ、などというありふれた解釈をしていた。ここには古き神々がいまも宿り、かつての崇拝者たちの霊が跋扈していて、彼自身の内なる先祖の記憶が、この古い異教の魔力に屈することもやむなしと判断したのだ、と。

　どちらにせよ、ここが人に穢《けが》されていない場所であり、人がもたらす悪しきものを風が吹き清め、精霊の力がすぐ手の届くところで活発にはたらいている場所であるにはちがいなかった。なんとも名づけようがないが、人間とは異なる命の仕組みを持ち、人間とは違う時間枠に存在する〝あちら側〟のものたちにここまであからさまな敵意を向けられたのは、あとにも先にもこのときだけだった。いずれ僕らはこの恐るべき魔力に心を押し潰され、ふたりして境界線のあちら側にある異界へ引きずりこまれてしまうのだろう。

　まわりのどんな些細なものにも、この場所のもたらす影響がくっきりとあらわれていた。焚き火の周囲を静寂が包みこむ中、嫌でもそれをひしひしと感じずにはいられなかった。

　空気そのものが、拡大鏡のごとく見えるものすべてを歪《ひず》ませていた。川の流れの中で身をよじっていた川獺も、早駆けるボートの上から合図を送っていた男も、迫りくる柳も、すべてがありのままの姿を奪われ、まったく別の姿を見せていた——まるであらゆるものが、境界線の向こう側にある別次元の世界に存在しているかのようだった。しかもいま僕が感じている変化は僕ひとりのものではなく、人類そのものが感じている変化だった。境界線に触れたことで体感したなにもかもが、人類にとってはまったくの未知のものだった。新たな秩序のもとにある経験としかいいようがなく、ほんとうの意味でこの世のものならざることどもだった。

「こちらの勇気を挫こうとして、わざわざ計算ずくでやっているのさ」まるで僕の思考を読んでいたかのように、ふいにスウェーデン人がいった。「ただの空想だといいたいところだが、パドルに、カヌーに、食料まで減っているとなれば——」

「それはさっき僕が説明しただろう？」僕はぴしゃりと口を挟んだ。

「ああ」彼は素っ気なく答えた。「確かにおまえの理屈は聞いた」

　相棒は例によって、〝犠牲を払うという明確な決意〟とやらについて話していたが、あらためて頭の中を整理してみて、これは単に彼の魂の叫びにすぎないのだと悟った。彼は自分の弱い部分を攻撃されていることに気づき、やがては魅入られるか、あるいは消されてしまう運命が待ち受けているのではないかと怯えているのだ。度胸と冷静沈着を求められる場面だったが、僕らはそのどちらも保つことができず、僕は自分の中にふたりの人間――常に理屈を並べようとする僕と、そういう馬鹿げた理屈を笑い飛ばしておきながら、じつは心底怯えている僕――がいることを、このときほどはっきりと意識したことはなかった。

　その間にも焚き火の炎は漆黒の夜に溶けていき、薪の山もすこしずつ低くなっていった。彼も僕も立ちあがって薪を補充しに行こうとはせず、夜闇がしだいに僕らの顔のまわりまで迫ってきた。炎が円く照らしているその数フィート先は、墨を流したような暗がりだった。ときおり気まぐれな風がふっと吹きつけては周囲の柳を震わせたが、あまりありがたくはないこの音がたまに聞こえる以外は、深く重苦しい静寂があたりを支配しており、その静けさを破るのは、ときおり響く川の水の泡立つ音と、上空に鳴りわたる低い唸りだけだった。

　おそらく僕らふたりとも、あの叫ぶような風の音が恋しくなっていた。

　ときおり気まぐれに吹いていた風が、まるでふたたび吹き荒れんとしているかのように長く吹きはじめた瞬間、ついに我慢の限界が訪れた。いまのうちに腹を割って話しておかなければ、感情的になり余計なことまで口走ってしまいそうだった。それはどちらにとってもいい結果をもたらさない。僕は焚き火を蹴散らし、くるりと相棒に向き直った。彼はびくりと身を竦ませてこちらを見た。

「これ以上取り繕っていられるか」僕はいった。「この場所も、暗闇も、音も、自分がこんなに怖がってるのも僕は気に喰わない。ここにいるとぺしゃんこになりそうだ。僕はいま、猛烈に恐ろしくてしかたがない。これが本心だ。もし向こう岸が――ここのようでないのなら、泳いだってそっちへ行きたいくらいだ！」

　スウェーデン人の顔が、太陽と風に晒された浅黒い肌の下で血の気を失った。彼は僕をまっすぐに見据え、静かな声で答えたが、不自然に落ち着き払っているようすがかえって、ほんとうはひどく感情が高ぶっていることを示していた。とはいえいまの段階では、僕らのうちのどちらが勝ちか、と問われれば彼のほうだった。そもそも彼は僕よりもはるかに冷静だった。

「ただ物理的にここを出れば逃げられるってものじゃない」重病の診断をくだす医師のような口調で、彼がいった。「腰を落ち着けていったんようすを見るべきだ。俺たちに迫っているのは、まるで蠅でも叩き潰すように、一と数える間に象の群れすら全滅させることのできる力だ。いまはじっと息をひそめているしかない。ひたすら無になるんだ、そうすれば助かるかもしれない」おそらく僕は訊きたいことだらけだという顔をしていたにちがいなかったが、それをうまく言葉にすることはできなかった。まさに、謎の症状で僕を悩ませている病がいったいどういうものなのか、細かな説明を医者から受けている気分だった。

「つまりさしあたっては、俺たちという邪魔な存在に気づかれてはいるものの、まだ見つかってはいない――アメリカ人ふうにいえば〝居場所を突き止められてはいない〟ってことだ」彼は続けた。「向こうはガス漏れを点検してる人間よろしく、うろうろと俺たちを探しまわってる。パドルとカヌーと食料袋を見りゃわかる。俺たちの存在を感知することはできても、姿は見えてないんじゃないだろうか。だからなにも考えるな――向こうは俺たちの身体じゃなく心を感知してる。思考をコントロールできなければ俺たちはおしまいだ」

「し、死ぬ、ってことか？」彼の忠告にぞっと震えながら、僕はいった。

「それで――済めばいいが」彼はいった。「ある宗教によれば、死というのは感覚の限界の消滅、あるいは感覚の限界からの解放をいうが、そのせいで人格が変わることはいっさいないそうだ。肉体が消滅しても、おまえという人間が突如として別のものになることはない。ところが例のものたちは、それを徹底的に変えてしまうんだ。その手にかかれば完全に別のものとなり果て、そうなれば世にもおぞましい自己喪失が待っている――死んだほうがよっぽどましだ。しかもただ消滅させられるわけじゃない。俺たちときたら、あちらの世界とこちらの世界が隣り合う、ふたつの世界を仕切るヴェールが薄くすり切れた場所にたまたまキャンプを張っちまったんだ」

――まさか！　僕のいいまわしをそっくりそのまま口にするとは――「そのせいで俺たちが近づいたことに感づかれちまった」

「感づいたって、誰がだ？」僕は訊ねた。

風もない中で揺れる柳のことも、頭上で鳴り響く低い唸りのこともなにもかも頭から追いやって、僕は固唾を呑んで身構え、彼の答えを待った。いいあらわしようもないほど恐ろしかった。

彼は焚き火に顔を近づけた。その表情がなんとも表現しがたいようすに変化しているのを見て、僕は思わず視線を背け、地面に目を落とした。彼の声がすっと低くなった。

「物心ついてから」彼がいった。「妙なことに、俺はずっと別世界ってものの存在をはっきりと意識していた——ある意味ではこちらの世界とさほどかけ離れてるわけじゃないが、まったく異質の世界だ——その世界では大いなるものが絶えず行き交い、恐ろしい巨大な姿をしたものたちが、壮大な目的を果たすべく奔走してる。国々の興亡や帝国の運命、軍隊や大陸の宿命などといった地上のできごとなど、その目的に比べれば塵ほどの重さもない。壮大な目的とはつまり、魂を直接その手で捌くことだ。そして魂が発するものに対しても間接的に——」

「思うんだが——」まるで気が触れた相手と差し向かいで話しているような気分になり、なんとか彼を黙らせようと、僕はいいかけた。だが彼は言葉の奔流で僕を押し流した。

「おまえは」彼はいった。「地水火風の精霊のしわざだという。さっきまでは俺も、これは古の神々のおこないにちがいないと思っていた。だがいいか——こいつはそのどちらでもない。それならばまだ俺たちにも理解できる。人間は祈りや、あるいは供物を捧げることでそうしたものたちと関わりを持つことができるからだ。だがいま俺たちを取り囲んでいるのは、人間とはいっさい関わりを持たないものたちだ。たまたまこの場所が、あちらの領域とこちらの領域が触れ合う場所だっただけのことだ」彼の言葉には妙に説得力があったが、所詮はただの想像にすぎないはずなのに、このもの寂しい中洲を包む闇と静寂の中で聞いていると、全身にかすかな震えが走った。止めようとしても止められなかった。

「なら、どうすればいい？」僕はふたたび口をひらいた。

「生贄だ。供物を捧げれば、向こうがそれに気を取られてる間に逃げられるかもしれない」彼は続けた。「犬が狼に襲われている隙に橇《そり》を出すみたいなものだ。だが——さて、いったいなにを供物とすべきか」僕は呆然と彼を見つめた。彼の瞳がぎらりと不気味に光った。やがて彼はまた話しはじめた。

Ⅳ

「つまり、要は柳だ。柳がすべて覆い隠してる。向こうは柳の奥から俺たちを虎視眈々と探ってるんだ。恐怖心をあちらに気取《けど》られてしまえば俺たちの負けだ、そうなればもう手も足も出ない」彼の表情はひじょうに落ち着いていた。決意に満ちた真剣な顔だった。もはや僕も、気は確かだろうかなどと微塵も思ってはいなかった。彼は正気そのものだった。「今夜なんとかひと晩やり過ごせば」彼は言葉を継いだ。「日のあるうちにここを抜け出せるだろう。気づかれずに、いや、見つからずに、というべきか」

「でも生贄なんて本気で――」

僕の声に重なるように、あの銅鑼を打ち鳴らすような低い唸りが僕らの頭のすぐ上で響きわたった。だがじっさいは、僕を口ごもらせたのはわが友人の怯えた表情だった。

「しっ！」彼は片手をあげ、声をひそめていった。「必要以上にあちらのことを口にするんじゃない。名指ししては駄目だ。名づけるということは正体を暴くということだ。名を呼ぶことこそ引き金となる。俺たちに唯一残された望みは、とにかく気づかないふりをすることだけだ。そうすればなんとか見逃してくれるかもしれない」

「考えるだけでも駄目だってのか？」相棒はひどく動揺しているようすだった。

「考えるのが一番いけない。俺たちの思考はあちらの世界で螺旋の渦となるんだ。ともかく、なにがなんでもあちらのことを頭から追い出さなくては駄目だ」

暗闇にすべてを支配されてしまわないよう、僕は焚き火をかき集めた。漆黒の闇に包まれたあの夏の夜ほどに太陽を恋しいと思ったことなど、あれ以来一度もない。

「昨夜はひと晩じゅう起きてたのか？」彼がふいにまた話を始めた。

「朝方うつらうつらしただけだ」彼のいいつけどおり、僕はやや言葉を濁して答えた。先ほど彼がいったことは正しい、と直感的に思ったからだ。「とにかく風が――」

「ああ。だがあのやかましい音は風のしわざじゃない」

「ということは、きみにも聞こえてたのか？」

「数えきれないほどのちいさな足音がだんだん増えていった」彼はいい、ふとためらってから言葉を継いだ。「それに別の音も――」

「テントの上から音がして、なにか尋常でなく巨大なものがのしかかってきたことをいってるのか？」

彼は意味深長に頷いた。

「息が詰まるような感じがしなかったか?」僕はいった。

「そうともいえるな。俺には、大気の比重が変わっちまったように思えた——空気が急激に重くなって、俺たちを押し潰そうとしてるのかと」

「だったら」このさいだからなにもかもぶちまけてしまおう、と僕は頭上を指さし、銅鑼を打ち鳴らすような低い唸りが、風さながらに緩急を繰り返しながら絶えず鳴り響いているのを示し、さらにいい募った。「あれはどうなんだ?」

「あれは、例のものたちがたてている音だ」彼は声をひそめ、深刻な声でいった。「あちらの世界で鳴っている、あちらの領域から響いてくる低い唸りだ。隔てる壁が薄すぎて、どこからか漏れてくるにちがいない。だがよく耳を澄ませてみれば、四方からは聞こえていても、頭上からはさほど音がしていないのがわかるはずだ。音は、柳の木立の間から聞こえてくる。柳そのものがあの唸るような音をたてているんだ。柳こそ、いまここで俺たちに敵意を向けてくるものたちの象徴のようなものなんだ」

それがどういう意味なのか、じつをいえばよくわからなかったのだが、僕もなべて彼と同意見だった。彼の気づいたことには僕自身も気づいていたが、僕には彼ほどの分析力はなかった。じつは空へ昇っていく影や動く茂みの幻覚を見たんだ、と喉まで出かかったそのとき、彼が突然、焚き火の向こう側からぐいと顔を近づけてきて、声をひそめて真剣な表情で話しだした。この期に及んでも冷静さを保っている彼の胆力に賞賛を禁じ得なかった。彼は完全に状況を把握していた。想像力の乏しい、感情を表に出さない男だと何年も前からすっかり思いこんでいたのに!

「いいか、よく聞いてくれ」彼はいった。「俺たちがするべきは、なにごともなかったかのように振る舞うことだけだ。つまり、普段どおりのことをして床につけばいい。なにも感じてない、なににも気づいてないふりをするんだ。要するに心の問題だ。あちらのことを頭に浮かべさえしなければ、逃げ出すチャンスがそれだけ増える。とにかく考えるな、考えればそれが現実になってしまうんだからな!」

「わかったよ」彼の言葉とただならぬ雰囲気に気圧《けお》され、僕は絞り出すようにいった。「わかった、なんとかやってみようじゃないか。だがその前にもうひとつだけ聞かせてくれ。あの穴のことはどう思う? 地面のそこらじゅうに空いてる、例の漏斗形の穴のことだ」

「駄目だ!」彼は興奮のあまり声をひそめるのを忘れ、大声でいった。「俺はいわない。とにかく考えを口にするつもりはない。詮索せずにいてくれればありがたい。俺の考えを探ろうとするな。例のあれは、俺の頭に無理やり考えをねじこんできた。おまえまでそうされないよう、全力で抗え」

　話すうちに彼の声はしだいにちいさくなり、最後の頃には囁き声になっていた。僕もそれ以上の説明は求めなかった。もはや恐怖ではち切れんばかりだった。会話はそこで途切れ、僕らは黙々とパイプをふかした。

　そのとき、あることが起こった。まったくもって取るに足りないものだったが、神経がひどく張りつめているときにはよくあるように、このほんの些細なできごとにより、ふいに頭が切り替わった。それはたまたま自分のズック靴を見おろしたときのことだった――いわゆるカヌー用の靴だ――爪先に穴が空いているのに気づいたその瞬間、その靴を買い求めたロンドンの靴屋の光景が目の前によみがえった。僕に合うサイズの靴を探すのに店員が四苦八苦していたことや、そのあとの、別に面白味もない淡々とした作業が思いだされた。するとなんの変哲もない日常の、神々とは無縁な現代世界のものごとが一気に頭に思い浮かびはじめた。ローストビーフ、エール、自動車、警官、ブラスバンド、それ以外にも、平凡だが普段の生活を彩るさまざまなものが次々と思い浮かんだ。その効果は絶大で、自分でも驚くほどだった。心理学的には単に、常識の通用しない、そもそも常識が存在するのかすら疑わしい状況に置かれて極度の緊張状態に陥ったせいで、極端な反動が起こっただけのことなのかもしれなかった。だが理由がなんであれ、このおかげで僕の心はつかの間この場所の魔力から解放され、ほんの一瞬ではあるが気持ちに余裕が生まれて、恐怖心すら消えた。僕は顔をあげ、向かい側にいる友人を見やった。

「古臭い異教徒でもあるまいし！」面と向かい、笑いながらいった。「空想癖もいい加減にしろよ！　まるで迷信深い偶像崇拝者じゃないか！　まったくきみは――」

そこでふたたびあの恐怖がよみがえってきて、僕は口をつぐんだ。冒瀆の言葉をうっかり口にしてしまったかのように声を押し殺す。むろんスウェーデン人も感じ取っていた――頭上の闇に響きわたる異様な悲鳴を――そしてなにかが迫ってくるような、ふいに空気が沈む感覚を。

　彼の日灼けした顔が蒼白になった。立ちあがり、焚き火の前で身体をこわばらせて僕を見据える。

「もはやどうしようもない」彼は途方に暮れ、取り乱していた。「とにかくここを出よう！　これ以上ここにいては駄目だ。急いでキャンプを畳んで出発しなければ――下流へ」

彼は激しくまくし立て、その言葉には絶望に満ちた恐怖が滲んでいた——ひたすら抗いつづけてきたものの、ついに恐怖に絡め取られてしまったのだ。

「この暗い中をか？」僕は詰め寄った。思いをすべてぶちまけてしまい、そのあとから襲ってきた恐怖に身も心も震えてはいたが、いま僕らが置かれている状況については彼よりもよほど把握していた。「馬鹿をいうな！　川は氾濫してるし、パドルだって一本しかない。そもそも、そんなことをしようものならあちらの世界へますます深く迷いこむだけだ。五十マイル先へ行ったって、ここにも柳、あちらにも柳、どこへ行っても柳ばかりだ！」

彼はなかば崩れ落ちるように、ふたたび座りこんだ。自然がこよなく愛する千変万化の移ろいさながらに、彼と僕の立場が突如として逆転し、主導権が僕の手に渡った。彼の心は限界を迎えており、あとはただ弱っていくしかなかった。

「よくもそんなふうにいえるな？」彼は心底怯えた表情を浮かべ、蚊の鳴くような声でいった。

僕は焚き火の反対側へ回って彼のそばへ行き、その両手を掌で包みこむと、かたわらに膝をつき、彼の怯えた目をまっすぐに見つめた。

「もう一度焚き火に薪をくべよう」僕はきっぱりといった。「そして今夜はもう休むんだ。朝日とともに全速力でコマーロムを目指そう。さあ、すこし元気を出せよ、恐怖を頭に思い浮かべるな、ってさっき自分でいったのを思いだせ！」彼はなにもいい返さなかったので、おそらく納得してそのとおりにするつもりなのだと思われた。ふたりして立ちあがり、薪を補充するため夜闇の中へ踏み出したときにはすこしだけ安堵した。僕らはぴったりとくっついて、茂みの中や土手沿いを手探りで進んだ。頭上に響く低い唸りは鳴りやむどころか、僕らが焚き火から遠ざかるにしたがい、しだいに大きくなっていくようにすら思えた。なんと恐ろしい道行きだったことか！

薪を探しながら、僕らはいつしか、こんもりと茂った柳の木立の真ん中にいた。前の氾濫で流れてきた流木が、高い枝のあちこちに引っかかっていた。そのときいきなり背中を摑まれ、危うく砂の上に尻餅をつきそうになった。僕を摑んだのはスウェーデン人だった。つんのめって思わず僕のほうへ手を伸ばしたようだ。荒い息遣いが聞こえた。

「なんてこった！　見ろよ！」彼がか細い声でいい、僕は生まれて初めて、人間が恐怖のあまりに涙声になるという場面を目の当たりにすることとなった。相棒は五十フィートほど先の焚き火を指さしていた。その指先を目で追ったとたん、まさしく心臓が飛び跳ねた。ぼうっと明るく光る炎の前に、なにか動くものがあった。

　劇場の後方で用いられる紗幕のようなヴェールが目の前にかかったようになり、その向こうに――その姿がぼんやりと霞んで見えた。それは人でも獣でもなかった。動物が何匹か集まったような大きさで、たとえていうなら馬が二、三頭かたまりになってゆっくりと動いているかのような奇妙な印象を受けた。スウェーデン人も、表現は違えど同じような感想を抱いたようだった。彼がいうには、柳の茂みと形も大きさもそっくりで、頭の部分は丸味を帯びており、表面が絶えず波打っているように見えたそうだ――〝煙みたいに渦を巻いてた〟と、彼はのちになっていっていた。

「あいつが茂みの中からやってくるのが見えたんだ」彼はべそをかいていた。「なんてこった！　こっちへ来るぞ！　うわあ、ああ！」――彼は喘ぐような悲鳴をあげた。「とうとう見つかっちまった」

　恐る恐るそちらをちらりと見やると、揺らぐ影のようなものが茂みを抜けてこちらへ向かってきていた。思わず僕は腰を抜かし、絡まった枝の上に尻餅をついた。当然ながら枝は僕の体重を支えきれず、スウェーデン人まで僕の上に転がってきて、ふたりして砂の上に倒れこんでしまった。もはやわけがわからなくなっていた。せいぜい自覚できたのは、凍るような恐怖にすっぽりと包まれ、肉体という殻から神経を引っ張り出されてさんざ弄ばれたあげく、身体の震えだけが残ったような感覚のみだった。僕はひたすら目をつぶっていた。喉がつかえるような感じがした。僕自身の意識がみるみる膨張し、宇宙にまでひろがったとたん、あっという間に別の意識に取って代わられた。僕の意識は消え失せ、あとは死が待つのみだった。

　鋭い痛みが走った。激痛を感じるほどの力をこめて、スウェーデン人の手が僕を摑んでいた。そういえば僕が転びそうになると、彼はよくそのように僕の腕を摑んでくれた。

　のちに相棒もいっていたが、この痛みに僕は救われることとなった。痛みを感じたおかげで、あわやというところで気が逸れ、あちらのことが一瞬頭から消えたのだ。まさに向こうが僕を見つけた瞬間に、激痛が僕の心を覆い隠し、すんでのところで恐ろしい魔の手から逃れる隙を与えてくれた。相棒はといえば、ちょうどそのとき一瞬気が遠くなり、そのおかげで難を逃れたそうだ。

　どのくらいそうしていたかはわからないが、しばらくして、ぬるぬると絡み合う柳の枝の間からなんとか這い出ると、相棒が目の前に立って片手を差し出していた。放心状態の僕は、ひねりあげられた腕をさすりつつ、彼をじっと見た。なぜか言葉が出てこなかった。

「俺は一瞬気絶してたようだ」彼の声がした。「そのおかげで助かったらしい。その間あちらのことを考えなかったからだ」

「腕が折れたかと思ったよ」僕は唯一まともに答えられそうなことだけを口にした。頭が痺れていた。

「おまえはそのおかげで助かったんだからな！」彼は答えた。「大声じゃいえないが、どうやらあちらを出し抜くことができたようだ。低い唸りが聞こえなくなった。音がやんだんだ――とりあえずはな！」

　思わず発作のような笑いがふたたびこみあげてきて、今度はそれがわが友人にまで伝染した――僕らはふたりして吹き出すと、身体を震わせて大笑いした。すると気分が晴れてきて、それからどっと安堵の思いが押し寄せてきた。焚き火のそばに戻り、薪をさらにくべると炎が勢いよく燃えあがった。そのとき僕らは見た。テントが倒れ、もつれたかたまりとなってぺしゃんこに潰れているのを。

　僕らは幾度も砂に足を取られながら、テントを持ちあげた。

「あの漏斗形の穴のせいだ」テントを張り直し、炎の明かりが僕らの周囲を数ヤードほどにわたって照らした頃、スウェーデン人が声をあげた。「あの大きさときたら！」

　テントの周囲や焚き火のまわりには漏斗形の深い穴がいくつも空いていた。ちょうどあの動く影がいたあたりだ。中洲じゅうに空いている穴と形はまったく同じだったが、桁違いに大きくて深く、鮮やかにくり抜かれており、なかには僕の腰から下がすっぽり収まってしまいそうなほど幅の広いものもあった。

　僕も彼も、ひとことも発しなかった。眠ることが僕らにできる最大の安全策だとふたりともわかっていたので、僕らは重い腰をあげて素直に床につくことにし、まず焚き火に砂をかけて消したあと、食料袋とパドルを持ってテントに入った。カヌーも近くまで運んでおき、端をテントにもたせかけて、その近くに常に足が触れているようにした。かすかにでも動けば、気づいて目が覚めるはずだ。

　さらに念には念を入れ、慌てて出発せざるを得ない場合に備えて、服は今夜も着たまま眠ることにした。

　僕は頑として、横になったままひと晩じゅう見張っているつもりだったのだが、すっかり神経もすり減って身体がいうことを聞かず、しばらくすると睡魔に襲われ、忘却という名の毛布に全身を包まれてしまった。相棒が早々に寝入ってしまったことも眠りに誘われた一因だった。寝入りばな、彼はそわそわと何度も起きあがっては、僕に向かって「聞こえるか」とか「今度はどうだ」とか訊ねてきて、コルク製のマットレスの上で寝返りを打っては、テントが動いただの、川が氾濫して中洲の突端が呑みこまれただのと口にしていたが、そのたびに僕が外に見に行き、戻ってきてなんともないと告げると、ようやく落ち着きを取り戻し、おとなしく横になった。

　やがて寝息が規則的になり、いびきの音がはっきりと聞こえはじめた――いびきがありがたく思え、その音を聞いて心が落ち着くなどという経験は、人生においてあとにも先にもこのときだけだった。

　そのようなことを考えながら、僕はうとうととまどろみはじめた。

　息苦しくて目を覚ますと、毛布を頭からかぶっていた。だがその上からさらになにかがのしかかっていた。おおかた、眠りこけた相棒が自分のマットレスからはみ出してこちらへ転がってきたのだろうと思った。そこで声をかけて起きあがった瞬間、ふいに感じた。テントが囲まれている。またしてもあの、おびただしい数のはためきのような音がテントの外に響きわたり、夜闇を恐怖で満たしていた。

　僕はもう一度、先ほどよりも大声で彼に呼びかけた。返事はなく、いびきの音もしていなかった。そこで入口のフラップが外れているのを目にした。とんでもない話だ。僕は暗がりを這っていき、フラップをもとに戻した。そのとき初めて、スウェーデン人の姿がないことに気づいた。彼はどこにもいなかった。

　僕は恐怖におののきながら半狂乱で外へ走り出た。テントを飛び出したとたん、あの低い唸りが激流となって、四方から、さらには上空のいたるところから一斉に僕に襲いかかってきた。すでに幾度となく耳にしたあの低い唸りが――狂ったように押し寄せてくる！　まるで、目には見えない巨大蜂の群れのただ中に飛びこんでしまったかのようだった。音のせいで大気そのものがどろりと濃くなり、肺が役に立たなくなったような気がした。

　だが友人の身が危険に晒されている以上、ためらっている暇はなかった。

　いまにも夜が明けようとしており、くっきりと細い線を描く地平線の向こうから、白く淡い光が雲越しに漏れはじめていた。風はそよとも吹いていなかった。茂みとその奥の川と、白っぽい砂地がせいぜい見える程度だ。

僕はひたすらうろたえながら、必死に彼の名を呼び、思い浮かんだ言葉をとにかく声のかぎりに叫びながら、死にものぐるいで中洲じゅうを駆けまわった。だが僕の叫びは柳に吸いこまれ、低い唸りにかき消されて、周囲数フィートにしか届かなかった。茂みへ踏みこみ、躓《つまず》いては頭から転び、木の根に足を取られ、顔にひっかき傷をつくりながら、僕は行く手を阻む枝の間を右往左往した。

　するといつしか、僕は中洲の突端に出ていた。水面と空の間に黒い人影が浮かんでいる。スウェーデン人だった。すでに片足を川に突っこんでいるではないか！　まさに水に飛びこもうという寸前だった。

　僕は飛びかかって彼の腰に両腕を回し、力まかせに川岸のほうへ引っ張った。彼のほうも僕の手を振り払おうと猛烈に抗い、あの忌々しい音にそっくりな低い唸り声をあげたり、〝彼らのもとへ行かねば〟だとか〝水と風が誘《いざな》う道へ〟などといった奇妙きわまりない言葉を怒りにまかせて口走ったり、それ以外にもなにごとかまくし立てていた。あのとき彼が口にしていた言葉はいまだに思いだせないが、耳にしたとたん、恐怖と驚愕のあまりに胸が悪くなったのを覚えている。とにかくテントというい くらか安全な場所まで引きずってくると、息を切らして悪態をついている彼をマットレスの上に突き倒し、おとなしくなるまで押さえつけていた。

　すべてが突然のできごとだった。彼が落ち着きを取り戻すと、テントの外でしていた低い唸りとはためきの音がぱたりとやんだ——このたびのことにおいて、じつはこれが一番奇妙なできごとだったように思う。というのも彼が、瞼《まぶた》をひらいて疲れきった顔で僕を見あげ、テントの入口から差しこむ明け方の青白い光に顔を照らされながら、怯えきった子どものようにこういったからだ。

「俺の命を——おまえが助けてくれた。やっと終わったんだ。俺たちの身代わりとなる生贄が見つかったんだな！」

　そういうと彼は毛布をかぶってふたたびばたんと倒れ、文字どおり僕の目の前で寝入ってしまった。横になったとたん、彼はまるでなにごともなかったかのように大いびきをかきはじめた。ついさっき、川に飛びこんでみずからの命を生贄として差し出そうとしたことなどまるで嘘のようだった。三時間ほどのち、朝日の中で目覚めた彼は——いっぽう僕はその間一睡もできなかったが——どうやら自分がなにをするつもりだったのかいっさい覚えていないようだったので、僕も口をつぐみ、蒸し返すような真似はしないが吉だと思うことにした。

先ほども述べたとおり、彼は風のない暑い空がひろがる中、日も高くなってからのんびりと目を覚ますと勢いよく起き出して、朝食をこしらえるために焚き火の準備をしはじめた。水浴びに行くというので心配でついていったが、彼は水に入ろうとはせず、頭を水に浸して、冷たいとかなんとか口にしただけだった。

「ようやく水が引いてきたな」彼はいった。「ありがたい」

「あの低い唸りも聞こえなくなったな」僕はいった。

彼は顔をあげ、無言のまま、いつもどおりの表情で僕を見た。みずから命を絶とうとしたことは別として、それ以外のことはどうやら覚えているようだった。

「すべて収まった」彼はいった。「それはつまり――」

そこで口ごもった。だが僕にはわかっていた。おそらく、気絶するように眠ってしまう直前に自分でいった言葉を思いだしたのだろう。それなら腰を据えて聞いてやろうじゃないか、と僕は思った。

「つまり、別の生贄が見つかったから、かね？」僕はつくり笑いを浮かべ、いった。

「そうだ」彼は答えた。「そのとおりだとも！　間違いない、要は――要は――もう心配はいらない、ってことだ」と結論づけた。

彼があたりをきょろきょろと見まわしはじめた。まだらに降りそそぐ日射しが砂を温めている。風はなく、柳はそよとも揺らいでいなかった。彼はゆっくりと立ちあがった。

「行ってみよう」彼はいった。「探せばたぶん見つかるだろう」駆けだした相棒を僕は追いかけた。彼が土手を行ったり来たりしながら、砂に覆われた水辺や、物陰や、ちいさな澱《よど》みを棒でつついて歩くそのすぐあとから、僕もぴったりとついていった。

「ああ！」やがて彼が振り絞るようにいった。「ああ！」

その声音を耳にしたとき、この二十四時間に感じた恐怖がなぜかまざまざとよみがえり、僕は慌てて彼に駆け寄った。彼は手にした棒で、砂の上で半分ほど水に浸かっている大きな黒い物体を指していた。曲がりくねった柳の枝が絡まり、流れにさらわれずにここにとどまっていたようだ。数時間前までは水中に沈んでいた場所にちがいなかった。

「ほら」彼は静かな声でいった。「俺たちを逃がしてくれた生贄だ！」肩越しに覗きこむと、指し示した先には男の死体があった。彼が棒の先で死体の向きを変えた。農夫のようだったが、顔は砂に埋もれて見えなかった。溺死体であることは明らかだったが、だとすれば男が溺れたのはおそらく数時間前のことであり、さらに僕らのいる中洲へ流れ着いたのは夜明け頃——すなわち、わが相棒が落ち着きを取り戻したまさにその頃だったにちがいなかった。

「丁重に葬ってやらねば」

「そうだな」僕は答えた。いつしか、かすかに身体が震えていた。この溺死した気の毒な男の姿を目にして、なぜか寒気をおぼえたからだ。

スウェーデン人はなんともいいがたい表情を浮かべ、素早く僕に視線を寄越すと、両手をついて土手をくだりはじめた。僕もそのあとからのろのろとおりていった。

見ると、川の流れによって死体は衣服をほとんど剝ぎ取られ、首と胸もとが露わになっていた。

土手の中ほどまでおりたところで、相棒がふいに足を止め、気をつけろというように片手をあげた。ところが僕は足が滑ったか、あるいは勢いをつけすぎて急に止まれなくなったかで、彼に体当たりしてしまい、向こうも転ぶまいとして前につんのめった。僕らはもつれ合って硬い砂地に転がり落ち、そのまま両足から川に突っこんで、その勢いで思いきり死体とぶつかってしまった。

スウェーデン人が鋭い悲鳴をあげた。僕は銃で狙われでもしたかのように、思わず後ろへ飛びすさった。

僕らが触れた瞬間、死体の表面から例の低い唸りが響きわたり——音はひとつではなかった——激しくざわめいたあと上空へ消えていったのだ。たとえるならば、羽の生えたなにかの群れが僕らの周囲で一斉に羽ばたいて空へ舞いあがり、やがて遠ざかるにしたがって羽音もちいさくなっていき、ついには空の彼方へ吸いこまれていったかのようだった。いうなれば、まさに目には見えない存在がなにごとかに集中しているところにうっかり手を出してしまった、とでもいうふうだった。

相棒が僕にしがみついてきて、おそらく僕も相棒にしがみついていたが、予想もしない衝撃から立ち直る暇もなく、川の流れによって死体の向きが変わり、絡まっていた柳の根が外れた。死体がぐるりと裏返って仰向けになり、顔が空を見あげる格好になった。本流の端に浮かんでいるので、いまにも下流へ流されてしまいそうだった。

スウェーデン人が死体を捕まえようと足を踏み出した。よく聞き取れなかったが、〝丁重に葬ってやらねば〟といったことを叫んでいたようだ——だが突然、彼が砂の上にがくりと両膝をつき、両手で目を覆った。僕は慌ててそばに行った。

そこで彼が見たものを、僕も目の当たりにした。

　まさにそのとき、死体が水に揺られてぐるりと回り、顔と、露わになった胸もとが僕らのほうを向いた。死体の皮膚には抉《えぐ》られたようなちいさな穴がいくつも空いていた。鮮やかにくり抜かれたその穴の形は、僕らが中洲じゅうの砂地で見た漏斗形の穴と瓜ふたつだった。

「しるしを残していったんだ！」相棒がちいさく呟くのが聞こえた。「なんと恐ろしいしるしだろうか！」

　相棒の青ざめた顔から視線を外してふたたび水面を見やると、川はすでにみずからの役目を終え、死体はまるで川獺のように、ときおり波間に見え隠れしながら、流れの中ほどの、僕らの手の届かないところへ流されて、もうほとんど見えなくなっていた。

イギリスの本屋さん

南條竹則

私は今アーサー・マッケンの自伝をチビチビ訳していて、その関係から、マッケンが英訳した『出世の道 Le Moyen de Parvenir』（英訳の題は『Fantastic Tales or The Way to Attain』）を拾い読みしている。

十六世紀フランスのベロアルド・ド・ヴェルヴィルが書いたこの本は、歴史上の有名人が集まって奇談珍談艶笑譚に花を咲かせるという趣向の小話集だ。大分以前に三宅一郎による日本語訳が出、私も当時それを買った。方言を駆使した翻訳は苦心の作だと思ったけれども、そもそも原作が他愛なく退屈なので、途中で放り出してしまった。ところが、今マッケンの英語で読んでみると、ラチもない内容なのに中々味があるから不思議である。

私の手元にあるマッケン訳は一九二三年に出た復刻本で、訳者の署名が入っている。日本で買った憶えはないから、イギリスから送ってもらったのだと思うが、はて、どの本屋さんだったろう。

私が洋書を取り寄せるのに最初に利用した書店は、日本橋の丸善だった。その後、時々新宿の紀伊国屋や高田馬場の芳林堂も使っていたが、大学に入ってから、由良君美先生が良いことを教えて下さった。

「君、ブラックウェルは使わないの？」

駒場の寮にあった研究室で、例のパイプを燻《くゆ》らせながら、そうおっしやったのだ。

御存知の通り、ブラックウェルはオックスフォードのブロード・ストリートに本拠を構えるイギリス有数の書店である。ここを使うと、日本の洋書屋で本を買うよりも割安だと由良先生はおっしゃった。

「まず、『gentlemen――』と手紙を書いて、これからあなた方のところで本を買いたいから、よろしく頼む。そう言って、少しお金を先払いしておきなさい」

私は教わった所番地に手紙を書き、小切手（だったと思う）を同封した。

やがてブラックウェルから注文用紙とカタログが送られて来た。注文した本は、あまり嵩張《かさば》らなければボール紙に包んで送って来たが、たまに数が多い時は箱入りだった。

初めのうちはもっぱら新刊書を買っていたけれども、やがて古書部からもカタログを送って来るようになった。カタログはその時によって内容が大分異なり、わたしなどには縁遠い分野であることもあったが、たいていは隅の方に一冊か二冊、私の好きなジャンル——世紀末文学と英国の怪奇物——の本が載っている。時にはそうしたものばかりのこともある。

郵便でのやりとりだから、欲しい本を誰かが先に買ってしまうことも多かった。競争相手はもちろん世界各国にいたはずで、日本もその例外ではない。それでも幸い手に入ったものに、マッケンの『貴い香膏《プレシャス・バームズ》』や『ライマーズ・クラブの本』がある。

こうして買った本のいくつかに、同じ人の蔵書票が貼ってあることに気づいた。その人はティモシー・ケンリック Timothy Kenrick という。わたしが買ったブラックウッドの初版本は半分くらいケンリックさんの蔵書票付きだ。マッケンも一、二冊ある。一体どんな人だったのだろうと慕わしく思うけれど、この人のことは何も知らない。ただ、本を愛した人だったことは本そのものから伝わって来る。売りに出されたのは死後処分された蔵書だろうと考えると、自分の本の将来もちょっと気になる。

そういえば、ブラックウェルからデニス・ホイートリの旧蔵書が売りに出たことがあり、厚手のカタログがそのために作られた。

私は蔵書票に関する本で、ホイートリの蔵書票を見たことがあった。半獣神のような格好をした悪魔がアダムとおぼしき男に向かって何か話している図柄だ。あの蔵書票が手に入ると楽しみにして数冊注文したが、みんな先に売れてしまった。

ホイートリの蔵書票（F・C・パプ画）

カード決済というものは当時もあったのかもしれないが、そもそもカードを持たない学生の身分だから、代金は時々渋谷の東京銀行へ行って払った。私の知っている他の銀行では、海外送金が出来なかったのである。

お金が向こうに届くと、マネージャーが計算書を送って来る。マネージャーの名前は忘れてしまったけれども、署名の字が達筆だった。ファーストネームにPが付いていたような気がするので、仮にPさんとしておこう。

ある時、つけが溜まったため、Pさんが初めて督促状をよこした。

昔の英国人らしい婉曲な言葉遣いで私の支払い状況を述べ、「これ以上お貸しするのは賢明でないかもしれないと考えております」という。

じつに紳士的な手紙だ。私は恐縮して、早速お金を払い込んだ。

ジョン・ベッチエマンという詩人がいる。

ピーター・ヘイニングが編んだM・R・ジェイムズの作品集『M. R. James: Book of the Supernatural』に序文を寄せているから、御存知の方もおられるだろう。

自由詩全盛の二十世紀に昔風の定型詩を書き続けた変わり者で、その詩は淡い情感とユーモアを湛《たた》え、ロンドンの街や人々の暮らしを描いた。一般読者に人気があり、桂冠詩人も勤めた。

この人は十九世紀末の文学に深い造詣と愛情を持ち、「一八九〇年代協会」という会の名誉顧問か何かになっていた。私はそれで彼に興味を持ち、詩集を何冊も——それこそブラックウエルで——取り寄せたが、その一つに『鐘の音に呼び出されて Summoned by Bells』という長詩があった。詩人の幼少期から大学を出る頃までのことを無韻詩で綴った自伝である。

それによると、ベッチエマンは寄宿学校に入ったが、非常に不幸な時を過ごした。一般に、寄宿学校の教育というのは、大英帝国の柱石たるべき若者を育てるのが目的である。〝健全〟な精神を育み、スポーツを奨励して肉体と克己心を鍛える。そうした方針に順応できる子供は良いが、そうでない少年たちは疎外され、劣等感に苦しむ。

ベッチエマンもそんな苦しみを味わっていた時、たまたまマッケンの「秘めたる栄光」を読んだのだ。

御承知の通り、「秘めたる栄光」は、俗物校長が経営する寄宿学校を舞台とした被疎外者の反撥と覚醒の物語だが、発表当時から評判は芳しくなかった。寄宿学校は中産階級の子弟が行くところで、ウエールズの貧しい牧師の息子マッケンは、むろん、そんな世界を実際に経験したことはない。だから、彼のこの小説を現実を知らぬ作者の世迷言《よまいごと》のように批判する向きもあった。しかし、その小説がベッチエマン少年という現実の寄宿学校生に、深い感動と励ましを与えたのだ。彼はマッケンの影響で彼の宗旨である高教会派に入信したという。

さて、この長詩の中で、作者はオックスフォード在学中、ブラックウエルに一生払えないくらいのつけを貯めたと述べている。私がつけを貯めても平気でいた理由は、それだったが、じつに愚かと言うべきである。

Pさんは昔風の鷹揚《おうよう》なマネージャーだったが、その後人が代わって、商売の仕方も変わった。ある時、銀行へ行くのが億劫《おっくう》で数千円の支払いを滞らせていたら、いきなり剣呑《けんのん》な文面の督促状が来たのでビックリした。ああ、この世はどこもかしこも現代的になってしまった、とわたしは嘆いた。

ブラックウェルで古書を買い始めると、時々イギリスの知らない古書店からカタログを送って来るようになった。ジャクリーン・ウェズレーという書店もその一つだった。

ここはその名の通り、ウェズレーさんというマダムが一人で経営していたらしい。ここのカタログは毎度ビアズレーやビアズレー風の絵を表紙にしており、『イエロー・ブック』風だった——いや、それよりももっと妖気が漂っていた。内容は怪奇物と世紀末文学ばかりで、値段はブラックウェルよりもかなり安い。

まるでわたしのためにあるような本屋さんだと思い、競争相手を増やさぬように、この店のことはあまり人に言わなかった。けれども、早稲田進省堂の御主人・大國さんはさすがに知っていた。イギリスでウェズレー女史に会ったこともあるらしい。私が彼女のところから本を買っているのもお見通しだった。

ジャクリーン・ウェズレーから買った本には、M・P・シール『至上の命』、ゴーズワースが編纂したミドルトンの文集『パントマイムの男』、シンシア・アスキスのアンソロジーなどがあったと思う。

しかし、六、七年も経つとウェズレーさんは引退してしまった。その際二、三の同業者を紹介してくれて、そこからカタログを送ってもらったが、めぼしいものがなくて買わなかった。それでやりとりも絶え、いつのまにか世の中もすっかり変わって、もうつきあいのあるイギリスの本屋さんはない。

ブラックウェルのしおり（20世紀初頭）

怪談は紳士の嗜み

ミセス・イーガンの腕

The Arm of Mrs. Egan

ウィリアム・F・ハーヴィー　William F. Harvey
岩田佳代子訳

『幻想と怪奇8　魔女の祝祭』所収の「ミス・コーネリアス」といい、『小さな手』（岩波少年文庫）所収の「五本指の獣」といい、恐怖とユーモアが絶妙なバランスを見せるハーヴィーの作風は、怪談も冗談も好むイギリス気質の賜物かと思われる。本作もまた、そのような味わいの一編である。初出はアガサ・クリスティーも寄稿したことがある、月刊の短編小説誌 *20-Story Magazine* の、一九三五年六月号。なお、これまでアンソロジーで出合うばかりだったハーヴィーの作品だが、近く代表作を集めた日本独自の短編集が刊行されるという。楽しみに待ちたい。

呪文や呪いや魔女などを信じている人は、今の時代にはほとんどいないだろう。私も信じていなかった。そう言えればいいのだが。なにしろ平穏を好むからだ。肉体的にも、教区牧師が言うところの精神的にも。秩序正しい日常を送りたいし、万事に明確な因果関係があると思いたいし、悪意には限界があると信じたい。

だがこれだけ長く生きていると、そうとばかりは言えないことも承知している。不本意ながら白状すれば、信じているのだ、呪いはあると。ミセス・イーガンは、どう考えても魔女だった。ほうきに乗って空を飛ぶわけでもなければ、煙突を登っていって姿を消せるわけでもなかったが、四百年前の時代にいたなら、ベッドの上でその生涯を全うすることはまず叶わなかっただろう。

ギルバート・レノックスの話は、今日の呪いがかつてのそれと同じように恐ろしい、それどころかもっと恐ろしくなっていることを物語っている。呪いをかけられる相手の性格、それも誠実といったような、むしろいい性格の場合にその効力がより発揮されるからだ。

　ギルバート・レノックスと私は同じ田舎町で育った。彼に両親はなく、ともに暮らしていた裕福な老齢のおばは、彼をなんとしても真っ当な人間に育てようと心を砕いた。医師である私のおじは彼の後見人のひとりだった。

　ギルバートのことはとりたてて好きではなかった。とにかく品行方正で物静かで生真面目で、ユーモアのかけらも持ち合わせていなかった。蝶や蛾や切手や「青少年奉仕団」のための寄付金を集めていた。私立小学校入学前の夢は宣教師になること。卒業後は、医療宣教師になると決意していた。それから、模範的と評判のパブリックスクールに進学、そこで、煙草を吸ったり、人様の悪口を言ったり、どんな形であれ実家の極めて高い品性を貶《おとし》めるようなことは決してしないと名誉にかけて誓った。監督生となり、卒業時に大学進学のための奨学金をもらったときにはもう、すっかり心に決めていた、将来は医者になると。

　私のおじは、ギルバートが賢明な決断をしたと考えた。彼のおばはすでに他界し、彼にはじゅうぶんな財産が遺されていた。当時のギルバートは年の割に幼く、世間擦れもしていなかった。このまま医学の道に進めば、生きていく上で生涯役立つ見識を身につけられるし、医師の資格を得れば、どんな職業に就くかも意のままだろう。彼には、いい医者になる資質がある。この点に関して、異を唱える人間はほぼいなかった。ギルバートは、理路整然と物事を考え、細いことも見逃さず、杜撰《ずさん》なことはなんであれ許さず、なにより誠実だった。

　ギルバート・レノックスは、医学部の入学試験に難なく合格した。解剖学では優等賞もとった。だがなぜか、人というものに対しては一向に理解ができないらしかった。また、いかにも医者然とした態度は、ぶかぶかの上着を着ているようで、幼さをかえってきわ立たせていた。人づきあいもほとんどなく、勝負事もせず、読書以外に興味がありそうなものといえば、蛾や蝶だけのようだった。もう家督相続人となっていたのに、彼自身は依然サナギの殻にこもったまま。そこから抜け出して、看護師に近づこうとしたことすらなかったのではないだろうか。

　ギルバートが、私のおじの忠告に耳を貸していたら、なにかしらの研究の道に進んでいただろう。自分名義の財産があったので、最初は末席に甘んじていても、昇進を待つだけの経済的な余裕もあった。が、どうしたことか一番向いていない道を選び、研修医としての経験を積むことすらなく、いきなり開業した。どう考えてもこれは、形こそ新しいだけで、中身は古い医療宣教師の考え方そのものだ。彼はかつての寮監の忌まわしい教え――自分が最も心惹かれない仕事こそ、自分が果たすべき仕事である――に囚われたままだったとしか思えない。

そんなわけでギルバートは、私のおじが住む町から二十マイル離れた片田舎に診療所を構えた。年頃の娘を持つ母親たちはこぞって、見るからに端正で実直な顔立ちだし、ブラウン先生みたいなおじいちゃんよりずっといいわ、と噂した。一年ほどは順調にいっていたらしかったが、やがて彼の前に現れたのがミセス・イーガンだった。

事の次第はすべて、あとになっておじから聞いた。とある日曜日の夕方、おじのもとへギルバートが車を駆ってきた。すっかりとり乱していて、恐ろしい話をしたという。ミセス・イーガンは財力に富んだ未亡人で、夫の唯一の忘れ形見を溺愛していた。十日前、その忘れ形見の子守の手に発疹ができているのを見たミセス・イーガンから、ギルバートに電話があった。往診に行ったギルバートが診察をしたのは、不平ひとつ言わない、大柄な田舎娘だった。自分は肌が弱く、新しい銘柄の石鹸を使っているからだろうと娘は言った。二日後、忘れ形見である幼い息子がひどく吐いた。ちょうどインフルエンザが流行中で多忙を極めていたギルバートは、息子がこってりしたケーキを何切れも食べていたと聞き、心配するミセス・イーガンに、息子さんはちょっとした消化不良だから大丈夫だと請け合った。だが、息子の具合は一向によくならなかった。ミセス・イーガンはギルバートに連絡を入れたが捕まらず、別の医者を呼んだ。すると、息子が猩紅熱《しょうこうねつ》だったことがわかった。伝染病で、どうやら、子守が出かけていった先の若い男性宅で感染したらしく、その子守から息子にうつったのだった。

息子は亡くなった。すでにギルバートの手を離れた件であり、彼が息子の姿を見ることは二度となかったが、葬儀の翌日、ミセス・イーガンから呼び出された。そのとき、彼女はギルバートを呪ったのだ。彼を公然たる殺人者呼ばわりし、この命ある限り、片時も放ってなどおかない、ひたすら恨みを晴らし続けてやると言われたのだった。

なんとも痛ましい話が少しずつ明らかになってくるにつれて、なによりギルバートが心を痛めていたのは、開業医に向いていないという自覚と、このミセス・イーガンからの呪いのふたつだと、おじは気づいたそうだ。彼がとんでもない誤診をした事実から逃れることはできなかった。子守に対する診察は通り一遍で、彼女の自己診断を鵜呑みにし、息子の件は、はっきりしていた初期症状のみで結論を下してしまった。彼の自信がひどく揺らいでいるのがわかったおじは、もっと心を落ち着けるよう説いて聞かせることにした。

おじは言った、きみがなにをしたところでおそらく結果は変わらなかっただろうし、一般の人たちがそういった代償を払うことで医者は学んでいるのだと。だがギルバートは、あの子は亡くなり、自分が生きて学んでいることは、ミセス・イーガンにとってはなんの慰めにもならないと返した。そこでおじは、別の角度からの説得を試みた。いい医者は、患者を症例としてではなく、ひとりの人間として扱うというが、自分の場合を考えると、症例という観点から扱うほうが賢明だと思う。今になってみると、心のバランスを保ちつつ、科学的な視点も持ち続けるには、そんなふうに患者を物扱いしなければ、やってはいられないのだと。

「ミセス・イーガンとは、もうこれ以上関わらなければならない理由などないんだ。もちろん彼女はきみのことを悪く言って歩くだろう。だがすぐに誰も耳を貸さなくなる。診療にも、少しの間は影響が出るかもしれない。しかし、いずれ誰かが誤診をすれば、噂の矛先はそっちに向いていくとも」

ギルバートは、頑としておじの言葉を受け入れなかった。そして、あなたはミセス・イーガンをご存じない、あの呪いは、神経の高ぶった女性が絶望のあまり叫んだものなどではなく、同情の入りこむ余地など微塵もない、悪意を意図的に表現したものなのだと言った。

それでもおじはできるだけのことをした。とてもじゅうぶんとは言い難かったが。ギルバートに、サイの皮を被ったライオンの強い心を持たせることはできなかったものの、とにかく、悩みを打ち明けられる友人が目の前にいることだけはわからせた。

それから半年の間、おじはできるだけ頻繁にギルバートと会うことを心がけた。そうやって、少しでも彼の心をほぐそうとした。その努力は見事功を奏し、ギルバートはミセス・イーガンのことを一切口にしなくなった。診察も変わらず忙しく、余計なことを考える暇がないのだろうとおじは推察した。やがてある晩おじは、外食先の簡易レストランでミセス・イーガンその人と会い、幸いなことに隣りの席に着けた。

年の頃四十五歳くらいの彼女は、黒髪で目鼻立ちも整い、機知に富んだ快活な話し手で、明らかに人を見る目も持っていた。かなりいろいろと趣味が合ったこともあり、おじは、ギルバートの話から抱いていた印象を完全に改めざるを得なかった。おじにとってのミセス・イーガンはいたってまともな女性で、ギルバートが言っていた悪意にはどう考えてもそぐわないユーモア感覚を備えていた。

　その年の晩秋、コーンベリーにある銀行の支店長夫人が、出産の際に命を落とした。おじはその話を、教区牧師の夫人から聞いた。夫人曰く、自分もまだ今朝聞いたばかりで、なんとも悲劇的な話だが、三人目の子どもで、万事順調そうだったのに、気の毒な支店長夫人が新しい医者にどうしても診てもらいたいと言ったとのこと。それもミセス・イーガンの猛反対を押し切って。その医者というのが――牧師夫人は名前を忘れていた――ミセス・イーガンの息子が亡くなったときに、あの凄まじい悲劇を引き起こした張本人だったという。

　ギルバート！　言葉もなかった。さんざん辛い思いをしながら頑張ってきて、ようやく忘れられたと思ったのに。おじは牧師夫人に言い訳をして、ギルバートのもとへ駆けつけた。彼は当初、あまり話したくなさそうな様子だったが、次第にその重い口を開いていった。ミセス・イーガンの呪いです、とギルバートは言った、あの人の呪いがかかりだしたんです。片時も放っておかないというあの言葉は本気だって、ずっとわかってました。あの人がいなければ、すべてうまくいっていたんです。ところが、ぼくが面会謝絶だって言っていたのに、あの人はどうしても支店長夫人に会わせろときかなかった。そして妊婦を興奮させ、なんの問題もないのになんだって病人みたいにしているんだと言い、それでいて、ちょっと様子がおかしくなっただけで大騒ぎして、妊婦をとんでもなく動揺させたんです。

　ギルバートはすっかり周章狼狽《しゅうしょうろうばい》していた。しかも追い討ちをかけるように、それから数ヶ月間、普通では考えられないような不運に立て続けに見舞われた。いずれも、誰にでも起こりうる誤診だったのだが、人の口に戸は立てられなかった。彼を、若くて魅力的だと誉めそやしていた、年頃の娘を持つ母親たちが今度は、経験が足りないから頼りないと不満をあらわにした。おじに向かって、レノックスは人がいいだけで些細なことを気にしすぎるから、教区牧師になるべきだったのにと話し、おじが、私見だがギルバートはこの辺りでは抜きん出て腕のいい医者だと思うと言うとひどくびっくりしているような者もいた。私は、ギルバートがコーンベリーを去ったと聞いても驚かなかった。やはり、自由になる財産がそれなりにあったのだから、控えめに言ってもどんどん居心地が悪くなる地など、あとにしてしかるべきだっただろう。おじから、しばらく休むといいと言われたギルバートは、二週間かけて友人とスコットランドを徒歩で回ったあと、地中海を巡る船旅に出た。

　乗客は上流階級の面々ばかりだった。英国国教会の大執事や年配の教授たちがいた。いずれもこれまでに、数え切れないほど法話や講義の機会を与えられてきた重鎮だ。妻と娘を連れた植民地の総督もいた。その娘グレイス・カーステアーズが蛾だったのか蝶だったのかは知らないが、ギルバートを魅了したのは明らかだった。そんな順風満帆な船旅に影がさしたのは、船医が虫垂炎になり、近くの病院で手術を受けなければならず、パレルモへの寄港を余儀なくされてから。カンターラ号に医者はいなくなり、ギルバートは船長から、あくまでも名前だけなので、この先は船医として乗っていてもらえないかと頼まれた。彼はしぶしぶ同意した。実のところ、選択肢はなかったのだ。乗客は大半が、健康上の理由でこの船旅をしていると言っていたが、皆一様に驚くほど健康的だった。なにしろ悩みというのが、日光に当たりすぎている、から始まって、食べ過ぎだ、眠れない、といったものだったから。しかも、それぞれの主治医から処方されている薬にはとにかく詳しかった。だがギルバートは失念していた、乗組員たちの存在を。そして、その乗組員のひとりであるインド人水夫の診察を求められ、ついにとんでもない事態が起こった。水夫が示していた兆候はいずれも、軽度とはいえ天然痘を示すものだった。それから二十四時間、ギルバートは乗客、乗員全員に種痘をするのに追われた。デトロイトから来ていたアメリカ人の一団が突然、自分たちはクリスチャン・サイエンスの信者で、注射は禁じられているから、それを踏まえて対応してもらわなければ困ると言い出した。レスターから来た母娘は、熱心な生体解剖反対主義者で、船内の誰より統計に詳しいらしく、やはりそれなりの対応を求めてきた。だがギルバートは、毅然とした態度で例外を認めず、植民地の総督はそんな彼を絶賛した——しかしそれも、船が封鎖されてのち、港湾管理委員会がためらいつつ誤診を告げるまでのこと。軽度の天然痘ではなく、重度の水疱瘡だった。素人目には、すべての責任が、とんでもなく無能なギルバートにあったかに見えただろう。乗客たちもそう思ったが、あとでおじから聞いたところ、かの偉大な医学者にして内科医のサー・ウイリアム・オスラーでさえ、黒人病棟で大発生した天然痘を水疱瘡と誤診していたそうだ。唯一喜んでいたのがクリスチャン・サイエンスの信者たちだった。大執事のひとりは、腕にひどい炎症が広がっていたが、自分たちの教義の正しさは証明されたというわけだ。レスターの母娘も、自分たちの信奉する説に間違いがなかったことが明らかになったとご満悦だった。船会社が必死にもみ消そうとしたものの、この遊覧航海で起こった不運にして悲喜劇的な事件は新聞各紙に掲載された。おじはギルバートに、自分のもとへ身を寄せるよう電報を打った。当時は私もおじの家におり、ギルバートは私相手に、これまでに被ってきた災いの数々を吐露することで、多少とも慰めを見出したのではないだろうか。彼は、ある乗客からもらったという手紙まで見せてくれた。経験豊富で優秀な外科医のいる地区へ行って、養鶏をしながらその医師にいろいろと教えてもらえばいいと記されていた。

「養蜂のほうがまだしもましだったな」ギルバートは自嘲気味に言った。「いずれにせよ、チクチクして居たたまれないだろうけれどね」

だが、なによりギルバートを動揺させ、おじや私の必死の努力をすべて台無しにしたのは、とある知らせだった。彼が私たちのもとを去ってから一ヶ月後に送ってきた手紙によると、あの植民地の総督の娘ミス・カーステアーズが婚約をしたという。その相手がインド軍のイーガン大尉、コーンベリーに暮らすミセス・イーガンのいとこだった。「彼女はぼくにつきまとっているんだ、そうに決まっている！」とギルバートは書いていた。「わかっていたことだ。でもまだ仕事まで奪われたわけじゃない。解剖学で実地授業をする際の助手の職につけた」――そこには北部の大学名が記されていた――「もう患者の命を奪うことなどあり得ない。被験者はすでに亡くなっているんだから。ぼくには研究が向いていると、もっと前に気づくべきだった。幸い、とても住み心地のいい家を偶然見つけて借りることもでき、新車も買った」

この手紙を皮切りに、私はギルバートからたくさんの手紙を受けとった。彼の手紙は、こちらの想像をはるかに超えて面白かった。誰に宛てて書いているのかを忘れていたのだろう。自分の胸の内を打ち明けるために日記をつけている人がいるように、彼はそのために文通を利用していたような気がする。手紙は、投函したらもうとり戻せない。破くことも燃やすことも無理だ。一週間後に読み返して、己の愚かさに頭を抱えることもできない。もっとはっきり言えば、自分がなにを書いたのかも忘れている。

だが、私の手元にはギルバートからの手紙が残っていた。それらをまとめて読み返してみると、彼が精神構造になんらかの異常をきたしつつあるような気がして仕方がなかった。例えば、購入した新車だ。どうやら運転を楽しんでいたというより、自分の運転を過信していたと思しき文面で、以下のような実に不可解な追記があった。

　最悪なのは、運転に習熟すると、運転する回数も距離も増え、結果、平均の法則により、事故に遭いやすくなることだが、もちろんそれは運転技術のせいではなく、運転技術はいついかなるときでも高めていくべきものであり、断じて路上に出るべきではない限られた数の愚かな連中に出くわす可能性が高くなるせいである。

　今にして思えば奇妙な話だが、ギルバート自身が事故に巻きこまれたことは皆無だったものの、一度ならず事故を目撃し、そのたびに応急処置を求められていたのだった。

「なんて不運なんだろう」ギルバートは書いていた。「診療などごめんこうむりたいと思っているのに、それが叶わないとは。急患に対応する気などさらさらないのに、そうせざるを得ないんだ。急患のほうからぼくに寄ってくるみたいだから。しかも、路上に限ったことじゃない。ある晩映画館にいたら、責任者が、『お客様の中にお医者様はいらっしゃいませんか』と聞いてきた。お察しの通り、誰も名乗り出なかったから、ぼくが行くしかなかった。年配の男性が倒れていた。なにがあったのか見当もつかなかったし、その男性には連れもいなかった。そして、救急車を呼んでいる間に亡くなった。死因審問が行われないことを願うのみだ」

　しかしながら死因審問は行われた。当然だろう、亡くなった男性には主治医がいなかったし、名前以外ほとんどなにもわからなかったようだったから。ちなみに苗字はガンだった。エドワード・ガン。名前の頭文字Eと苗字を続けて読むと、イーガン。

　些細なことにすぎない。だがこの偶然は、ギルバートには相当こたえた。そしてまたしても、ミセス・イーガンの呪いは本当だと思いつめた。彼女は、ギルバートが解剖学の実地授業の助手としてひっそりと暮らしていくことさえ許さなかった。ギルバートは普通の診療からも、もうこれ以上命に関わる間違いやとり返しのつかない診断を下すような可能性からも身を引くことを望んでいた。ところがその間ミセス・イーガンは、精神的にも追い詰められ、すっかり自信も失っていた彼にひっきりなしに試練を課し、それでもまだ足りないとばかりに、次から次へといろいろなことを仕向けてきていたのだった。

　この頃になると、おじも不安を募らせ始めていた。そこで急ぎ北へ行ってギルバートと会い、彼の上司である教授と腰を据えて話し合った。そして、半年間休職させることで落ち着いた。ギルバートは街へ出て心理学者を訪ねた。その心理学者は、あえてゴミ捨て場に徹してギルバートの鬱憤をすべて引き受け、ついで肥やし用の熊手を使って、彼の心のゴミ箱の中身をあらためていった。心理学者はそうやって、ギルバートに現実を直視させようとしたのだろう。だがそれは、ヒツジにトラの目をまともに見させるに等しく難しかったに違いない。ギルバートにとっては、ミセス・イーガンもその呪いも、恐ろしいほどに現実だった。だから彼は逃げるほうを選んだ。つぶさに広げた、記憶という名のゴミの処理を心理学者に委ねたまま。

　だが、どこへ逃げるつもりだったのか？　最終的に選んだのは、サセックスの小さな家だった。なだらかに続くむき出しの尾根が、その家の庭の裏手で一気に険しくなっている。おかげでギルバートは丘陵地帯に守られているような気がした。それでいて、急な斜面を二十分も登れば、吹きさらしの峰に立って、三十マイル先まで見渡せた。

　ギルバートがこの小さな家の購入をとり決めたころから、とあるグライダー愛好会の面々がその地ウィッチリング・ダウンで飛ぶようになっていった。地名に魔女《ウィッチ》が入っていたのに、ギルバートはなぜ警戒しなかったのか？　ともかくこの地は、気流や離陸に関して、南海岸でも有数の場所だったらしい。ギルバートが以前、卵と牛乳をわけてもらっていた古ぼけた農場は、愛好会に引き継がれ、そのまま拠点として使われることになった。彼らは、すぐ近くに、現役を退いたとはいえ医師がいたことを知って喜んだ。グライダーが世界最高のスポーツなのは言うまでもないが、誰でも彼でもできるわけではなかった。しかし、もし事故が起こっても、ここには、その場でちゃんと応急処置をしてくれる医者がいたのだ。

　ほどなくしてギルバートは、グライダーが飛ぶのに最適な天候がわかってきた。彼が待ち望んでいたのは、強風、前が見えなくなるような豪雨、景色を覆い隠す深く穏やかな海霧。嫌だったのは、心地よいそよ風と陽光。愛好会の面々が上空へ飛んでいく上昇気流がもたらされるからだった。そういう日は、ルイスまで車を駆るか、長い散歩に出ることにしていたが、たいていは車を選んだ。歩いていると、グライダーに自分の真上でホバリングされたり、あとをつけられたり、急襲されたりする気がしたからだ。

　そしてギルバートがルイスにいたとき、愛好会最初の死亡事故が起こった。レノックス先生の不在が惜しまれてならないと、あとで言われた。というのも、ほかの医者を見つけるまでに二時間以上もかかってしまい、もしきちんと知識のある者にすぐに診てもらっていたら、助かっていたかもしれなかったからだった。不運ではあったが、それだけだった。愛好会の面々はギルバートに、愛好会つきの医者になってもらい、グライダーが飛んでいるときにはいつでもすぐに連絡がとれる状況にしておいてもらおうとした。ギルバートとしては、申し訳ないがすぐにでもここを引き払う予定だからと告げるしかなかった。

　それから十二ヶ月、ギルバートからはおじにも私にも一切連絡はなかったが、彼が健康上の理由で教職を辞していたことは間違いなかった。その後私は彼から手紙を受けとった。とりとめもないことが長々と綴られていた。住所は記されていなかった。消印は、彼曰く、今暮らしている場所とは無縁の地のもので、どこにいるかは誰にも知らせたくないとのこと。また、医師名簿からの抹消要請もすでに終えているという。もはやこれ以上、診察もしたくなければ、周囲から医師と思われるのも望まないからだそうだ。彼はさらに書いていた。「医者だったせいで、ぼくは心から安らげたことがない。医者としての知識はもうずいぶん忘れたが、それでもやはり普通の人よりはあるわけで、となると見て見ぬ振りはできないんだ。海外や植民地に行っても、街なかに留まっていなかったら、助けなきゃいけない状況や、生死に関わるようなことに絶えず出くわす。だけどぼくにはもうできそうにない。それではウィッチリング・ダウンの二の舞だ。じゃあ、このイギリスのいったいどこに住めばいいんだ？　きみは思うだろう、いい医者がいるどこかの田舎なら大丈夫なのにと。だが、そのいい医者が不在のときに肉屋が手を滑らせて、肉切り包丁で動脈を切ったら？　これは実際にぼくの身に降りかかってきたことだ。それならもっと大きな街にすればいいと言うだろう。しかし、大きな街だともっといろいろなことが起こりそうだ。交通量を考えてみるといい。このごろは、車を運転するのも嫌だ。列車の旅に出るのも、それが個室列車だと気が引ける。車掌が通路を歩いてきて、ひとつずつ個室をのぞいていくんだ。『お医者様はいらっしゃいますか？』って声が聞こえるよ。もう医師名簿には載っていないから、死亡証明書に署名はできないが、依然医学の博士号は持っているからね。ほかに誰もいなかったら、行かなくちゃならない。世間が鵜呑みにしていることをぼくも信じられるようになれば、宗教団体にも入ろう。刑務所に入れられても相当幸せだと思う。実は、下士官兵として入隊しようとしたんだ。が、心臓にガタがきていると言われたよ。撃たれても構わない。戦争になったら、さほど気にも止めずに人を撃とうともするだろう。なにしろほぼ確実に狙いは外れるだろうから。そうやってぼくが失敗した結果、相手は生きながらえるんだ。だが今は、ぼくが失敗した結果、助けようとしているのに亡くなるんだ」

同じ封筒の中に、二通目の手紙が入っていた。最初の手紙の翌日書かれたものだ。ロンドンにある事務弁護士の事務所の住所が記されていた。そこに私が手紙を送れば、ギルバートのもとに転送されるらしい。

「お願いがある」とギルバートは書いていた。「ミセス・イーガンが今でもコーンベリーに住んでいるのか、ときどき出かける習慣があるのかを調べてくれないだろうか。行き先までとは言わないが、もしそれも調べてもらえたら、大いに恩に着る。彼女がいつ出かけて、そのときどんなことが起こるのかを確かめたいんだ。彼女は健在か？　それから、ひょっとして知っているだろうか、彼女が心霊主義に傾倒しているかどうかを」

ギルバートからの頼みには、全部ではないものの、おじの助けもあって応えることができた。ミセス・イーガンは変わらずコーンベリーに住んでいたが、頻繁に友人を訪ねて出かけていた。おじは一、二度彼女に会ったが、彼女の口からギルバートの名前が出ることはなかったそうだ。やがておじは妙案を思いついた。その年、英国医師会の年次総会がカナダで開催されていた。おじが参加するので、ギルバートも一緒にと誘ったのだ。ほかにも大勢医者が行くから、ギルバートが専門的な助けを求められるような状況には、どう考えてもならないだろう、というわけだった。

だがギルバートからの返事は——我々が彼から受けとった手紙はそれが最後だった——残念ながらそのお申し出は辞退させていただきます、だった。すでに医師会を辞めた身であり——そんなことは些細な問題で、医師会の面々に同行するにはなんの支障もなかった——心臓も弱っているので、安静にしていないといけないから、と書かれていた。

さて、私の話もいよいよこれでおしまいだ。この翌年の八月二十五日、リンカンシャーの閑散とした通りを一台のセダンが走っていた。乗っていたのは四人。道はひたすらまっすぐで、運転する女性もごく普通の速度しか出していなかったのだが、どうやらハンドルになにか不具合があったらしく、舗装用の砂利の山に突っこみ、さらに水路に転落した。運転手は死亡、ほかのふたりは重傷を負い、四人目の若い男性だけがやっとの思いで大破した車から脱出できた。彼がのちに事の仔細をおじに話してくれたのだった。辺りに人影はなかったものの、少し離れたところに一軒だけ家があったので、急いで助けを求めに行った。ドアを叩いたが、応答はなし。そこで裏に回ってみると、勝手口が開いていたので中に入った。玄関ホールで部屋着を着た長身の男性と会ったが、若者曰《いわ》く、その男性はとても具合が悪そうだったという。

「すみません」若者は言った、「ひどい事故があったんです。一番近くの医者ってどこにいますか？」

家人の顔が突然真っ青になった。見るからに動揺し、落ち着こうとしたものの、やがて床にくずおれた。

一番近くの医者はそこにいたが、すでに事切れていた。

死因審問のときになってようやく、その人物がギルバートだったことが明らかになった。というのも、彼はずっと偽名で暮らしていたからだ。そして、くだんの事故で亡くなった運転手は、ミセス・イーガンだった。

私は呪文や呪いや魔女などを信じているが、やはりあなたは驚かれるだろうか？　まあ、信じている、という言葉は強すぎるかもしれない。要するに、魔女を恐れているのだ。愚かで、理屈に合わない恐れ。だからこそ、無意識の心理といったことにも思いが至らない。冷静に、感情にとらわれることなく証拠を検討することも叶わない。

不思議な偶然の巡り合わせ？　確かに、それで多くのことに説明がつくのはわかっている。

だが、もしその不思議な偶然が、巡り合わせを引き寄せようと長い腕を伸ばしたとして、その長い腕、伸ばした手、握りしめる指が、実はミセス・イーガンのものだったら？

怪談は紳士の嗜み

中古車

Used Car

H・ラッセル・ウェイクフィールド

H. Russell Wakefield

野村芳夫 訳

H・ラッセル・ウェイクフィールドは、心霊現象を信じていなかったら怪奇小説を書きはしなかったことだろう、と自ら語っている。彼の作から伝わる恐怖の、ある種の「生々しさ」は、そこから来ているのかもしれない。本作では、日頃は妻と娘の小言をやり過ごし、休日にはゴルフに出かける事務弁護士の日常を軽妙に語るうちに、アメリカ産中古車の後部座席から、恐怖は静かに広がっていく。初出は一九三二年刊の短編集 *Ghost Stories*。なお、傑作「ダンカスターの十七番ホール」で題材にしているように、ゴルフはウェイクフィールドが学生時代から得意としたスポーツだった。

自分の名前を冠した、業績のよい事務弁護士事務所の所長をつとめるアーサー・カニング氏は――家族との論争をひかえて――新たな車を購入する必要もなければ、そんな経済的余裕もないと心積りしていた。ところが、十九歳になる娘のアンジェラは必要がないという反対理由を鼻で笑い、同時に妻のジョーンはゆとりがないとの説明を一笑に付した。追い風でも五十マイル（時速八十キロ）の速度しか出ない五年前のおんぼろ車では体裁が悪いとアンジェラに逆襲され、彼女の母親にはこのところの順調な仕事ぶりをおのずと知られていた。というわけで、彼女たちの父親であり夫であるカニング氏は、善良な民主主義の擁護者よろしく大勢にしたがい、ある日の午後、グレイト・ポートランド・ストリートへと散歩に出かけた。このあたりは車を交換する人々のつくり話がそのまま繰り返され、人をたぶらかして高値で売る連中の店が集中していた。新車を買えないわけではないが、彼が求めているのは中古車だった。

やがてカニング氏はとある店の前で足を止め、見事なボンネットを歩道の端に突きだしている印象的なサルーンを、興味しんしん眺めはじめた。ラジエーター・キャップにかけられた広告には、ハイウェイ・ストレート・エイトという車種名、三百五十ポンド、破格の値引き、と記されていた。ときは繁栄の二〇年代なかばであり、まだ一般投資家がハイリスクな金融取引にたぶらかされて、陪審員や検死官などなどのお世話になるまえで、涙にかきくれる心配もなく所有財産の夢想にふけることのできるころだった。当時は、上等な中古車を五ポンドの頭金と数週間の分割払いで購入することなどできなかった。だから、このハイウェイは、カニング氏にはお買得車に見えた。

身ぎれいで威勢のよい若い男性販売員が店内から出てきて、カニング氏に挨拶した。

「いささかこのハイウェイに興味をひかれてね」カニング氏がいった。「アメリカではよく乗ったものだが、こちらでは一度も見た記憶がない」

カニング氏の抜け目なく毅然とした顔つきを慎重に品定めした若い販売員は、すでに好敵手であるとの結論をくだしていた。（ときにはちょろいほど楽なお客がいる！）しかし、明らかにこの相手は、三百五十ポンドがこれ以上勉強できないぎりぎりの価格だと、たやすく説得できるような人物ではない。「そうなんです、お客さま」販売員は答えた。「素晴しい車ですが、なにしろ生産台数が少ないうえ、英国市場には高価すぎるものですから」

「この車は、どういうしだいで入荷したものかね？」

「さるアメリカの方が、こちらに渡る際一緒に持ってこられ、当方に売却されたものです。一九二四年型でございますから、とびきりのお買得車です」

「ほう、そいつはあとになってみなければわからないがね」カニング氏はそつのない笑みを浮かべ、多かれ少なかれ、自動車に対する高度な素養を楽しむ者の口調で答えた。それから車の外観を徹底的に調べ、心を決めた。

「うちの運転手に点検させたい」カニング氏はいった。

「その判断がよしとなれば、付け値を提示させてもらう」

「そうおっしゃられても――」

「これが運転手の住所だ」カニング氏は、落着いて続けた。「明日、そこへまわしてくれたまえ。運転手には、わたしから車が来ると伝えておく。では、よろしく」

続く数日間のうちにカニング夫人と娘はハイウェイのあら探しをしたが、外観、装備ともお眼鏡にかない、運転手からも走行機能に関してＡ１のお墨付きを得た結果、二百七十ポンドの小切手の持ち主がかわり、カニング氏のお抱え運転手のウィリアム・トンクスが、サリー州ギルフォード近郊のグレイ・ロッジへと運転してきた。運転手は後部座席の背凭《せもた》れの、淡黄褐色のコールテンに付着したいささか大きめの黒っぽい染みにカニング氏の注意をうながし、うちの家族の責任ではないと思うと話した。カニング氏はまえからあったと断言して、彼を安心させた。店で見たときから気づいていた、といった。

　財を蓄える過程で、カニング氏は西サリーに、きわめて快適でおもむきのある自宅をすでに建てていた。本人および家族の所有するそのほかすべてのものと同じく、これは相続税の対象にはならないとしても、累進付加税の対象にはなると思わせるものだった。地域社会における彼の社会的地位は、確固としたものになっていた。というのも、太って貫禄のあるカニング夫人は、抜かりのないスコットランド人気質のもてなし上手で、上流の人々をくつろがせる柔軟な能力に恵まれており、アンジエラのほうは快活かつお洒落で、球技がうまかったからだ。翌日の夕刻、帰宅した彼は、女性陣が早くも車に乗って出かけたのを知った。その評判は上々だった。カニング夫人は、片方のウィンドウがガタついているもののスプリングの具合と後部座席が気に入り、アンジェラは時速七十マイル出るスピードに満足していた。「でも」アンジェラはつけ加えた。「ジャンボは大嫌いみたいよ」

「どういう意味だ？」父親はたずねた。

「だって、乗っているあいだずっと情けない声でくんくん鳴いてばかりで、そわそわしていたし、家に帰るなりしっぽを巻いて庭へ逃げだしたのよ」

「ほう、あの車に慣れさせなきゃいけないな」カニング氏は、甘やかされたぐうたらのスパニエル犬に、これ以上ばかなふるまいは許さないという厳しい口調でいった。「トンクスは、コールテンの染みを取ったか？」

「今夜、やってるわ」アンジェラは答えた。「ガソリンを使って拭けば簡単よ」

　夕食後、家族で暖炉の前に落着き、ジャンボが前足を火格子に入れていたとき、いつもなら乗せてもらえると期待して大興奮するはずの車用警笛のオモチャを、カニング氏は試しにジャンボに見せてみた。ところが、今回は主人を不安そうに見上げ、お義理でしっぽを振ったにすぎなかった。「ほらね」愛犬の気持がよくわかるアンジェラがいった。「あの子には古い車か今度のか、どっちに乗せてもらえるのか、わからないのよ」

「さもなきゃ、にぶいのか！」父親はいった。「寝ぼけてるんだろうが」しかし、なかば確信していた。「いずれにせよ」彼はやがて続けた。「土曜日、わたしはサウス・ヒルのゴルフへやつを一緒に連れて行く。かねがねいっているとおり、やつはまったくうすらばかだ」

「どうして、かわいい子じゃないの！」カニング夫人が怒っていった。「いい子ね、さあいらっしゃい」ジャンボはふらつきながらしぶしぶ夫人のもとに歩んだが、その態度は、自分の魅力への愛情ある評価は嬉しいけれど、火格子に足を入れて気持よく眠っているところを邪魔するなんてあんまりだといわんばかりだった。「わたしたちは、明日、タルボット家へ行ってくるわ」カニング夫人が続けた。「でも、雨になるようなら、駅に車をまわす時間までにもどってきます」夫は眠そうにぶつくさいい、また《カントリー・ライフ》誌に熱中した。

「ちょっと、ウィリアム」翌日の午後三時に、アンジェラがいった。「染みが取れていないじゃないの」お抱え運転手は、そのあてこすりにむっとしたようだった。その態度は、まだお下げ髪だったときにアンジェラ嬢が運転を教えてもらったことを思えば、いま少し敬意のこもつたあつかいをすべきだといっているようだった。「精一杯やったんですよ、お嬢さま」彼は答えた。「ガソリンをつけてごしごし拭いたんですが、どうも変わりないようです」

「これって、なにかしら」アンジェラがいった。

「わかりません、お嬢さま。でも、昨日の夜さわったときは、べとついてました」

「いまは、すっかり乾いてる」アンジェラは断言した。「今夜、またやってみてちょうだい。あら、お母さまが来たわ」

タルボット家は、二十マイルほど離れたところに住んでいた。タルボット家の娘は、アンジェラとは同窓生だった。最近、息子のボブ・タルボットはアンジェラの名前が出るとひどく顔を赤らめるようになり、本人をひどく無念な思いにさせ、近在の連中を喜ばせ、小娘たちを忍び笑いさせた。タルボット家は育ちがよく、有力な親戚に恵まれ、州内きっての名門だったが、金銭面ではかなり困窮していた。カニング家は、まだ過渡的段階にある都会的な知的職業階級に属するにすぎないが、上品な人々で財政的には上り坂にあった。そういうわけで、両家はすぐに、たがいに補足しあう好一対であるとみなされた。おたがい家族ぐるみで楽しくつきあい、ハイウェイを誉めちぎられたカニング母子が家路についたのは、六時をまわっていた。わずかな距離を走ったところで、アンジェラがいった。「かなり蒸してきたわね、お母さま。ウィンドウを下げましょうか？」

「ええ、そうしてちょうだい。変な臭いがしない？　かびっぽくていやな」

「あら、ちょっと湿っぽいだけよ」アンジェラは答えた。「こっちのほうだと風が入りすぎるから、お母さまのほうをあけるわよ」上体を乗りだしたアンジェラが、やがて急に声をあげた。「やめてよ、お母さま。なんでそんなことするの？」

「わたしがなにしたっていうの？」

「喉に手をかけたじゃないの！」

「いったいなんなの？　そんなことするもんですか！」

アンジェラはウィンドウを下ろして黙りこんだ。なぜお母さまは、見えすいた嘘をつくのかしら？　すごく強い力で喉をしめたのに。怪我するところだった。あんなおかしなまねをしたり、なんにもしてないふりをしたり、ちょっとお母さまらしくない。そりゃまあ、人間誰しもときには、ばかみたいになるものだけど。アンジェラはべつのことを考えようとした。おばかさんのボブについて考えた。すごく優しかったわ。「ロバート・タルボット夫人」って、どんな響きかしらね？　そんなに悪くないけど、まだしばらくミセスにはなりたくない。自分の気持がかたまるまで、彼をあんまりのぼせ上がらせてはいけないけど、きっぱりあきらめさせてもだめ。この思慮深い中庸がどんな結果をもたらすか、彼女にはかいもくわからなかったが、なによりたいせつな問題の対処法を見つけたお手柄に、その心はおおいになごみ、機嫌も直ったので、母親の大人げない悪ふざけも大目に見ることができた。車から降りるとき、彼女は身を支えるため座席の背に手をついた。母親のあとに続いて家に入るまえ、アンジェラはトンクスを振り返り、指を揃えて見せつけた。

「この染みは湿ってる」アンジェラは彼にいった。

トンクスはライトをつけ、自分の指でさわった。「多少そんな気もします、お嬢さま」彼はあいまいにいった。「今夜、また拭いてみます」

玄関広間に入ったアンジェラは、指をよく見た。そしてハンカチでぬぐい、しげしげと眺めた。彼女は困惑したように鼻にしわを寄せ、自室へ上がった。

翌朝の土曜日は素晴しい好天に恵まれ、カニング氏は九時半に車をまわすよう命じた。ガレージの曲がり角から車が私道に入ってきたとき、彼はジャンボと一緒に待っていた。ジャンボは探るようにちらりと車に目をやると、ゆるやかな駆け足で庭へと逃げだした。「ジャンボ、ジャンボ、もどってこい！」主人が高飛車に命じた。なんの効きめもないので、カニング氏は色めきたって追跡にかかった。やつは見つかった。シラカバの木の背後からのぞいている。腹だたしくも無益な追跡劇が続いたあげく、明らかに警戒して尻込みしていたにもかかわらず、ジャンボは甘い言葉にも策略にもひっかからない。そのためカニング氏は、遠くから山ほど悪口をあびせかけ、近いうちにたっぷりお仕置きを加えてやるぞと言い捨てて車にもどった。むかむかしているところで染みが目に入り、なおさら苛立ちがつのった。「取れなかったのか、ウィリアム？」カニング氏は厳しくたずねた。

お抱え運転手は、その件に触れられたくない自分なりの理由があったから、最善をつくしたがまったく落ちなかったむね、丁重ではあるがきっぱりと答えた。「ふん」カニング氏はいい、「サウス・ヒル・ゴルフクラブへ」とつけ加えて、葉巻に火をつけた。

彼は二度のラウンドで昔からの好敵手、ボブ・ペラム氏を敗り、たっぷり昼食をとり、いい汗をかき、帰途につく直前ウィスキーソーダをかなり飲んだ。そのためすっかりご機嫌になっていたが、車に乗るためクラブハウスを出たときには眠気を催していた。彼はロッカールームからペラムが現われるのに気がついた。先に車へ近づきウィンドウをのぞきこんでいる。カニング氏はすぐに彼の脇に立った。

「あれ、きみはそこにいるのか」ペラムがいった。「変だな、確かきみは車内にいたはずなんだが」

「だったら、それ以上飲むのはよしたほうがいい」

「そうだな」相手が答えた。「だが、確かに見たんだ。まあともかく、気をつけて帰ってくれ。天気がまあまあなら、また来週の今日、十時半だぞ。それまでには、いまいましいフックを直しておくから、札入れを忘れるなよ」

「スライスが好きだって、わたしはかまわんよ」カニング氏は答えた。「ではまたな。ウィリアム、わたしは助手席に乗る」彼は続けた。「後部座席は蒸れた臭いがする」

ヘッドライトの光が届くところ以外は暗くて見えなかったから、彼はすぐに目を閉じた。するとまもなく、不意に車が猛スピードで走りはじめた気がした。トンクスに声をかけようとして瞼を開いた彼は、身動きもできず口をきくこともできないまま、なにかが背中に強く押しつけられているのに気づいた。どうした？　なにが起きたのか？　どこを走っているんだ？　こいつはギルフォードの道じゃない！　狂気じみた速度で彼らは平原を――ぼんやりかすんだ地域を疾走し、瞬時に通過した十字路に見慣れぬかたちの道標があり、かろうじて「シカ〇《ゴ》」という文字が読めた気がした。ほどなく、後部座席からげびたささやき声がした。「こいつらに、おとしまえをつけてやれ」一瞬にして彼は、確実かつ切迫した死の、比類ない苦悶の恐怖をおぼえた。悲鳴があがり、頭部を炎が貫き、轟音が響いた――そしてトンクスが仰天した声で喋っている。「どうしたんです、だんなさま？　どうしました？　お怪我は？」

　車が急ブレーキで止まった。カニング氏はしばし震えて沈黙していたが、やがてかすれ声でいった。「なにが起きたんだ？」

「肘でウィンドウのガラスを突き破ったのです、だんなさま。見せてください。だいじょうぶです、だんなさま。お怪我はありません」

「あの悲鳴はなんだったんだ？」カニング氏は、漠然とコートの肘のあたりをあらためながらたずねた。

「悲鳴ですか、だんなさま？」

「ああ、女性の悲鳴だよ」

「悲鳴など聞こえませんでしたが」

「ならいいんだ」カニング氏はいったん口をつぐんで続けた。「うとうとして夢でも見たんだろう。発車してくれ、ただしゆっくり走るんだ。月曜日にはガラスを入れてもらおう」三十分後、車を降りながら彼はいった。「女性陣にはわたしから説明しておく」

「承知しました」トンクスは答えた。「ご気分はいかがですか、だんなさま？」

「なんともない、だいじょうぶだ」

　最初の踊り場の手摺からジャンボが頭を出し、心配そうに目をきょろきょろさせてのぞいていた。「よう、ジャンボ」主人がいった。「いい子だ！」思いもよらぬ優しい言葉に安堵してジャンボの耳がぴんと立ち、この予期せぬ休戦を恒久的なものにしようとばかり、どたどたとあわてて階段を下りてきた。カニング氏はその耳をいじくり、尻をたたいた。「こっぴどくぶたれても当然なんだぞ、こいつめ。しかし、今度ばかりはかんべんしてやろう」

　夕食のとき、車のガラスを割った件を、できるだけさりげなく切りだした。「ばかに肘の位置が、おかしなところにあったものね」妻が感想を述べた。

「ああ、どうしてかな」カニング氏は答えた。「眠ってたから、なんかのひょうしに突き上げたんだろう」

「トンクスは、染みを落としたんですか？」妻はたずねた。

「まったくもう、うんざり！」アンジェラが無愛想にいった。「しつこい染みね。そんなにひどく目立つわけじゃないんだけど」

「まあ、さしあたり目をつぶっておこう」カニング氏が同意した。「なんの染みだか知らないが、布地のなかまで滲みついてるようだ」しばらくは、あの車についてもう話題にしたくない気分だった。

　あとでベッドに入ったカニング氏は、また不愉快な夢を見るのではないかという不安にとりつかれた。もちろん、夢にすぎなかったが、あんなにひどいのははじめてだった。あの悲鳴たるや！　いまだに苦悶と恐怖の残響が耳についている。そして、あの下品なささやき声！　彼は少し身震いした。ふむ、そう、ただあんなに生なましい夢には慣れていないからだ。それだけのことだ。彼は最初のラウンドでのプレーを頭のなかでたどりはじめた。第一ホール――ドライバーはよく飛び、フェアウエーからの二番ウッド《ブラッシー》でグリーンの左へ、バンカー越えのピッチショットをまんまと決め、パット二打で沈めた。これで、ワン・アップ。第二ホール。ティーショットはスライス気味、三番アイアンは少しトップしてしまって、それから――それから、日曜日の朝八時になり、叱られるようなことはしていないごほうびにビスケットがもらえると思って、ジャンボがドアをあけてくれとガリガリひっかいている。もっとも、やつはしばしば判断を誤るが。

　続く数日間、女性陣もカニング氏も、日が暮れてから車を使う用事はなかった。カニング夫人は咽喉カタルになり、陽気なお喋り屋のゲーブルズ先生が往診に訪れた。

「うちの新しい車をごらんになります？」先生が帰る際に、アンジェラがたずねた。

「そうだな」先生はいった。「インフルエンザが大流行したら、わたしももう一台買えたんだがな」

「がっかりしないで」アンジェラが答えた。「おたふく風邪やはしかの時期のほうが、いいかもしれないわ。先に歩いていてください。ガレージの鍵を取ってきて追いつきます」

　アンジェラが玄関から出てきたとき、ガレージへ入る曲がり角に先生の姿が隠れるところだった。すぐに先生の「やあ、今晩は」という声が聞こえてきて、彼女を少し驚かせた。彼女が追いつくと、先生はかなりとまどった口調でいった。「トンクスはどうかしてるんじゃないか」

「トンクス？」アンジェラはいった。「とっくに家へ帰りましたけど」

「いや、そんなはずはない。ガレージの扉の前に立っているのを見た。だから、挨拶したら、角を曲がって消えてしまった。無礼なやつだ！」

「まさか、ありえないわ」アンジェラはそっけなくいった。彼女は扉の鍵をあけて灯りをつけ、二人はなかに入った。

「ハイウェイははじめて見るが、スタイルのいい車だ」先生はいった。ボンネットのフラップを上げ、いわば車の消化器系をわけ知り顔で眺めた。「車内を見ようじゃないか」先生はドアをあけてのぞきこみ、一、二度鼻をひくつかせた。乗りこんで腰かけ、頭をもたせかけた。

「おっ」先生は驚きの声をあげた。「頭になにかがくっついた」首をひねって、染みを目にした。「こいつがくっついたのか。なんだいこれは？」

「さあ、知らないわ」アンジェラはいった。「買ったときから車についていたんです。存分に見ました？」

「ああ」先生は答え、車を降りた。「いい車だ。では、もう失礼しなくては。一時間のうちに人口増加に手を貸さなくてはならないのでね。近頃ではまったくの反社会的行為というわけだが、人間食べてゆかなくてはならん。朝になったら、電話で母上のようすを報せてくれ。あのうがい薬を続けさせるように。じゃあ、おやすみ」

自宅までぶらぶら歩きながら、彼はひそかに考えた。「あの車はひどく異様な臭いがする。あれを嗅いだとき、ボワ・グルニエちかくの前線応急手当所にもどったような錯覚におちいりそうだった。少しばかり嫌悪感をおぼえたのは、たぶんそのせいだ。あのトンクスのやつは、問題にするまでもないだろう。かねがねまじめ一方な男だと思っていた。それにしても、最前の消えようは奇妙だった。やっぱり、あれは別人だったかもしれない。いずれにしろ、わたしにはかかわりのないことだ」

土曜日の朝は、結局、底冷えがして晴雨計が下がり、まぎれもない雨の匂いのする大荒れの天気となった。そのため、前夜フリーメーソンの夕食でポートワインを飲みすぎてしまい、嫌悪とともに夜明けを迎えたペラム氏は、今日はゴルフに適した天気ではないというカニング氏の意見に一も二もなく賛成した。後者は朝食後、庭の散歩に出た。しまいにカニング氏はガレージに向かった。外でトンクスが車を磨いていた。カニング氏は彼に声をかけ、元気かとたずねた。「おかげさまで、とても元気です、だんなさま」彼は答えた。しかしながら、顔色と声の調子はほど遠い。

おや、どこかおかしいぞ、とカニング氏は思った。トンクスは、彼の主人と同じくロンドン子だった。もともとの出自は、同じ階級だ。それゆえ、二人はおたがいを直感的に了解できた。カニング氏と、ありとあらゆる階層に属する田舎者のあいだには、誤解という深淵が横たわっていたが、トンクスのようなロンドン子のことは知りつくしていて、なにか隠しているのがぴんときた。

「ところで、ウィリアム」彼は優しいが毅然とした口調でいった。「どうしたんだ？」

「べつになにもありません、だんなさま」

「うちに来てから、七年と六ヵ月になるな」

「はい、だんなさま」その正確さに、かなり気をよくして答えた。

「で、このかんわたしに何回嘘をついた？」

「故意についたことは、一度もありません」

「だったら、いまさらやめるんだな、ウィリアム。なんだ――金か、女か、そんなたぐいの悩みごとか？」

「どちらでもありません」

「そうだろう。ではどうしたんだ？」

トンクスはしばし地面に目を伏せてからいった。「ばかばかしいと思うでしょうが、だんなさま」

「その判断はわたしがする」

「だんなさま、あの、わたしはいささか怖いんです」

「怖い、怖いだと！　どんなふうに？」カニング氏はたずねたが、どういうわけかそんな答を予期していたことをぼんやりと不思議に思った。

「それがよくわからないんです」トンクスが答え、秘密を打ち明けたいまは、口もほぐれてきた。「ばかばかしく聞こえるのも、そのためなんです。しかし、こうなったのは、ハイウェイが来たのと同時だという気がします」

「ガレージに来てからということかね？」

「はい、だんなさま」

「それで、なにがあったんだ？」

「はじめはまわりに誰かがいて、わたしを見守っているという感じがしただけです。わたしは周囲を見まわしたんですが、誰も見当たりません。しかしどういうわけか、三人いるように思えました。それ以来、ずっとそんな調子なんです。日が暮れるといつでも。うしろに三人やってきて、立って見ている気がします」

「それだけかね？」ややあってカニング氏がたずねた。

「あの、だんなさま。ある夜、車をガレージに入れていたとき――扉をあけ、灯りのスイッチを入れようとしたときです――すぐ近くでささやき声がして、誰かにさわられた感じがしたこともありました。それ以外にも、日が暮れてからここに来るといつでも、いわば怪しげな事件が起こりました。一人でいるという気がせず、つねになにか起きると思ってしまうんです、だんなさま。ところで、わたしには叔母がおりまして、幻覚や幻聴を体験したあげく、頭がおかしくなってしまいました。ですから、わたしも同じようになるのではと、気が気じゃなかったんです。もしも、そうなりかけているんだとしたら、車の運転はやめるべきかと思っていました」

「ばかをいうな！」カニング氏は厳しく答えた。「ただの思いすごしだ。きみはほかの人間と同じように正気だ」

「確かに感じるんです、だんなさま。しかし、それにしてもなぜわたしはありもしないものを見聞きしたり、触れたりする錯覚にとらわれてしまうんでしょう？」

「なんでもない、なんでもないのさ！　そんな経験をする人はたくさんいるよ」

「ほんとうですか、だんなさま？」

「そう！　そうとも！　くだらんことはこれ以上考えるな」

「わかりました。努力してみます、だんなさま」

　次の一時間、カニング氏は庭をぐるぐる歩きまわった。醜悪で不穏なばかげた考えが、なかに入れてくれとばかり心の扉をたたき続けていた。かねがね自分があざ笑い、熱心にその可能性をばかにしていたが。つかのま悲鳴の残響が頭のなかに谺し、車に対するアンジェラの不審顔がよみがえった。もちろん、すべてばかげたことだ。愚にもつかない妄想だ！　彼はそれらを頭から振りはらった。気の滅入る日だし、一週間懸命に働いたあとだ。すべて、たわごとにすぎない！　カニング氏は、陽気な曲を口笛で吹きながら、極上のシェリー酒の壜をあけようと、屋内にもどった。

　木曜日、アンジェラは近所の家のハードコートでテニスをするため、車で出かけた。帰宅した彼女に、執事のウォーカーは疲れて動揺しているようだと注意をうながした。アンジェラは、ブランデーを持ってくるよう命じた。ひと口で飲みほすと、頰に赤味がもどった。夕食のあいだ彼女は黙りこくっていて、うわの空だった。それに気づいた父親は、母親の風邪が移ったのかもしれないといった。アンジェラは苛立って、病気などかかっていないと答えた。しかし、アンジェラがいつもよりワインを多く飲んで、少し気力を回復したのが父親にはわかった。夕食後、読書をすると偽って、アンジェラはすぐベッドにもぐりこんだ。

　月曜日の朝までにはカニング夫人の喉の調子はよくなったが、ゲーブルズ先生は外出を禁止していた。夫人はどんな束縛も大嫌いな、性急で活動的な人間だった。さらに悪いことにアンジェラは買い物のためロンドンへ出かけてしまって、相手がいなくて退屈していた。家事はあらかた午前中で片づいてしまった。昼食後、少しうとうとして、爪の手入れをおこない、さらに発禁すれすれだと出版社が巧みに宣伝している小説に没頭しようとした。しかし彼女は、二十歳の女性作家から、妻にして母親である四十九歳の自分が得るものはほとんどないのを知った。夫人はあくびをして思った――セックスなんて、多くの人が愚かにも相手によってちがうものであってほしいと願っているだけで、どのみちいつも同じだわ。午後のお茶の時間のあと、居ても立ってもいられなくなった。機嫌が悪くなってきた――アンジェラは自分を残して行くべきではなかった。ジャンボのいびきが癇《かん》にさわった。叫びだしたくなった。ゲーブルズ先生は空騒ぎしすぎよ。突然、夫人は決心し、鈴を鳴らしてマーサを呼び、すぐ自分のために車をまわすようウィリアムに伝えてくれといった。たくさん重ね着することで自分の良心を説きふせ、一階に下りた。「一時間かそこら、気晴らしにドライブしてちょうだい」彼女はトンクスにいった。

「でも、幹線道路は走らないで」

しばしカニング夫人は走る喜びにひたり、落日の光をあびたサリー州がなんと美しいことかと思った。やがて、とりとめなくあれこれ考えはじめた。車内はとても暖かだった。思考はますますだらけ、やがてこっくりしだした。そのうち、夫人はなんとなく誰かにさわられた感じがして、驚いて目を覚ました。ひどく暗いのに気づいた。ずいぶん速く走っているんじゃない？　どうしたのかしら？　夫人は素早く何度もまばたきした。そして、ほんの少し両肘を動かそうとした。よくよく落着いて考えなければ。ウィリアムの運転でドライブに出かけたけど、眠ってしまったにちがいない。なぜウィリアムは、あんな変な帽子をかぶってるの？　それに、助手席に坐っているのは誰？　しかも、なぜ自分の両肘が動かせないの――まるで、手でつかまれているかのように。なにがあったのか？　気でもちがったのかしら？　唐突に、激しく上体を前に突きとばされ、もだえたひょうしに手荒く喉を押さえられた気がした。夫人は身をよじり、もがき、悲鳴をあげようとした。大きく見開いた目の前で、閃光が発し、頭がひどく後方に押しつけられ、息ができなくなった感じがした。

カニング夫人は、道路脇の草の生えた土手に横たわっていた。トンクスがかがみこみ、コップに入ったなにかを飲ませようとした。ほかの誰かが頭を支えていた。「よくひきつけを起こすのか？」誰かがたずねた。

「そんなことありません。これはひきつけではないと思います。意識が回復してきたらしい」

カニング夫人が目を開き、両手を喉にやった。「ここはどこなの？　あれは何者なの？」彼女は金切声をあげた。

「だいじょうぶです、奥さま」トンクスは優しくいった。

「気を失われたんです」夫人はまた頭を落とし、目を閉じた。

「医者に連れて行ったらどうだ」見知らぬ男がいった。

「ご親切にありがとうございます」トンクスはいった。

「まずは、自宅へもどったほうがいいと思います」

「それもそうだ」もう一人が答えた。彼らは夫人を車内に運んだ。

「替わりに運転していただけますか？」トンクスがいった。「わたしが付き添っているほうがいいと思います。最初の角を左に曲がって、二マイルほど行ったところです」

「よくなりましたが」二時間後、ゲーブルズ先生がいった。「ある種のひどく深刻なショックを受けています。車内で襲われたと思いこんでいるらしく、精神的にはまだ不安定な状態です。強い鎮静剤をあたえておいたし、看護婦がすべて心得ています。わたしは朝一番で診察に来ましょう」

「お父さま」先生が帰ると、アンジェラがいった。「あの車、どことなく気味が悪いわ！」彼女は蒼白で、まだ震えていた。「わたしにはわかる！　わかるのよ！　このまえはいわなかったけど、木曜日に車で帰ったとき、私道に入る直前で暗くなったとたん、突然誰かが隣にいる感じがしたの。ほんの一瞬――家の灯りが見えてくるまで――だったけれど、なにかがいたのよ」

カニング氏は、遠くを見る目つきになってしばし黙っていた。やがて彼はいった。「あの車は、二度と使わないことにする」

翌日、カニング氏は幾つか問い合わせをした。最初は、グレイト・ポートランド・ストリートの店へ。次はアメリカン・エクスプレス社へ。その結果、彼は次のような手紙を、シカゴのある住所へ送った。

拝啓
わたしが最近購入しましたハイウェイ・ストレート・エイトの、先のオーナーは貴兄であるとうけたまわっております。当方の用件を申し述べるのはたやすいことではありませんが、わたしども家中の者がこの車に関してある体験をした結果、わたしはなんらかの方法でこれを処分する意を決しました。しかしながら売却すれば、ほかの方に同様の体験をさせてしまうかもしれないと思うと、強いためらいをおぼえます。以上の経緯は、貴兄には不可解かもしれません。もしそうであるなら、ご返事にはおよびません。しかしながら、もし貴兄からこの問題に関してなんらかの説明がいただけるとしたら、わたしにとりましてはきわめて有益な指針となりましょう。

敬具

Ａ・Ｔ・カニング

三週間後、彼はイリノイ州シカゴ市ミシガン・アヴェニューから、次の返事を受け取った。

カニング殿

ある点ではお手紙をいただき、たいへん嬉しく思いましたが、べつの点ではいつになく滅入ってしまいました。そのときも、またそれ以後も、わたしはあのハイウェイを売却する資格がないのはわかっていました。まさに考えと行動はべつという実例です。もはや、あの車でどんな不吉なことが生じたかきちんと思い出せませんが、たとえ千ドル積まれてもまたあの車で夜のドライブをするのはごめんだと思っています。そんなわけで、あれを売却したのは完全な誤りでした。弁解の余地はございません。あの車の前歴はこういうしだいです。当市には金髪のビューラ・クラッツという名の有名な娼婦がおりました。彼女はたくさんの凶悪なギャングたちと親交があり、恐喝と売春を生業としていました。そして、ヤク中のソルドーンという名のギャングの若僧とねんごろになったのです。しかも二人は、ある仕事の分け前が少なすぎると考えました。そのため仲間のギャングたちを裏切ろうとしました。あげくの果てに二人は一夜、街から遠くへ連れ出され――ガソリンは使い切っていたと思われます――翌日、ハイウェイの車内で死体となって発見されました。金髪女はナイフで刺されたうえ、絞殺されていました。そして、ギャングのほうは抵抗の余地もありません――ヤク中は背凭れごしに大口径の銃弾をあびせられていました。さて、当地の地方検事をつとめる友人がその車を引き取ったのですが、あっというまに熱がさめ、ヨーロッパに渡ることになっていたわたしに譲ったのです。そこでわたしは、一緒に車を帯同したしだいです。しかし、二、三度乗ったあとで、すぐに手放しました。理由はおわかりだと存じます。

　というわけで、カニングさん、わたしの希望は次のとおりです。まず第一に、いかがわしい取引にあなたを巻き込んでしまったことをお許しください。したがって、同封の小切手により、ハイウェイに支払った金額を充当していただきたいのです。さもないと、わたしはひどく後味が悪い思いをします。次に、あの自動車を始末していただきたい。海中に投じるか、踏切でエンストさせるか、プリモ・カルネラ（一九三三年世界ヘビー級王座に就いた、大男のボクサー）と勝負させるか――とにかくなんとか始末して、二度と誰もあれに乗らず、わたしのような恐ろしい体験をしないように。あなたならやってくださると存じます。申し遅れましたが、金髪女とヤク中を片づけた連中は、この近くの刑務所で電気椅子のお世話になりました。

　またヨーロッパを訪ねる機会がありましたら――お差しつかえなければ――お目にかかるつもりでおります。さて、どうかカニングさん、すぐに小切手をお使いください。そして、あなたのお許しが得られるならば、これにまさる喜びはございません。

敬具

ジョージ・A・カムショット

カニング氏は、一点の曇りもない良心にしたがい、その指示をすべて実行した。

ピーター・ヘイニング編『死のドライブ』（文藝春秋　二〇〇一）より再録

怪談は紳士の嗜み

壁の中の蜂蜜

The Honey in the Wall

オリヴァー・オニオンズ　Oliver Onions

坏香織 訳

日本初の作品集『手招く美女　怪奇小説集』（国書刊行会）が注目を集めるオニオンズだが、同書収録のエッセイ「信条」で披瀝した彼の怪奇小説観を反映した中編を、ここにお届けする。幽霊の出現を描かないゴースト・ストーリーという、希少な逸品をお楽しみいただければ幸いである。初出は一九二四年の *Ghosts in Daylight* で、三五年の *The Collected Ghost Stories of Oliver Onions* にも選ばれた。

その誘惑のひとかけはなんなのだ
汝が燃え上がることを
我らに強く渇望させるものは
天をつかさどる主《ぬし》が
汝を愛のために作らなかったのだとすれば？

「イヴへ」フレデリック・ミストラル

一

芝の広がる中庭の向こうの、崩れかけたノルマン様式の壁の中から見つかったのは――重量二十ポンドを超える蜂の努力の結晶。いったいどれほどの昔からそこにあったのかは、誰にも見当がつかなかった。蜂蜜は、男の腕ほどの奥行きがある洞《うろ》の中に眠っており、それを引き出すのにはハシゴを使い、絡んだツタを切り払い、壁の上から草やカノコソウやアラセイトウを一掃しなければならなかった。いかにも見目のよくない塊が次々と取り出された。タールのように真っ黒で、土をはじめ、モルタルの欠片《かけら》や粉などがこびりついている。それでもメイドがそこに刃を入れ、ゆがきながら外側の汚れを落とすと、大昔に失われた花より集められた蜜が、いくつもの瓶をたっぷりと満たしたのだった。

　ツタやアラセイトウは集めて燃やしたが、蜂蜜の眠っていた穴については、訪れた人が見られるよう、そのまま残すことになった。

　かつては修道院だった邸宅の客たちが、見にくるようにとジェルヴェーズに手を振っていた。けれど彼女のほうは彼らを見下ろしたまま、絵の飾られている小さなギャラリーの窓のくぼみにじっと立ち尽くしていた。そして今日もふと、そもそもどうして、この家にお客がいるのかしらと思うのだった。お客！　お客など呼べる立場なのかしら？　ここまで追い詰められながらも、この家にはまだ、お客をもてなす余裕があるとでもいうかのように！　そう、表面的には贅沢な暮らしをしているように見えるかもしれない。まろやかな丘の上に立つ元修道院は、いかにも堂々としている。周りには農地（耕しているのはよその人間だが）、朽ちたノルマン様式の塔に挟まれた芝の中庭、食堂だった建物の壁の遺跡、ゆがんだ組み合わせ煙突、破風が階段状になった礼拝堂があり、オークの森はこの地方においても有名で、後ろの丘をさらにこんもりと高く見せていた。人々はフォードの車や自転車や徒歩で、この一帯に広がる荘厳な景色に目を向けながら通り過ぎていくのだ。

　だが時々は大きな門の前に車が止まり、降り立つ人がいる。客ではない。客とは呼べない。彼らはスピンクやクリスティーズ（いずれもオークション会社）をはじめ、キング・ストリートやペルメル街のどこかから言われて約束を取り、やってくるのだ。そして彼らの応対をするのもジェルヴェーズの仕事だった。ときには一日を丸ごと彼らと過ごすこともある。不動産業者、カタログ製作者、価格査定人、カメラマンなど、あらゆるたぐいの下請け人たちだ。ジェルヴェーズもできるかぎりは礼儀正しく応対する。できないときは、母親が常に繰り返してきた不平を口にする。「残ったものはもう少し広げておくようにしてください――ひとつの部屋から何もかも持ち出さないで――できるだけこれまでと同じ状態に見えるように――とにかく、なんとしてもお金に換えてくださらなければ！」

　お金！　ジェルヴェーズは小さなギャラリーの中で

苦々しく思った。なんのためのお金なの？　たまった借金の返済費用、維持費、修理代？　悪夢のような税金、銀行の当座借越、担保ローンの利息。いったいどれに当てる？　フン！　ジェルヴェーズはこういったことに何の知識もなかったが、その問題に手をつけるには弁護士や会計士の一団と、統合整理法にかかわるあれこれが必要になることくらいはわかっていた。しかも、母親に相談したところで役には立たない。母親はとくに考えもなく、ジェルヴェーズの言うことには、なんにでもそそくさと同意してしまうのだから。

「ええ、ええ、わかっていますとも！」母親のレディ・ハロウは、天板にパッドのついた小さなカードテーブルの上でペイシェンスのカードをいじり、あるいは組み立てている大きなジグソーパズルのピースをはめながらぼやくのだ。「ほんとうにひどいこと！　けれどこの屋敷は北側と西側をすっかりと、ほかにどなたもいないときにはビリヤード室さえ締め切っているのよ。こうして小さな片隅に暮らしているわけだし。あなたが幼いころには十二人も庭師がいたのに、いまではたったひとりで、あとはジャイルズの息子がいるだけ。あなたはなんでも自分でやり過ぎですよ、それでは――」

　ツタがガラスの向こうで行き場を失い、戦争がはじまってこのかた手入れのされていない庭はジャングルさながらで、木材や鉄材からはペンキが剥がれ、いくつかの窓が理由もなく割れてしまったところには半ダースもの植物が芽を出し――少なくとも煙突のひとつは危険な状態にあり、芝地には牛がいて、残っている使用人には食事と給金を与えねばならず、威嚇するような恐ろしい手紙や請求書が続々と届く――そんな状態で、お母様はまだお客を招いてしまうのだ！

「ええ、ええ、わかっていますとも！　まったくひどい状態ね！　けれどお客といっても、フレディとフィリップと、あの可愛いパメラなのよ！　あの子たちなら何もかも承知していますとも！　パメラったら、自分の部屋のことは自分でやりますし、そうでなければ行きませんなんて言うのよ。それにフィリップにはずいぶんと会っていないし――」

　そういうわけで、いま下の中庭からジェルヴェーズに手を振っている面々のなかにはパメラとフィリップとフレディも含まれていた。ジェルヴェーズを呼び、壁から見つけた蜂蜜を見にくるようにと誘っている。

　ジェルヴェーズはふいに顔を背けた。ほんの束の間だったけれど、彼らがその蜂蜜の存在を、単なる食糧として喜んでいるように思えたのだ。

二

ジェルヴェーズが立っているのは、ごく小さなギャラリーだった。菱形に仕切りの入った窓が三つあり、六歩ほどで横切れてしまう（ほかの絵画――つまり、かつて所有していた絵画――はアイルランドのとある場所に保管されていた）。居住に使っている区画からはだいぶ離れたところにあり、絵のほかには何もなくがらんとしている。石の壁に作りつけの暖炉は空っぽなままポッカリと口を開いており、低いソファが一台あるものの、布の埃よけシートが床まですっぽりとかけられており形さえよくわからなかった。マントルピースの上にも、壊れた鍵穴用の板と、摩擦マッチの入った箱が置かれているだけだ。空気のきれいな地方なのが幸いし、埃がほとんどないのはありがたいかぎりだった。

　だが窓に面している壁は、埃どころではない惨状に見舞われていた。壁を覆っている横畝《よこうね》織りの赤い布には、母親が〝ぼんやりしていた〟結果がありありと現れていた。何かを草の上に長いこと置いたままにすると、葉緑素が抜けてそこだけ白くなってしまうものだが、最近、その赤い布の上にできた傷跡といったら――まるでギャラリーに斧が振り下ろされたかのようで――ジェルヴェーズもせいぜい工夫はしてみたものの、大きな絵の掛けられていたスペースを、小さな絵でごまかすことはどうしてもできなかった。指金《さしがね》のような形をした跡がひとつ。それを横向きにし、少し大きくしたような跡がもうひとつ。かつて、そのふたつの跡のあいだには、ヘンリー・レイバーン（一七五六―一八二三　スコットランドの肖像画家）による四枚の絵が飾られていたのだった。

　レイバーンの絵が四枚も！　かつてこの小さなギャラリーは、そんなにも豊かだったのに！

　だがいまは、ヨハン・ゾファニー（一七三三―一八一〇　ドイツ出身の新古典主義の画家）の退屈な絵が二枚と、その両隣にピーター・レリー（一六一八―八〇　ドイツ出身のイングランド宮廷画家）の絵が一枚ずつ飾られているだけだ。とにかく何か額に入った絵をと、飾り棚や廊下から取り急ぎ移したものだった。それを指金に似た、痛々しい、赤い傷口のような跡がつないでいる。そのほかには――〝作者不明〟の絵が一枚あるばかり。レディ・ジェーンの全身像で、壁の真ん中にかかっていた。

　ジェルヴェーズは、ゾファニーとレリーの絵の前にぼんやりと立っていた。いずれも凡庸で、鋭さに欠けており、かつては卓越した作品が飾られていた場所を埋めているに過ぎなかった。だがジェルヴェーズは、レディ・ジェーンの絵がそこにあると穏やかな気持ちになれたことがなかった。何か近しいもの、近過ぎるものを感じるのだ。まるで彼女とジェルヴェーズのあいだには、直系の血筋をつなぐ何代もの人々など存在していないかのように。絵は湿った冬の葉を思わせる黒ずんだ茶色で、ニスにも葉脈の浮いた枯れ葉のように、全面に細かいヒビが入っている。それはまさに冬枯れの世界で——朽ちていく一家の富にも重なって見えた。締め上げたボディスと、詰物で膨らんだ袖を彩っている金色の飾り紐が、十二月の壁の上で枯れかけている花のようだ。そのなかからふたつのものだけが、古びて黄ばんだハープシコードの鍵盤のように、青白く浮かび上がっていた。ひとつ目はレースの袖口から伸びている指のほっそりした手で、片手にはハートの刺繍された小さなハンカチーフを握っている。ふたつ目は、トランプで組んだ城のように高い、布の頭飾りに包まれた顔だ。額《がく》にはガラスがはめられていないため、絵の要素がそのままに感じ取れるのだが、同時にそうとも言い切れないところがあった。その絵は、本来の姿を思い出せないほどに多くのものを失っていた。たとえ頬を彩る血色が、骨ばった眉を息づかせる輝きが描かれていたとしても、それは欠片も残っていない。すべてはあせやすい顔料とともに消え失せていた。それでいて、まつげのない目だけが、瀝青《れきせい》を固めた丸い玉のように黒味を帯びている。まるで絵具が同時に逆の化学反応を起こし、片方はその色彩を完全に失い、もう片方は宵闇のように黒さを増して、〝不明の作者〟とそのモデルを飲み込んでしまったかのようなのだ。

ジェルヴェーズは二十六歳。自尊心が罪なのであれば、すでに地獄に行くことが決まっているような娘だった。彼女の美しさも、その罪を深めるばかりだろう。穴飾りのついた平らな靴の上まで垂れている田舎風のスカートと、枯れ葉色の毛織のセーターという姿から、腰、肩、胸の女らしい曲線があますところなく見て取れる。その体は年とともに詰め物がほどこされ、ベールに包まれ、平板になり、表面を飾られることになるだろうが、いまのところは、そしておそらくは明日も、目覚めたアダムが見たはずの美を保っていた。形の崩れたフェルト帽が、怒りを宿した黒っぽい瞳と、蔑《さげす》むような口元を縁取っている。彼女は自分の周りで朽ちかけているこの場所を蔑んでいた。大切なもののすべて——ギャラリーの中を空気のように隅々まで満たしている、滑らかな、間接的な光に照らされているすべて——を裏切らねばならないこの屋敷を。カバーに包まれたソファの下や、装飾的な石の暖炉の奥が壁に飲み込まれる場所にさえ影は見えない。その蜂蜜色の光は、芝の中庭の向こうにあるノルマン様式の壁の照り返しによるものなのだ。だからこそギラつくことも、まぶし過ぎることもなく均一に、赤い横畝織りの布に覆われた壁、そこに浮いた跡、ジェルヴェーズのかかとが床と合わさっている細い線、そして彼女の髪やまつげの一本一本、くたびれたフェルト帽に包まれている不穏なものを宿した美貌をくっきりと照らし出している――。

　ジェルヴェーズはその日もまた、レディ・ジェーンに憎しみを覚えた。彼女の静けさが、手にしている不変性が、こちらにまとわりつくような漆黒の瞳に浮かぶ冷笑の色が腹立たしかった。変化ですって！　遠い昔に生きていたこの女が、変化について何を知っているというの？　もし彼女がわたしの立場に、わたしが彼女の立場にあるとしたら！　周りに何の変化もないのであれば、変わらずにいるのは結構なことだわ。けれどキング・ストリートやペルメル街からよそ者が次々とやってきて、屋敷の壁に襲いかかっては、すぐに支払いに回さねばならない金をあなたに払い、去っていくとしたら！　ジェルヴェーズには、まだ残っている絵もレイバーンに続くことがよくわかっていた。一階に一枚だけあるジョシュア・レノルズ（一七二三―九二　ロココ期のイングランドの画家）の絵についても同様だろう。彼女の居間には印象的な小品が飾られており、眼鏡と拡大鏡を手にしたどこかの誰かによるとアントワーヌ・ヴァトー（一六八四―一七二一　ロココ期のフランスの画家）の作品ではないとのことだったが、あれもやはり手放さねばならないだろう。おそらくはゾファニーとレリーの作品も。

　それでもレディ・ジェーンは残るだろう。画商はたいてい、〝作者不明〟の作品には大した額をつけようとしないのだから。

　ジェルヴェーズは、絵に描かれている女自体もあまり評価していなかった。壁の上の彼女は、まるでそこに拘束されているかのようだ。ほっそりした指にハンカチを握り、生気の抜けた白い顔に、まつげのない、やはり生気の抜けた黒い瞳。そのままの姿を信じるとすれば、いかにも徳の高い女性に見える――が、ジェルヴェーズは信じていなかった。トランプの城のような頭飾り、締めつけられた胸、かつては赤かったはずのところに黒く細い線だけが残っている口元。そのような姿にもかかわらず、ジェルヴェーズはこれっぽっちも彼女を信じていなかった。ハンカチを落としかけている指の形が疑わしかったし、ボドキンケース（ボドキンという紐通し用のケースで、装飾の凝ったものが多い）のような靴に隠された足は、本来なら開けるべきではない扉を開けたことがあるはずだと思った。あの漆黒の、じっと見開いているだけの瞳には、優しい光が宿ったこともあるはずだと。大昔の先祖であるレディ・ジェーンには、ジェルヴェーズに真実を伝えることなど許されない――なにしろ、そんなことをすれば首を切り落とされてもおかしくはなかった時代なのだ。だが、彼女が首を切られることはなかった。充分に用心深かったのだろう。とにかくレディ・ジェーンには、絵が写真に撮られ評価されるあいだ、図書室や文書保管室において、彼らが単調な声で「何か特別なウリはないですか？　チャールズ一世の持ち物だったとか、聖職者の巣穴（近世イングランドで迫害されたカトリック司祭の隠れ場所）から見つかったとか。なんでもいい、ありきたりではない何かが欲しいんですよ――客はそこに食いついてくるのでね――」などと言うのを聞く必要はなかった。

　確かにホワイトチャペルに住む富豪など、オークションという聖地において戦う騎士は、その手の何かに食いついてくる――。

　そう、ジェルヴェーズが忌み嫌い、決して信じることのできない壁の上の女にとってみれば、物事はより単純だったはずなのだ。

「ジェルヴェーズ！　ジェルヴェーズ！」

　みんながまた、下の中庭から彼女を呼んでいた。

　だが彼女は窓のそばには近づかないようにした。もうこのギャラリーにはいないのだと思わせたかった。なにしろフレディ・ランピーターの声も混じっていたし、フレディの存在は、時にジェルヴェーズを、ほかの問題をひっくるめた以上に悩ませていたのだ。

三

　居住部のほうに戻ると、そこにいるのは母親のレディ・ハロウだけで、客たちの姿は見えなかった。レディ・ハロウは彫刻を思わせる繊細な顔の上に、灰色の髪を、近衛兵のかぶる熊の毛皮の帽子のように高く結い上げて、微笑みながら大きなジグソーパズルに取り組んでおり、パズルは浅い箱の表に描かれているアイスランドの地図にだんだんと近づいていた。

「みなさんと出かけたものと思っていたのに」母親が微笑みながら顔を上げ、また視線を落としたが、微笑んだままで付け加えた。「ブラインドを一インチだけ下げてもらえないかしら」

「ジェーンを手放すわ」ジェルヴェーズが、ブラインドを調整して戻ってくるなり、唐突に切り出した。

「ジェーンを手放すのですって！」母親がおっとりと驚いたように繰り返したが、今回はパズルから目を上げなかった。「使用人をこれ以上減らすことはできませんよ――来週にはワイバラ家の方々もいらっしゃるし――」

「メイドのジェーンのことじゃないわ。肖像画の話よ」

「あら！――とにかくいまは、考えるのをおよしなさい。疲れているようだし。外に出て、いい風に当たってくるといいわ。みなさんはジャイルズのところに寄るようなことを言っていたわよ」

「いまのうちに手紙を書いておいたほうがいいと思うの。送られてくるのが、またあの、ニキビだらけの若者でなければいいのだけれど」

「ジェルヴェーズ」レディ・ハロウがパズルに向かってつぶやいた。「そういう煩わしいことは、少しお忘れなさい！　擦り切れてしまいますよ。あの蜂蜜は見たの？　それは大変な量なのよ！　あの子たちがわたしに見せようと持ってきてくれてね。あれだけあれば、この冬いっぱいはもつでしょう」

　美しい口元が引き結ばれた。「この冬をここで過ごすことはないと思うわ、お母様」

「あら？　スイスはいやよ！　愚かなスイス人ときたら！　戦争中にはフランスにたてついたのよ――なんて愚かなのかしら。ドイツ寄りの場所も多いから、そんなところには足を踏み入れるわけにもいかないし――いろいろと読んだかぎりでは――」

「スイス！」その声はあまりにも疲れていて、苛立ちを表現することさえできなかった。「いくら話してもわかってはくれないのね、お母様」

「あら、わかっていますとも！　もっと絵を売らなければいけないのかしら？　もう残ってはいないの？　いくつもの飾り棚に収まりきらないほどあったというのに――でなければ森を――」

「わたしはレディ・ジェーンを売ろうと思うの」

「けれど――あの絵に価値があるのかしら？」

　その言葉は何気なく口にされたようだったが、それでもしっかりとした効果があった。

「わかるものですか！　値がつかないようなら、ただで持っていけばいいのよ！」

　レディ・ハロウの弓型の眉の動きに合わせて、高々と結われた髪も持ち上がった。

「あらあら！――また例の気分が出てきたようよ。それは体にもほんとうによくないわ！　さあ、早く外へ行って、風に当たっていらっしゃい。みなさんはジャイルズのところに寄ると言っていたようだけれど。これと同じような小さなピースがどこかにないかしら？」

　レディ・ハロウはまたパズルに戻った。

ジェルヴェーズは外に出たけれど、数分後にはまた別の場所から屋敷に戻り、小さな居間へ向かった。まだ自分用にとってある部屋で、扉にはありがたいことに鍵もついているので、辛くなったときには鍵をかけて閉じこもることもできた。だがいまは、そこで腰を下ろすことはせずに、引き出しから大きな鍵束を取り出した。鍵はひとつの輪に通されており、それぞれにタグがついていて、番号と文字が記されている。それからまた居間を出ると、扉に鍵をかけた。

母親のいう〝例の気分〟が自分にとってよくないことはわかっていた。だとしても母親がえんえんと勧め続ける対処法――外に出て、風に当たる――は、まったく役に立たなかった。その一方で、いっそそれをあおるかのように巨大な屋敷の中をふらふらしていると、気分の静まることがしばしばあった。避けられない問題があるときには、それと向き合い、乗り越えるのが一番なのだ。

ジェルヴェーズは昔から、この屋敷を母親のものというよりは、自分のもののように感じていた。母親の訪問地はスイス、リヴィエラ、ノルマンディ、スコットランドと、一家の財産がその支出に耐えられたあいだは多岐にわたったが、ジェルヴェーズ自身は、そんなときにも渋々ついていくだけだったし、帰ってきて、丸い丘の上に立つ元修道院を再び目にするたびに、心が浮き立つのを覚えたものだった。この屋敷は彼女にとって、骨と同じように自分の一部だった。そして――これは決して最近の話ではないのだが――迷宮のようにくねる屋敷の様子をよく夢に見た。そもそも夢の中でなくとも、充分に迷路のような建物なのだ。何百もの扉と何十もの通路が、どっしりとした階段でつながっている。この屋敷は、まさに迷宮そのものだった。だが夢の中では、それが異様なまでの大胆さをもって広がっていく。まるで修道院の構造そのものが、どこまで不可思議に変化できるかを目的にしているかのようなのだ。ジェルヴェーズは（夢の中で）壁の低いところにある食道のような開口部を這い進むのだが、そのたびに、ここを通るのははじめてではないと思うのだった。その先に別の部屋があることも、それがどこかは見れば思い出すこともわかっている。それから（夢の中で）家具がすっぽりとカバーに覆われた部屋（これは現実でも、ひと組かふた組の部屋にはいつもカバーがかけられている）にいることに気づく――寝室のあとにまた寝室が続くのだが、どの部屋にもむき出しのベッドの上に調度品が積まれており、居間だったものが物置になり、夢の中ではどこだかわかっているドアを開けると、完全に空っぽな部屋がそこにある――それから（目覚める直前に）、ベーズか、あるいは革張りの扉をもうひとつ抜けて階段に出るのだ。するとそこは突然、日々の見慣れた屋敷にまた戻っている。メイドたちが立ち働き、ごく普通の帽子や乗馬鞭やステッキの置かれたスタンドがあり、芝の広がる四角形の明るい中庭では子犬たちが転げ回り、日差しの下にマットが広げられている。

　夢の中では屋敷の配置が変わり続けるだけでなく、そこには必ず人がいる。不思議なのは、その配置と人の存在のあいだになんらかの関係があることだ。たくさんの部屋と同じように——どういったらいいのだろう——ひそかに待ち受けていて、見つかり、認識されるのを待っているかのようなのだ。そこではさらにまた、別の誰かが見つけられるのを待っていて、見つかっては次々と打ち解けていく。目覚めてみると、ジェルヴェーズはその人たちをひとりも覚えていない。夢で邂逅する瞬間まで思い出すことができないのだ。だが再び会うと、彼らは何世紀も前からの知り合いなのだった。ジェルヴェーズは、夢の中の知り合いである、誰だかも定かでない人々をまったく恐れてはいなかった。奇妙なことに、目覚めてまぶたを開いた瞬間、彼らの輪郭が消え失せてしまうことのほうが恐ろしかった。

　だが人にしろ場所にしろ、最後の夢を見たのはしばらく前のことだった。いまのジェルヴェーズには、考えねばならないことがほかにあった。なかでもフレディ・ランピーターをなんとかしなければならなかった。

　ジェルヴェーズはだだっ広い部屋に立ち、フレディを思った。その舞踏室は、下の階の寝室六つ分のスペースがあり、クリスタルの花火のようなシャンデリアが三つ吊るされていた。壁際に置かれた数台のソファが妙に小さく見え、南側にずらりと並ぶ窓からは、てっぺんまで耕されたゆるやかな丘が見下ろせる。そこでジェルヴェーズの顔から、蔑むような色が消えた。彼女は丸い丘の上に立つ元修道院の秘密——重い税金、迫りつつある差し押さえ、修繕の手立て——を、束の間忘れた。自分も最後には打ちのめされて、この屋敷が終わりを迎えるだろうことはわかっていた。だがそんな心配も、フレディ・ランピーターを思うと頭から消え失せた。

　幻想など持ってはいなかった。フレディは蝶のような男だ。こちらにとまってはまたあちらと、あらゆる場所を飛び回る。この家の次はあの家という具合で、いま、ひとりの娘と軽い噂が立ったかと思うと、また別の娘と噂になるのだ。そう、あの手の男の本性なら想像がつく——わたしは馬鹿ではないのだから！　また、公平に言うとすれば、それは決してフレディのせいばかりではなかった。女のほうが彼を追いかけ、放ってはおかないのだ。ジェルヴェーズにしても、ほかの娘たちには無縁らしい自制心がなかったならば、やはり彼に色目を使っていただろう。実際、そうしかけている自分に気づいては嫌になることがしばしばあった。そういうわけで近頃のジェルヴェーズは、フレディに何か言われてもぶっきらぼうに応対するか、まったくこたえずに済ませるようになっていた。フレディには明らかに、持って生まれた何かがあった。ジェルヴェーズにはそれがはっきりと見えた。だが彼女のほうも、やすやすと屈するつもりはなかった。

　それでもなお、ジェルヴェーズが彼の正体を見抜き、それをあえて示しているときにさえ、フレディはまったくの嬉しい偶然というふうを装って彼女のそばに立つと、まるで自分たち以外のみんなは愉快な寸劇に出ている操り人形に過ぎないから、ぼくときみだけでこっそり人形劇の批評をしようとでも言いたげな態度を取り、微笑みながら訳知り顔にささやきかけてくるのだ。そう、それこそが彼の魅力だった。ジェルヴェーズの知っている娘の半分も、おそらくはそれを感じている。だがいくらほかの娘と一緒はいやだと思ったところで、フレディの魅力があせるわけではなかった。

　ジェルヴェーズの背後にある背の高い鏡には、雨粒のようなシャンデリアと、滑らかな丘の谷間に広がる畑が映り込んでいた。ジェルヴェーズは振り返ると、鏡の一枚に映っている自分に近づいた。

　ほかの娘——たとえばブランチ・チェイターはどうかしら？　ブランチにはわかりやすい魅力がある。あけっぴろげで率直で、その長所をうまく活かしてもいる。けれどあの子に、わたしが美しさでひけを取るかしら？　粗野なスカートと枯れ葉色のセーターに包まれたこの体が、優柔不断や気まぐれを切り裂くトレドの剣にはならないかしら？　くたびれた帽子に縁取られたこの高慢な顔が、ブランチの愛らしい顔に劣っているとでも？　それにわたしの乱れた心には、宝物が、一種の混乱した魅力が、甘さを含んだ苦み、黄金の混じる屑、漆喰や塵やもみ殻のこびりついた蜂蜜が、隠されているのではないかしら？　ジェルヴェーズは鏡の前に立ち、自分自身にこう問いかけた。

　だが彼女は鏡から顔を背けると、つかつかと舞踏室を出た。こたえはわかり過ぎるほどわかっていたのだ。蜂蜜は確かにある。だが壁に封じ込まれていて、誰より彼女自身が外に出すことを許せないのだ。周りに心遣いや頭の良さや、働くところを見られるのは構わない。だが心の奥底だけはどうしてもだめだ。昔からずっとそうだった。ほかの娘たちは笑いながら、考えることをやめるか、そもそも考えることさえせずに生きていく。重荷には背を向けたまま、運びたい人間が運べばいいのだと思いながら。彼女たちなら蜜の袋を大きく開いて、フレディなり、ほかの誰かが味わうままにさせるだろう。だが彼女はそうしない。ほかの娘たちとは違う。でも、どうして？

微笑むような外の広がりに面していた区画から、南のほうに向きを変える廊下に入ると、遠くに、ジャイルズ家の方角から丘を下ってくる一行の姿が見えた。

四

七月の午後にもかかわらず、彼らは〈五月遊び〉と呼ばれるものをしていた。つまり、ふたりか三人がひと組になって原っぱに散り、花を摘んだり、石を投げたり、駆け比べをしたり、働いているジャイルズ家の男たちの邪魔をしたり、ジャイルズ家の子どもたちの貯金箱に六ペンス硬貨を落としたりしていた。彼らはジェルヴェーズが応接室に入ったときにも、まだその名残で笑い合っていた。

「ちょっと落ち着きなさいよ、パメラ――まったく、どうかしているわ！」誰かが、金鳳花《きんぽうげ》のような髪色の娘をたしなめていた。娘はヒステリックなまでに笑い崩れ、涙まで流しながら、止めることができずにいるのだった。

「最悪だな！　相手にしないほうがいい！」

「パメラ！」

「いい加減にしなさいって、パメラ！」みんなが制御不能になった娘に文句を言っている。

フレディ・ランピーターはクッションの中に腰を下ろし、それをおっとりと見ていた。小さな黒っぽい頭の後ろにはうららかな日の差し込んでいる窓があり、椅子の背に沿って伸ばされた両腕によって引き締まった肩がより強調されている。日の光のせいで、左の口元にある傷跡もいまは見えない。その小さなひだを目にするたびに、ジェルヴェーズはフレディの中にふたりの男を見るような気がするのだった。お楽しみを見つけた場所を転々としながら時折手紙を送って寄越す男と、一生をクッションの中に座って過ごす男と。フレディのやわらかな声はその傷跡に対して常にやわらかすぎたし、かすかに皮肉な響きがあった。そのおかげでジェルヴェーズは、彼の召使になりたい自分をやすやすと隠すことができるのだった。

　だがこのときは、彼のほうが彼女を待っていた。女のひとりが、部屋に入ってきたジェルヴェーズに顔を向けた。

「来たわね！　ジェルヴェーズ、いったいどこにいたの？　フレディ、そうぼんやりしてないで――彼女に紅茶を注いであげてちょうだい――」

　フレディは立ち上がって、ジェルヴェーズに紅茶を持ってきた。彼女も背は高いほうなのだが、フレディのほうがさらに長身なので、軽く身をかがめるようにしていた。傷跡のある口元には、張りついたような笑みが浮かんでいる。彼は、話すときにもほとんど唇を動かさない。それがまた、彼の話すことになんであれ、ふたりだけの秘密のような雰囲気を与えるのだった。

「どうして下りてこなかったんだい？」フレディが耳元で言った。

　ジェルヴェーズは、さあね、というように身振りだけでこたえた。

「出かけていたの？」

「いいえ」

「そうと知っていたら、ぼくも残ったのに」フレディは言った。ジェルヴェーズとしては、こういうことを言われるのが嫌なのだ。自分が残れば彼女の喜ぶことが、まるでわかっているとでもいうかのように。仮にわかっていたとしても、胸にとどめて、口にすべきではないはずだ。

「どこに行っていたの？」ジェルヴェーズはそっけなくたずねた。

「ぼくに聞かれてもね。仕切っていたのはパメラなんだ。彼女を見てみろよ――まだ笑っている――」

　実際にパメラの笑い方は尋常ではなく、時折教会で若者を見舞う、発作のような笑いだった。

「今日って誰かの誕生日じゃないの？」パメラが言った。「ああ、誕生日だったらいいのに！　ねえ、フレディ、今日生まれてちょうだいよ！」

　フレディは笑顔を返しただけで、ジェルヴェーズのそばを離れなかった。

「放っておけば、そのうち静まるさ」フレディがまた例の、自分たちふたりだけが周りから切り離され、過度に張り詰めた娘の見世物を高見から眺めているとでもいうかのような口調で言った。

　フレディがそれからふいに、彼女自身のことに話題を移した。

「あのギャラリーで何をしていたんだい？」フレディは言った。

ジェルヴェーズはできるだけ簡潔に、最低限のことを口にした。

「レディ・ジェーンを売るつもりなの」

フレディは、そっと思いとどまらせるような口調で言った。「そうか！　その必要があるのかい？」

「〝必要〟の問題じゃないのよ。そういう意味でいえば、とくに売る必要はないわね」

「ならどうして？」

わたしの個人的な問題が、この人にとってなんだというの？　ジェルヴェーズがそう思いながらベランダに出ると、フレディもついてきた。背後からは、パメラの声が聞こえてきた。「ねえ、今夜はみんなで仮装をしましょうよ！」ジェルヴェーズとフレディは、芝へと下りる、石の階段の上に立っていた。

「あの大きな男の横にいる女の人かな？」一分ほど続いていた沈黙を、フレディが破った。

「誰のこと？」ジェルヴェーズは、それまでの話を忘れたように聞き返した。

「レディ・ジェーンさ」

「違うわ」

「なら――」フレディには、この話をやめるつもりがないようだった。彼は、金に困っているはずの彼女が、どうしてジョシュア・レノルズの絵がまだ残っている段階で、たいした金にもならないだろう〝作者不明〟の絵を売るのかと聞いているのだ。

「わたしたちが絵を売っていることは知っているでしょ」ジェルヴェーズは、フレディと並んで芝の上を少し歩きながら言った。

「ああ――レイバーンとかね」フレディは中途半端にこたえた。

それからふいに、彼女の心をかき乱してやまない、最大の魅力を見せつけた。つまりそばを歩きながら、完全に口をつぐんだのだ。

こうして突然ふたりきりになるのが、なによりジェルヴェーズの心をざわつかせた。なにしろこれでは、身構える余裕がほとんどない。少しなりとも心の準備ができていれば、いつだって、彼の魅力にいくらかは傷をつけることができた。それどころか相手を分析し、凡庸でありきたりな男にまで引き下げることさえも。彼の声。ジェルヴェーズはその調子と声音に備えて心を硬くし、彼がその言葉からほのめかす――裏の意味を別の意味に変え、粉々にすりつぶし、砂のように指のあいだからこぼしてしまうのだ。そうやって彼を分析し、彼の言葉の底にはなんの意味もないのだと思えると、いつだって心が安らいだ――が、それができるのは、彼と何時間も過ごしたときにかぎられていた。しばらく会わずにいると、また振り出しに戻ってしまう。ジェルヴェーズは母親の取り組んでいるアイスランド地図のジグソーパズルのようにフレディをバラバラにするのだけれど、フレディはそれをまた元通りにしては、次の予期せぬ対面のときに、彼女の心をひどくかき乱すのだった。

　それならばこの屋敷の抱えている問題同様、立ち向かって、克服してしまったほうがいい。近頃のジェルヴェーズは、フレディに対し、辛辣な口調を平気で使うようになっていた。不作法な態度を取るほうがいっそ賢明でさえあった。フレディは、彼女がレディ・ジェーンを売る本当の理由を知りたがっている。だがジェルヴェーズは、たとえ伝えることが可能だったとしても教えはしなかっただろう。そこでフレディに合わせて口をつぐんだ。

　庭園には鉄のフェンスがあり、一度にひとりずつしか抜けられない半円状の扉がついている。ガシャリとその扉を閉めると、ふたりは草を食《は》んでいる牛たちを見ながら丘を上りはじめた。黙ったまま歩き続けた。見えないところにある下のほうの道からは、ゴムのタイヤのついた二輪馬車を引く、馬の軽快な足音が聞こえてくる。世界の半分ほどもありそうなオークの巨木が、ふたりの視線から屋敷をさえぎっていた。

　上へ上へと歩き続けると、また屋敷が見えてきた。屋根、斜角に覗き穴のついた塔、セイヨウカノコソウやアラセイトウにより縁取られている崩れかけた壁。

　フレディが、面白がっているような目を地面に据えたまま、ようやく沈黙を破った。また主導権を取り戻そうというのだ。

「どうしてレディ・ジェーンを売りたいのかな」フレディが先ほどの問いを繰り返した。

　ジェルヴェーズのほうは、彼の指先で神経をいじられ、何かの実験台にでもされているような気がした。だからできるだけ冷ややかな目で、ちらりと彼をみやった。

「あの絵が心に焼きついているようね」ジェルヴェーズが言った。

「いや、ぼくには心なんてないのさ」フレディはやわらかく笑った。

　ジェルヴェーズは、この男から自由になりたいのなら、いましかないと思った。だから高飛車な態度で彼に向き直った。

「わたしに、あなたの腹の底がすっかり読めていないとでも思っているの？」ジェルヴェーズは言った。

フレディがさっと顔を上げた。「どういう意味かな？」その声には好奇心がにじんでいた。

「ほんとうはレディ・ジェーンのことなんかどうでもいいのよ。あなたが考えているのはわたしのことで、わたしにはそういうのが嫌でたまらないの」

それが嘘であることはフレディにもわかっていた。だがジェルヴェーズは、母親のパズルのピースのようにフレディをバラバラにしたかった。悩ましいまでの性的魅力を奪い取り、力を失った扱いやすい存在に変えてしまいたかった。そのためにこそ、こうしてふたりで散歩にも出たのだ。

だがフレディはただ黙従し、重々しい顔つきまで作って見せた。

「きみのことはよく考えているよ、ジェルヴェーズ。それはきみにもわかっているはずだ」

そこで彼女は笑った。「ええ、もちろんよ！　どれほどよく考えているかもね！　わたしのことをふっと思い出したときにだけ考えるんでしょ！」

フレディは気分を害した様子も見せずに、なにやら自分の心に問いかけているようだった。

「うん、その通りかもしれないな」フレディがようやく口を開いた。「それに、臨時休暇がもらえるわけでもないから」

ジェルヴェーズには、彼が自分の欠点を慎ましく認めながらも、その魅力的な態度のなかに潜ませている意図がきちんと読めていた。彼は十月には再び出発し、アフガニスタンの銃弾か刃物による傷跡が、またひとつ増えるかもしれないことをほのめかしている。自分がいかに危険に満ちた生き方をしているか、彼女に思い出させようとしているのだ。

だがそれで彼女の警戒を緩めようとしていたのであれば、失敗に終わった。

「このあとはチェイター家に行くのよね？」ジェルヴェーズが唐突に、挑みかかるような口調で言った。

「ああ、ブランチに約束したからね。きみも一緒に来ればいいのに。ブランチもきっと喜ぶさ」フレディは言った。

「彼女がそう言ったの？」

「おや」フレディが、ふと足を止めながら言った。「まさか、彼女と喧嘩なんかしていないよな？」

こたえる代わりに、ジェルヴェーズはまた笑った。ブランチがわたしを誘うなんて！　仮にブランチがわたしを招待したいと口にすることがあったとしても、決して本心からではないだろう。巨大なオークの木々と、下のほうに広がる屋敷を背にしたフレディ・ランピーターとジェルヴェーズ・ハロウのあいだには、目には見えないブランチ・チェイターが存在していた。ジェルヴェーズには、フレディがブランチの名を口にしたときの気安い口調からもそれがわかっていた。責められるのを待つよりも、その準備をしたほうがいいというわけだ。またしても、ジェルヴェーズは笑った。フレディはいまや、そのやり方をあらわにすることで、自分で自分をバラバラにしてくれている。おかげで一気に心が軽くなった！　彼女は彼の執着に対峙しながら、半ばまでそれを克服し、解放へと近づいていた。ジェルヴェーズは思った。こんな男と結婚したらどうなることか！　相手の欠点にしか気安さを感じられず、そばにいるときにしか愛をもらえないなんて！　こんな男はブランチにくれてやればいいのよ！　ブランチにしても、いつかは、わたしの気づいていることを思い知ることになるのだから！

　フレディの幽霊を埋葬する喜びを、もう一度わたしに！

　ジェルヴェーズの唇が、笑みにふっとほころんだ。彼女はその勝利の瞬間、彼にふさわしい感謝を捧げるような色さえ目に浮かべながら、明るい口調でこう言わずにはいられなかった。

「わかったわ、フレディ！　もちろん、何も気にしてはいないわ！　なんなら、お望みなだけお友だちでいましょうね。でもわたし、あなたの限界はよくわかっているのよ！」

　ふたりで丘を下りるあいだ、フレディはひと言も口をきかなかった。

五

　ジェルヴェーズは満ち足りていた。彼女とレディ・ハロウはみんなよりも早く着替えを済ませて一階に下りており、ジェルヴェーズは母親の椅子の後ろに立っていた。フレディについては、姿を見ることも、言葉を交わすことも、考えることも望まなかった。この胸のうちの静けさは、恋と呼ばれる、嵐の連続のような欲望よりもよほど望ましいのではないかしら?

「今日の午後、パメラは何をあんなに笑っていたの?」レディ・ハロウはパズルの上に、指をそっと滑らせながら言った。

「知っているわけがないでしょ、お母様。わたしはそこにいなかったのよ」

「そうよね。わたしときたら忘れっぽくて。蜂蜜はどれくらいあったと言っていたかしら？」

「わたしは蜂蜜も見ていないのよ」ジェルヴェーズは言った。「今日のわたしはどうかしら、お母様？」

フレディを嘲りたいがためだけに、彼女はまばゆい腕を、惜しげもなくあらわにしていた。彼を恐れる必要がなくなったからには、たっぷりと見せつけてやるのだ！　肩までむき出しにされた腕が、すすけたような黒のロングドレスからのび、トランペットのように輝いていた。ブランチがこれに勝てるものですか！　手に指輪をつけなかったのも、やはりフレディへの当てつけだった。ジェルヴェーズは唇に笑みをたたえながら、パズルのほうへ手をのばした。

「待って、お母様――このピースはここよ――それからこれを――そうしたら、この部分ができあがるわ――」

ジェルヴェーズは小さな島のような木製のピースをひとつ、その本土にはめた。そうしながら、なんとも嬉しそうに笑った。フレディをバラバラにしかけているいま、あとは思うがままで、また組み立てるかどうかも自由に決められるような気がしていたのだ。

だがその白い腕は、またさっと引かれた。自分の肩越しに伸ばされた娘の腕に、母親が無意識に唇を当てたのだ。ジェルヴェーズの顔から笑みが消えた。母のキスを腕に受けるのがどうして嫌なのか、自分でもよくわからなかった。

「あら――みなさんが来たようよ」ジェルヴェーズは口調を変えて言った。

それはパメラとイヴリンで、後ろにはフレディともうひとり別の男を従えていた。

八人から十人の客が、食前酒のトレイが準備された広間に集まっていた。カーニバルのように陽気で、雛鳥の巣のようににぎやかだ。ひとりがせっせとシェイカーを振るなか、パメラが不恰好だがなまめかしい小さな口で、カクテルのサクランボを頬張っていた。金鳳花色の髪にはごく小さな花で作った花輪をのせ、フレディの肩に寄りかかって体を安定させながら、サテンの室内履きのリボンを結び直している。ジェルヴェーズも広間に入り、誰かが手に押しつけてきた小さなグラスを受け取った。彼女はそのグラスを、フレディには目を向けることもなく干した。そばにある背の高い羽目板は、上部が棚になっていた。ひとつめのレッスンよ、フレディ！　ジェルヴェーズは高慢な腕を何気なく持ち上げると、棚の上にグラスを置いた。小柄なパメラなど、そのすっと伸びた腕の下を、黄色い髪を乱すこともなく通り過ぎることができた。

　レディ・ハロウは、もう長いこと食卓の上座にはついていなかった。そこはジェルヴェーズの席になっており、昨晩は右側にフレディが座っていた。だがその夜その席についていたのは、一時間ほど前に到着したばかりの客だった。サー・ウォルターに対しては、ありきたりな敬意以上のものを示す必要があったのだ。それにサー・ウォルターは、髪こそ白くなっているけれど、少なくとも一人前の男だもの。ジェルヴェーズはそう思いながら愉快になった。その席から追いやられ、パズルのようにバラバラにされながらも、建前上、元通りの姿を保つことを許されている青二才とは話が違う。なぜならそこは彼女だけの領域であり、丸裸にされたフレディの姿など、ほかの人々には見る必要がないからだ。たとえば何席か離れた場所に座っているパメラは、何ひとつ知らないまま、髪が触れんばかりにしてフレディに寄り添っている。ジェルヴェーズにしてみれば、フレディだけが知っていれば、それで充分なのだった。

「それにしてもワッティおじさま、おばさまを連れずにいらっしゃるなんてあんまりですわ！」ジェルヴェーズはサー・ウォルターに声をかけた。彼はほんとうの叔父ではなく名付け親なのだが、ジェルヴェーズは幼いころから〝ワッティおじさま〟と呼んでいた。

　年老いた男は首を横に振った。

「ふむ、わたしたち夫婦は、きみたちのパーティに参加するにはいくらか年を取り過ぎてしまったものでね」サー・ウォルターは言った。「ダンスがはじまったら、きみのお母さんと一緒に座って見ていることにしよう。このあとはダンスがあるのだろ？」

　パメラが、盛り上がった小さな胸をフレディの向こうから突き出すようにしながら口を挟んだ。

「サー・ウォルターは、いまダンスとおっしゃいましたの？　でもわたしたち、ダンスはしませんのよ！　それぞれに仮装をして、この広い屋敷を使ったかくれんぼをするつもりなの――ね、そうしてもいいのよね、レディ・ハロウ？」

「もちろんよ」レディ・ハロウが甘やかに、ぼんやりとこたえた。「サー・ウォルターに、見つかった蜂蜜のことはお話したの、ジェルヴェーズ？」

　コーヒーになると広間に移った。暖炉の明かりが（レディ・ハロウはたとえ七月でも火があるのを好んだ）羽目板をより豊かに艶《つや》めかせ、女たちのドレスを夕日に照らされた花壇のように煌めかせている。ジェルヴェーズはフレディに、ふたつ目のレッスンを与える機会をとらえた。食前酒のグラスは、棚の上の、先ほど置いた場所に残っていた。メイドが爪先立ちになり、グラスのほうに手を伸ばしている。そこでジェルヴェーズは、フレディが自分を見ていることに気づいた。彼女はもう一度、男であれば一マイルを走ってでも目にしたく思うだろう腕を持ち上げた。グラスを渡すと、メイドは広間を出て行った。次の瞬間、フレディが隣に立っていて、午後の散歩以来、はじめてジェルヴェーズに話しかけた。

「例の話に出てくる王女様みたいじゃないか」その声には、例の特別な親密さがにじんでいた。

「どんなお話？」

「ああ、とても古い話なんだ。知らないかな？」

「知らないわ。王女様にたとえられるのは嬉しいけれど」ジェルヴェーズはそっけなく言った。

　フレディの口元にある皮肉っぽいくぼみが、さらに深まったように見えた。その声は、一生をクッションの中で過ごすほうのフレディ・ランピーターのものだった。

「結婚の初夜、寝室のランプを消すときがきた。新婦はすでに新郎を抱き締めている。そのまま、一瞬たりとも放れることができないんだ。『わずかな時が、永遠のように思えるでしょう』王女はそうささやく」ここでフレディの目が一瞬、すらりとした白い腕のほうに動いたが、それから広間をよぎり、その奥にある階段のほうへと移った。「そこで王女は腕を伸ばすんだ。長い腕をするするとランプまで伸ばし、芯を切って蠟燭を消す。それからまた、腕を夫にからませるのさ。知らないかな？」

　フレディは声を低めていたけれど、パメラには聞こえていたらしく小さな悲鳴を上げた。

「もう、フレディったら、こっわーい！　その人は幽霊と結婚しちゃったのね！　今夜はみんなで幽霊になりましょうよ！」

　だがジェルヴェーズは顔を背けながら思った。

　わたしは、自分が思っていたほど成功しているのかしら？

六

　広間へと移されたパズル用のテーブルを挟んで、サー・ウォルターとレディ・ハロウが言葉を交わしていた。サー・ウォルターという男にもまた、純真な飾り気のない心という天賦の魅力があった。彼は知識でさえ、まるで衣服でも着るような軽やかさでまとっていた。この屋敷の主人たちとは一緒に育っており、ピンクのしわくちゃな赤ん坊だったジェルヴェーズを母親の腕から受け取って、小さなアネモネのような赤ん坊に湯をつかわせるところも見守った。サー・ウォルターがこの親子を相手に言葉をためらうようなことはありえなかったが、同時に、言うべきでないことを口にするような男でもなかった。

「ジェルヴェーズは疲れ切っているようだ」サー・ウォルターは言った。

「やらなければならないことが多過ぎるのよ！」レディ・ハロウが穏やかな口調で言った。

「何もかも彼女がやっているのかい？」

「その通りよ！　それも見事にね！」

「恋をしているということはないかな？」

「恋ですって？　ジェルヴェーズが？」レディ・ハロウがおっとりと言った。「あの子は、女というよりも男のような気性なのよ。幼いころからそうだった。それにあの子なら、決してこの屋敷から離れたりしないわ」

「それなのにあの子は、きみには離れる必要があるかもしれないと言うのかい？」

「悪い面ばかり見てしまうようなときにはね。けれど、それは一時的な気分に過ぎないわ。いい風に当たれば、またいつものあの子に戻るのよ」

　サー・ウォルターは考え込んだ。レディ・ハロウに対する理解はあったが、同時にジェルヴェーズを愛してもいた。ジェルヴェーズがどこに行こうが、まるで空気のように、彼の愛が彼女を包み込んでいるのだった。

「あの子が恋をしているとは思わないけれど――」レディ・ハロウの言葉が尻すぼみになった。

「しばらくあの子を貸してもらえないだろうか？」

「あら、あの子が聞き入れるものですか！」

　サー・ウォルターも、確かにそうかもしれないと思った。まろやかな丘にそびえる荘厳な元修道院にまつわる虚栄は彼にもわかっていたし、ジェルヴェーズはこの地を支える人間は自分しかいないと信じて育ったのだ。

「とにかく聞いてみるさ」サー・ウォルターは言った。

「この秋はエアーシア（スコットランド南西部）で過ごそうかと思っているの」レディ・ハロウがそう言いながら、パズルのピースをひとつはめた。「ここだわ！　前のパズルには三週間もかかったのよ。今回は一週間で完成できると思うわ！」

　母親がこう話しているときに、ジェルヴェーズが広間に入ってきた。

七

いつもならディナーのあとには、ビリヤードかブリッジをするか、ダンスを楽しむのが普通だった。だが今夜は、サー・ウォルターとレディ・ハロウの語らいを包みこむような、床に響くカツカツというほのかな靴音も、軽やかなピアノの音も聞こえてはこない。じつのところ、三十分ほど前からは音らしい音が消えていた。客たちは強風にでも吹き払われたかのように階段の上に消え、あちこちの廊下を右へ左へと散っていった。パメラは別の娘とワルツを踊りながら広間を横切り、そのまま階段を上ろうとしていた。「パメラったら——いつだってあんなふうに陽気なのよ！」レディ・ハロウは、ふたりの娘が花のように組み合いつつ、階段を上っていくのを見ながら言った。そこへジェルヴェーズが、広間を横切って自分の居間に戻ろうと、ひとりきりで入ってきた。

「みなさんは何をするつもりなの？」レディ・ハロウが声をかけた。「ドアの鍵を全部開けてほしいって。それで鍵を取りにいくところなの」「けれど真っ暗なはずでしょうに！」屋敷の照明システムは非常に古く、全部のランプを灯そうと思えば半日はかかる。階段の親柱の下にあるテーブルに蠟燭がずらずらと並んでおり、家の者や滞在客は、この蠟燭を使って自分の部屋に明かりを灯すようになっていた。

「一番奥の側には月明かりがあるわ」ジェルヴェーズが言った。

だが鍵を取りに行く前に、ジェルヴェーズはパズルのテーブルの前でもう一度足を止めた。アイスランドの地図がいまや大陸のように広がっており、残っているピースが減るにつれて、どんどん大きくなっている。ジェルヴェーズはパズルを見つめながら口元を引き締め、目を疑念に曇らせた。とはいえその唇も、サー・ウォルターのそばにある手の指も、そこまでひどくこわばってはいなかった。ディナーのとき隣に座っていたサー・ウォルターは、ジェルヴェーズに明るい気分を感じていた。だがいまは違う。

「きみをこの屋敷から連れ出してもいいか、お母さんにお願いしていたところなんだよ」サー・ウォルターが言った。

ジェルヴェーズは、膨らみつつあった憂鬱な気分をなんとか振り払おうとした。

「いまですの？　屋敷はお客様でいっぱいですのに」ジェルヴェーズは笑った。

「ああ、もし可能ならね」サー・ウォルターはあっさりとこたえた。

「でも、不可能ですわ！　それにまた、どうして？」

「きみには変化が必要だからさ」サー・ウォルターが言った。

　ジェルヴェーズはまた笑ったが、先ほどとはだいぶ調子が違っていた。変化！　わたしの人生には変化しかないというのに——変化と、運命づけられた不変性と。そのどちらかか、両方か。場所を変えたところで、わたし自身は変わらないだろう。それでいて、この屋敷そのものに襲いかかっている変化を止められるものがあるのかしら？　こんな思いに胸をかき乱されながらも、ジェルヴェーズはこう口にしただけだった。「ワッティおじさまは、わたしのことがちょっとお気に入りのようね。そうは思わない、お母様！」そのまま、ジェルヴェーズは立ち去った。

　それからまた広間に戻ってきたけれど、今度は足を止めることなく、鍵束を陽気に振ってみせると、そのまま階段を駆け上がった。

　使用人たちの便宜も考え、客たちの使う寝室は一か所にまとめてあった。右手にゆったりと曲がっている一本の廊下添いの部屋が準備され、手前のほうを女に、その奥を男に割り振ってある。フレディ・ランピーターが使っているのは角の部屋だ。ジェルヴェーズの部屋だけが、離れた別の廊下にあった。

　ジェルヴェーズは客用の寝室を調べていった。最初の三部屋は、明かりこそ灯っていたけれど誰もいなかった。廊下の曲がりはじめる部分に近づくと、声が聞こえてきた。どうやらみんな、パメラの部屋に集まっているらしい。

　部屋の扉を押し開けると、そこは劇場のようだった。娘たちが間に合わせで用意した借り物のなかから、試していた衣装を脱ぎ、また違う衣装を頭からかぶり、髪を振り、騎士風の帽子を頭にのせたり、サッシュを巻いたりしている。そのうちのひとりがジェルヴェーズの顔に目をとめながら、アラジンの物語に出てくる洞窟のようにキラキラ光るショールを持ち上げて見せた。

「こっちに来て、仮装をしなさいよ、ジェルヴェーズ。あなたにはこれを取っておいたわ！」彼女は叫んだ。

　だがジェルヴェーズはかぶりを振った。その前に、開けておかねばならない扉が何十もあるのだ。彼女は着替え途中の娘たちに手を振ってみせると、そのまま扉を閉めた。男たちの部屋の前を通ったときには、何の音も聞こえてこなかった。扉のひとつの下から光が漏れているだけで、どこかからトルコ煙草の香りが漂っている。ジエルヴェーズは屋敷をめぐる旅に乗り出した。

　手に持った懐中電灯の光が、床板や幅木の上をひらひらと神秘的に滑っていく。今夜の突飛な余興には似つかわしくないだろう、いくつかの扉の前はそのまま通り過ぎた。だがそれを別にすれば、懐中電灯の光がそれぞれの鍵の上で止まっては、ジェルヴェーズが鍵を探すジャラジャラという音がして、そのあとには開いた扉が残されていった。彼女は次から次へと扉を開けていった。ある廊下の壁の高いところには採光窓が並んでおり、淡い光がチラチラと差し込んでいた。だがこのあたりはまだ、月の見える区画ではない。ある扉については、開けてはみたもののまた閉めた。これは使用人用の区画へと続く扉だった。そこでジェルヴェーズは、これから行われるお遊びについて、使用人たちにも伝えておいたほうがいいかもしれないと思い当たった。

　廊下を突き当たりまで進み、鋭角に左に曲がるしかない場所まで来た。その角にある部屋の扉を開けるなり、驚くばかりの月がジェルヴェーズの目に飛び込んできた。

　彼女はふと足を止め、大きく息を吸い込んだ。昇りゆく月に圧倒されていた。手を伸ばせば届きそうな、鳥ならば飛んでゆけるのでないかと思うほどの近さだ。もう一、二時間もすれば、空の高みに、小さくしか見えなくなるだろう事実がとても信じられなかった。巨大なオレンジ色の玉が丘にかかっている。いまにも爆発しそうに固く丸々と膨らんでおり、その丸い跡が空に残るのではないかと思うほどだ。光冠が空の四分の一ほどに広がり、虹の付け根が野原や木々や丘を色づかせるように、大地をその光輝で染め上げている。ジェルヴェーズがいるのは、蜂の巣のような屋敷において、使われたことさえない漆喰塗りの小部屋に過ぎなかった。けれど表の空にかかっている月は、その壁にある凹凸《おうとつ》のひとつひとつを影で浮き彫りにしており、ジェルヴェーズ自身の影も、折られた黒っぽい紙のように幅木の上にまで長く伸びていた。

　そののちジェルヴェーズは、月光が照らしている棟《むね》の扉については、大きく開いたままにして通り過ぎた。すると、ときにはふたつ、あるいは三つの部屋のあいだで、艶やかな銃身をのぞき込んだときのように、光と闇が奇妙な模様を作るのだった。

八

この馬鹿騒ぎから抜け出す言い訳ならいくらでもあっ

たが、鬱々とふさぎ込んでいたところでどうなるというのだろう？　パメラの態度のほうがよほど賢明だ——涙が出るまで笑い転げて、着飾って、羽目を外して！　ここには月に煌々と照らされた部屋があり、どの扉も開いている。そのなかではしゃぎ回り、銘々が勝手に楽しめばいい！

だが、誰もがパメラのようになれるわけではない。こういうことを自分に言い聞かせなければならない段階で、おそらくその人はパメラとはだいぶ違っている。ジェルヴェーズはシャンデリアと、その日の午後に見つめた鏡のある舞踏室に入りながら、パメラが彼女にはなれないように、彼女もパメラにはなれないことを悟っていた。人は自分として生まれ、自分として死ぬのであり、他人との隙間を埋めるものなど何ひとつ存在しないのだ。

このうえなく濃厚な蜂蜜が、壁の中に隠されたままだなんて！

だが人は少なくとも、ある服を脱ぎ、また別の服を身に着けることならできる。それについて言えば、客たちがこの気まぐれな余興を望むのであれば、ジェルヴェーズとしては誰よりも異彩を放つ仮装をして、そのなかに溶け込む必要があった。扉を解錠する作業にはかなりの時間がかかったし、自分の部屋からもまだ離れていた。この屋敷全体を使った風変りな〈隅の小娘《プス・イン・ザ・コーナー》〉（部屋の角を取り合う子どものゲーム）は、もうすでにはじまっていてもおかしくはない。ジェルヴェーズも急いだほうがよさそうだった。

鬼火のような懐中電灯の光で足元を照らしながら、ジェルヴェーズは自分の部屋に向けて急いだ。

みんなが自分のために選んでくれた、アラジンの洞窟の壁のように煌めくショールを身につけるつもりはなかった。もっと面白いことを思いついていたのだ。活人画のためか素人芝居のためだったのか、彼女自身もよく覚えてはいないのだが、とにかくしばらく前に、ドレスを一着作らせていた。小さなギャラリーに飾られたレディ・ジェーンのドレスとまったく同じでは（確かに）ないものの、かなり似た雰囲気で、使用する機会のわずかなことを考えれば充分に通用する仕上がりだった。そんな衣装があることは、それまですっかり忘れていた。保管場所についても定かではなかったが、捨ててはいないはずだった。この広い屋敷では、物を探すのであれば日中の光を頼ったほうがいい。だがいま、ジェルヴェーズはドレスの存在を思い出したのだ。小さなカゲロウのようなパメラ。濡れた唇と、無造作に広がる繻子のような生地が充分な効果を上げてはいたけれど、パメラがどんなに努力をしたところで、ペイディアスの手による彫刻のようなジェルヴェーズの腕に宿る、時を超越した美には叶うはずがなかった。そう――やはりレディ・ジェーンにしよう。

　それに、もしもフレディ・ランピーターのあの絵に対する興味がじつはジェルヴェーズ自身の心を試すものであり、仮に彼女が月光に照らされた部屋か、黒い廊下でフレディを驚かすことができさえすれば、三つ目のレッスンを彼に与えてやることができるはずだった。

　運も彼女に味方した。戸棚の並ぶオーク張りの部屋を懐中電灯で照らしながら、ジェルヴェーズの手はあっという間にその衣装を見つけ出していた。それから自分の部屋に戻ると、暖炉とランプの光の中で、鏡に映った自分を見つめた。まずはくすんだ黒いドレスから伸びる腕を眺めてから、芝居用のドレスについた、ふくらんだキルトの袖に目を移した。すると、なにやらの物思いがジェルヴェーズを喜ばせたようで、彼女の顔がほころんだ。あのフレディであれば、美しい腕が目の前にあらわにされたときよりも、隠されたときにこそ、より惹きつけられることだろう。その晩ジェルヴェーズは、自分の肩の付け根から指先までを、故意に、あますところなくフレディに見せつけていた。レディ・ジェーンとそのふくらんだ袖を見て、あの男がどんな反応を見せるか確かめてやりましょう！

　だがジェルヴェーズは、暖炉の火で天井までぬくもっている部屋の中、まだ黒いドレス姿のままでいた。鏡が傾いているために、映っている自分が、まるでこちらに倒れ込んできそうだ。そこでジェルヴェーズはためらった。腕？　フレディがこっそりわたしの耳にささやいてきたのは、どんな物語だったかしら？　その王女というのは誰なの？　ランプを消す一瞬でさえ、恋しい人を自分のそばの、暖かな場所から手放したくないだなんて。フレディは、その一瞬にこめられた永遠性をほのめかそうとしていたのかしら？　なんて激しい情熱。その幽霊女の腕は、恋人の体を九重《ここのえ》に抱き締められるほどに長いのかしら？　フレディはあの話で、自分とわたしのことをほのめかしていたの？　彼には、そんなことを口にできるほどの厚かましさがほんとうにあるのかしら？

　まるで殴られたように、どうして自分が広間を横切っていたとき、母親のパズルのそばで足を止めたのか、ふいにジェルヴェーズは悟った。どうして引き結んだ唇と、両手が震えていたのかも。フレディはバラバラになどなってはいない。また元通りの姿を取り戻し、いつものようにやすやすと、冷笑を浮かべながらジェルヴェーズを思いのままにしようとしている。すべては振り出しに戻ってしまったのだ。フレディと顔を合わせればまた動揺し、閉ざした心が痛みに震え、感情はほとばしり、疲労困憊のなかで決意を固め、再び彼を解体することになるだろう。ようやくあの男から解放されたと思ったのに、その安らぎも、ほんの二、三時間で終わってしまった。この次ふたりが顔を合わせたときに警戒しなければならないのは、彼ではなく、彼女のほうなのだ。

それならばそれでいい。要は終わりということだ。次に彼と顔を合わせるときに何を着ていたところで同じなのであれば、この窮屈なボディスとふくらんだ袖でも構わないはず。さあ、黒いドレスは脱いで、このドレスに着替えよう！　もうだいぶ遅れているのだから。

二十分後にその部屋から出てきたのは、まさに生きたレディ・ジェーンそのものだった。ただし頬を熱い血でほんのりと染め、眉のあたりには生命が息づいている。片手にはハンカチを、もう片方の手には懐中電灯を握っていた。

だが部屋の扉を締めながら、ジェルヴェーズはふとためらった。脱ぎ捨てられたドレスが、暖炉の火に照らされて煌めいている。そのドレスに別れを告げ、奇妙な恰好で奇妙な世界に入っていこうとしていることが変に意識されたのだ。ジェルヴェーズの目が、そのごく普通なドレスの上でしばらくたゆたった。扉を閉めるべきか。それとも開けておくべきなのか。

ジェルヴェーズは二歩ほど扉から離れた。

けれどそこで突然振り返ると、また部屋の中に戻った。扉の内側から鍵を抜き、外側から差し込んだ。扉の閉まる音が廊下に響き渡る。ジェルヴェーズは鍵を回して抜き取ると、腰のあたりに差し、ほかの人々を探しにいった。

九

屋敷は静まり返っていたが、それこそが、この突飛なお遊びの肝《きも》でもあった。忍びやかに音もなくさまよっては、誰かと誰かが出会い、名前が叫ばれて、あたりの空気を震わせることだろう。この姿でうまく忍び寄ることができたら、パメラがどんな悲鳴をあげることか。ジェルヴェーズにはそれがありありと想像できたが、どうやらみんなは屋敷の反対側にいるようだ。彼女の通り過ぎた廊下には時折ポツンとランプが灯っているだけで、高い所に連なっている採光窓も、ぼんやりと暗いままだった。このあたりでは、手探りで相手を探すしかなさそうだ。けれど向こうへ行けば、月が部屋を照らし出している。いっそ明るいほどで、その異世界のような雰囲気には、いくらか鼓動も早まることだろう。ひとりきりのようでありながら、おそらくはひとりきりでなく――まるで自分自身の存在を恐れるかのようにギクリと足を止める――と、待ち伏せをしていた子どもさながら、面妖な仮装をした誰かが、両手を広げながらまばゆい月光の中に飛び出してきて、相手の名前を叫ぶ――こういうお遊びが、その七月の晩、まろやかな丘の上に立つ元修道院で行なわれることになっているのだった。

　いったん開けられた扉については、もう一度閉められることがないように手配がされていた。ジェルヴェーズは三十分ほど前に鍵を開ける際に回ったルートを、あらためてもう一度たどりはじめた。だが今度は、懐中電灯の光はなしで。懐中電灯は手の中に隠しておいた。屋敷の中は入り組んでいるが、ジェルヴェーズは夜でも昼のように、それこそ眠っていてさえ自由に歩ける自信があった。ふと、衣擦れの音が聞こえたような気がした。懐中電灯を手で包み込んだまま、スイッチを押した。手が桃色の小さな妖精のように光り、闇の中に浮かび上がった。音は気のせいだったようだ。ジェルヴェーズがスイッチから指を放すと、桃色の妖精も消え去った。

　月の見えた角の部屋に着いたが、先ほどとは様相が変わっていた。大きく膨れ上がったオレンジ色の玉だったものも、いまは単なる明るい円に過ぎず、あの爆発しそうだった気配も感じ取れない。月光は、あらゆるものの色を変えていた。ドレスの飾り紐を緑に、ボディスや袖の赤や茶を黒に染め、屋根窓のような形の布に包まれている彼女の顔は、鼻筋以外は影の中に飲み込まれていた。ジェルヴェーズは余興のことなどすっかり忘れて、終焉を誇り高く待っている、この素晴らしい屋敷のことに思いをはせた。おそらくは、誰かに買い取られることになるのだろう。馬鹿げたほどの金持ちか、でなければどこかの公共団体か。だがそんな金などでは、ほとんど何も手に入りはしない！　壁の石でさえ彼らのものにはならないだろう。なぜなら一族の強情さに根差した様々な物思いこそが、この屋敷の石を固めた漆喰そのものなのだから！　敷地の一ヤード、丘のオークの一本でさえ彼らのものになどなりはしない。古くからの献身は大気にしみつき、そよぐ風が、先祖代々の忠誠心をよそ者たちにささやくだろう！　病院になろうが水治療用の施設になろうが、ジェルヴェーズにはどうでもよかった。そのとき自分は、この地にいないのだから。

　ジェルヴェーズは物思いにふけりながら月に照らされ

た部屋をあとにすると、また舞踏室に近づいた。相変わらず、あたりは不気味に静まり返っている。彼女は足を止めながら迷った。スタート地点には、まだ引き返さないほうがいいのかしら。

　心を決めかねているあいだにも、夜の冒険は速やかに展開しつつあった。誰かがトルコ煙草を吸いつつこの場所を通り過ぎてから――まだ――数分しかたっていないはずだ。

　それがフレディ・ランピーターだと言い切れる理由はどこにもなかった。トルコ煙草を吸う客は、男ばかりか、女のなかにもいる。ただジェルヴェーズには、それがフレディの煙草だとわかったのだ。それも一瞬で。それだけはない。つまり、パメラがフレディと一緒だということまではっきりとわかっていた。むしろ意外だったのは、それがわかったことではなく、いままでわからずにいたことだ。あらためて思い返してみれば、フレディは午後のあいだ、ほとんどずっとパメラのそばにいた。お茶のときには笑いの発作を見守り、ディナーのときにはパメラの隣に座っていた。室内履きのリボンを結ぶとき、パメラがもたれかかっていたのはフレディの肩だった。フレディがどんな仮装をしているのか、ジェルヴェーズは知らなかった。おそらくはディナー用の正装の上に、何かを軽く着ているだけだろう。ピエロ用のだぶだぶの衣装か、でなければ、仮装の定番であるメフィストフェレスのマントとかぶり物。パメラのほうは確か、田舎娘のような恰好をしていた。丈の短い縞のペチコートからは素肌のままの脚をのぞかせて、金鳳花色の髪に巻いた派手なスカーフを顎の下でリボンのように結んでいたはず。

　ジェルヴェーズが衝動的にレディ・ジェーンの仮装を選んだことについては誰ひとり知らなかった。

　いま彼女の目の前には、薄暗い舞踏室がぼんやりと広がっている。とはいえ舞踏室の前には、まだ控えの間がふたつあった。ジェルヴェーズの立っているのは、手前側にある大き目の部屋の戸口だ。その先の部屋は、そのまま舞踏室につながっている。小さめの部屋になっているのは、改装されたのが比較的最近であるためだ。おそらくはジェルヴェーズの父親かあるいは祖父が、舞踏会が行なわれるときのために、ビュッフェ用か給仕用の部屋に使えるようにと考えたのだ。家事に必要な部屋は一階下に集まっているため、この部屋には特別な用途もなかった。羽目板張りの壁が三、四フィート手前に張り出しているのは、その奥の床をつぶし、下へとつながる木の階段をつけたためだ。羽目板の一枚が扉になっており、階段へと出られるようになっているのだ。その小さな部屋には、家具といっても、ジャコビアン様式の重たげなテーブルがひとつ置かれているだけだった。

身を潜めて用心すべきゲームの最中に、鼻孔を刺激するトルコ煙草の匂いをあえて残しているのだとすれば、彼は逆にそれを警戒線として使っているのだ。ジェルヴェーズは戸口の並びから外れるようにしながら、こっそりと進んだ。控えの間はどちらも空っぽだった。ジャコビアン様式のテーブルのある小さいほうの部屋にも人気《ひとけ》はなかった。だが舞踏室からは、押し殺したささやき声が聞こえてきた。ジェルヴェーズは開いた扉の後ろに隠れて、こっそりと向こうを覗き込んだ。

ふたりは部屋の真ん中で、かすかに光るシャンデリアの下に立っていた。フレディが、恩寵でも授けるような独特の口調でなにやらささやいていたが、何を口にしたのか、突然パメラにたしなめられた。

彼の仮装については、ジェルヴェーズの予想した通りだった。仮装用品を扱っている店であれば、一着どころか、必ず二着は置いてある衣装だ。フレディは小さな頭にメフィストフェレスのかぶり物をぴったりとつけ、深紅色の袖なしマントを、肩からかかとまで垂らしていた。

だがパメラの恰好は確認することができなかった。フレディのマントに包まれて、胸にぴったりと抱き寄せられていたからだ。顔につけている小さな仮面だけがなんとか見えたが、それは風で飛ばされた何かの花びらが、ポピーの黒っぽい花芯にとまったところを想像させた。

つまりフレディは、おつむの弱いパメラにさえ欲望を抑えられないのね！

周りの状況を頭に入れ、立ち位置を巧みに選んでいるところも彼らしかった。部屋のどちらかの端から見られた場合には、反対側に逃げればいいし、見られたとして十四から十五ヤードの距離は確保できる。つまり、ふたりが小声で話している内容までは聞き取ることができないのだった。実際ジェルヴェーズも、ふたりの姿を二度ほど確認していた。一度はじかに、もう一度は、昼間に自分を映した鏡の中に。ジェルヴェーズには、フレディが、顔をパメラのほうに寄せるのが見えた。

だが鏡の中に誰かを見る者は、鏡の中で見られる可能性がある。ふいに、つんざくような澄んだ悲鳴が響き渡り、頭上のシャンデリアを震わせた。ジェルヴェーズは夢遊病者のように開いていた扉のそばから無意識に離れると、舞踏室への戸口を枠にして立ち止まった。そのまま――ギャラリーの絵からレディ・ジェーンが抜け出してきたかのように、身動きひとつしなかった。

だがシャンデリアの音が消える前に、悲鳴はおさまりつつあった。フレディの腕が、マントの下で素早く引き寄せるように動いたかと思うと、ポピーの花芯が折りたたまれて、例の花びらを隠してしまった。フレディはまっすぐにジェルヴェーズを見つめていた。恐怖の色はまるでない。それでいて、パメラには見ることを許さなかった。

ジェルヴェーズはそんな彼の態度を（苦々しくも）すぐに信じ、賞賛を覚えずにはいられなかった。愚かな娘の激しい鼓動を自分の心臓の上に感じながら、即座に行動が取れるなんて！　フレディにしてみれば、レディ・ジェーンの幽霊がなんだというの？　この手の男を震え上がらせるには、絵の中の女になりすます程度ではとうてい足りない。フレディは深紅の丸いかぶり物の下で、傷跡のある口元に、例の笑みを張りつかせている。ジェルヴェーズは嘲るように待ち受けた。フレディが口を開いて自分の正体を明かし、見つかったことを認めるのを。

だがフレディはそうしなかった。口元に笑みを張りつかせたままで、ジェルヴェーズのほうに近づいてきた。視界を奪われているパメラを、そのまま、マントで包みながら。あと数ヤード。ためらう様子もなく、さらに近づいてくる——。

ふと、ジェルヴェーズは恐怖に飲み込まれた。着実に、静かに、笑いながら近づいてくるこの男のほうが、どんな幽霊よりも恐ろしく思えた。隠れられる場所はひとつしかない——給仕用の階段へ——。

レディ・ジェーンが立っていた戸口からは、空っぽな薄暗いふたつの部屋が見えた。

ジェルヴェーズはどうやって扉の羽目板を見つけられたのか、自分でもわからなかった。落とした懐中電灯がジャコビアン様式のテーブルのほうに転がったけれど、それを拾っている余裕はなかった。扉を閉めると、暗い階段の上で体を震わせた。ふたりと自分を隔てているものが、オークの羽目板しかないことを意識しながら。

フレディはどうするつもりなの？　絶対に何かをするはずよ！　なにしろ、わたしがうずくまっているこの小さな場所については、彼もよく知っているのだから。わたしが落とした懐中電灯を拾い、羽目板を開き、この顔を光で照らして——。

ジェルヴェーズは動くことさえできないまま、待った。

羽目板の向こうからは、パメラの震える声がかすかに聞こえてきた。

「ああ！　もういや！　明かりのあるところに連れていって！」

聞こえたわけではないが、ジェルヴェーズには、フレディのやわらかな笑い声が想像できた。

「あれは――そうだったんでしょ?」パメラがまた、哀れっぽい声で言った。

それからフレディが、落ち着き払った静かな声で言った。「え? なんのことだい?」

「あなたがわたしの顔を覆ったときよ――鏡の中に――」

「意味がよくわからないな。いったいどうしてあんな悲鳴を上げたんだい?」

「ああ、わたし――」パメラが泣きはじめた。

それからどれくらいの間があったのかはジェルヴェーズにもわからなかったが、いったいどんな慰めによってか、パメラの泣き声が次第におさまってきた。

あの男が扉を開けるだなんて。それどころか、もっとひどいやり方を思いついていたんだわ!

そこでパメラがふいに、鋭い声で言った。「だめよ、フレディ――いや、やめて――」

その言葉の続きも、叫ばれたようによくわかった。

「けど、きみは約束したじゃないか――」

「いやよ、いや――あれは今日の午後の話で――」

ジェルヴェーズの耳に、フレディの、くぐもった不遜な笑い声が聞こえてきた。「心変わりをするには、いくらか遅過ぎたようだね」

ジェルヴェーズは気づくと、階段の下の扉にもたれかかっていた。その向こうはアーチ形の通路から、中庭に出られるようになっていた。

＋

肺が、生き残ったわずかな細胞だけで息をしているかのように、締め付けられて苦しかった。肺だけでなく、彼女そのものがそうだった。感情と感覚(思考はまだ働かないまま)が襲いかかってき、彼女を押しつぶそうとしているかのようだ。何かがはっきりする前に、また別の何かが押し寄せてくる。

いったい何が起きたの? みんなはどこ? どうして(と、どうでもいいことまでが頭に入り込んできて)使用人たちはこの階下の扉に鍵をかけておかなかったのかしら? どうしてわたしはこんな恰好をしているの? そういえば懐中電灯を持っていなかった? 居間の鍵はどうしたのだったかしら?

「一度に何もかも考えてはだめ――ひとつずつ、ひとつずつよ!」ジェルヴェーズは泣きたかったが、息が苦しくてそれさえできなかった。

それから胸にたまった息を大きく吐き出したけれど、アーチ道の壁で体を支えていなければ、きっと倒れていたことだろう。

ああ！　だいぶよくなった！

頭の中に、もう少し秩序を持って映像が蘇りはじめた。フレディのものだとわかっていたトルコ煙草の香り。あれがすべてのはじまりだったのだ。そこから、順を追って記憶が戻ってきた。シャワーのようなクリスタルのシャンデリアの下に立っていたフレディとパメラ。力なく上に向けられたパメラの小さな仮面。そこにフレディの手が、奇術師や腹話術師が小道具の仮面を押さえるときのように添えられている。フレディが魔術師で、パメラが操り人形。フレディはささやかな幻想の中でパメラにその役を演じさせたあとは、ブランチをはじめとするほかの女のもとへと移り、今度は彼女たちを手品の箱に閉じ込めるのだろう。

「いったいパメラはどうしたというのかしら？」その日の午後、母親はジェルヴェーズにそうたずねた。あの質問は、フレディにするべきだったのよ！　パメラに何があったのか！　あの男は午後のあいだずっと、何もかも自分の思いのままにしていたのだから、もちろん知っていたはずだわ！

しかもなんて早業！　あの奇術師は巧みな指さばきにより、ジェルヴェーズの見ている前でパメラの仮面をかき消したあげくに、嘲るような目つきで彼女を見つめたまま近づいてきたのだった。

だとしても、どうしてわたしは逃げたりしたの？　踏み出して罰金を要求すべきときに、どうして馬鹿のように立ち尽くしたままでいたの？

罪のあるのはわたしのほうで、彼は無実だとでもいうの？

ジェルヴェーズの脳裏に、パメラの声が蘇ってきた。

「いやよ、いや、フレディ。あれは今日の午後の話で――」それからあの、静かで不遜な笑い声――。

ふたりはまだあそこにいるのだろう。そして床には、わたしがいた証拠のように懐中電灯が転がっているはず――。

ジェルヴェーズはよろめきながらアーチ道を抜け、中庭に出ると、荒々しく周りに目をやった。中庭の向こう側にある、月光に包まれた組み合わせ煙突の下の一階部には、ジェルヴェーズの居間の格子窓が見えた。早く逃げなければ。部屋に逃げ込んで鍵をかけ、ひとりきりにならなければ。

ジェルヴェーズは屋敷に駆け込んだ。

だがもうひとつ、忘れていたことがあった。居間の扉には鍵がかかっているのだ。絵に似せたドレスの、固いボディスに差し込んであるのは、寝室の鍵だった。この不運に関してもフレディになんらかの非があるかのような気がして、彼のことを思い出したとたん、ジェルヴェーズはまた頭の中が真っ白になってしまった。

ああ、まるで悪魔のよう！　いっそ悪魔より、もっと悪魔めいている。だって悪魔なら、悪魔のふりをする必要はないはずだもの！　なんなら、光の天使にでもなりすませばいいのよ。それを、悪魔が悪魔になりすますだなんて！

彼の巧妙さもまた悪魔めいていた。いまごろはもう、彼女に対して自分を正当化する準備もできているはずだった。ジェルヴェーズには、周りの人々などは見世物に過ぎないかのように、彼女の耳だけに低い声でささやかれるだろう密やかな言葉が、もうすでに聞こえるかのようだった。

「パメラも気の毒に！　なにしろ驚きやすいからね！　ぼくにはもちろん、あれが誰だかすぐにわかったさ。きみが戸口に立ったときの姿ときたら、きみ自身にも見せてあげたいくらいだったよ。ほんとうにおそろしく効果的で――正直ぼくも、一秒か二秒はぞっとしたくらいさ。とにかく、パメラを動揺させてはいけないと思った。だから彼女の顔を覆ったのさ。あのマントとかぶりものは、戸棚の中から見つけたんだ。それにしてもわからないのは、どうしてきみが、あんな風に逃げ出したのかってことさ！」

それからこう続けるだろう（なにしろジェルヴェーズにはフレディという男がよくわかっていた！）「おそらくは裏階段を使ったんだろ？　ぼくはあの扉を開けることも考えたんだが、やめたほうがいいと思い直したのさ。そんなことをすれば、パメラをますます怖がらせたかもしれないからね。ところで、ジェルヴェーズ――ぼくがきみなら、パメラには何も言わないでおくな――彼女は全部、自分の空想だったと思い込んでいるんだ――そのままにしておいたほうがいいとは思わないか？」

レースの袖口に縁取られたこぶしで宙を叩きながら、ジェルヴェーズは「ああ！」と静かに声を漏らした。

寝室に行くには、広間をもう一度横切らねばならなかった。広間には明かりが灯っていたものの、人気《ひとけ》はなかった。レディ・ハロウとサー・ウォルターは、すでに寝室へ引き上げたのだ。だが途中まで出来上がったジグソーパズルは、暖炉の前にそのまま残されていた。暖炉では薪が燃え、アメジストのような炎を煙突に向けて送り込んでいる。ジェルヴェーズは急いでいた足をピタリと止めた。

　バラバラになったはずのフレディは、また元通りになって、わたしを支配しようとしているの？　いやよ！　いや！　そうはさせないわ！

　レースの袖口に縁取られたこぶしが、パズルの真ん中に振り下ろされた。雷文細工の噴水が空中に噴き上がり、粉々になって落ちてきた。ジェルヴェーズは寄り集まっている木のピースの上に手を置いて、ぐちゃぐちゃにかき回し、押しつぶし、あちこちに散るにまかせた。

　それからふたつかみほどを、暖炉で燃えるアメジストの中心に向かって投げ込んだ！

　音を立ててはぜながら、メラメラと燃え上がっていく！

　その瞬間、広間の遠い隅で黄色い光が閃くのが見えた。ジェルヴェーズは押し殺した叫び声を上げ、階段を駆け上がった。

十一

「ジェルヴェーズ！　ジェルヴェーズ！」そばを駆け抜けていくジェルヴェーズに向かって、みんなが呼びかけた。余興を終え、そろって階段を下りてきたのだ。男たちは田舎紳士風にビーバーハットをかぶったり、オランダ風のズボンを履いたり、思い思いの恰好をしている。フィリップは緑の繻子のような生地に、ひらひらとフリルのついた衣装を身に着けていた。女たちは銀の鈴や貝殻になり、あるいはビロードのドレスをまとったりしていた。

「いまのはジェルヴェーズだったわよね？」

「いったいいままでどこにいたんだろう？」

「ついでに、フレディとパメラはどこかしら？」

　瞳のキラキラした娘が唇に指を当てながら、さらに目を煌めかせて見せた。どっと笑い声が上がった。ヒルダはまだ十七歳で、彼らのなかでも一番の年少だったのだ。

「だけど、ジェルヴェーズはいったい何に仮装していたのかな？」誰かが口を挟んだ。

「わかったわ！　あの活人画を覚えているでしょ、フィリップ？　ジェルヴェーズが、絵の一枚を演じことがあったじゃない」

「そうか。レディ・ジェーンだ」

「だとすると、ひとりでみんなを震え上がらせるつもりだったわけだ！　ブルルルル！　よし、ぼくはきみのべッドにもぐり込むつもりだぞ、イヴリン！」

「そうでしょうとも！」イヴリンが軽くやり返すと、また笑い声が上がった。

　彼らは陽気に今夜の余興を話題にしながら、誰が見つかったのかを確かめた。ビーバーハットやターバンやサッシュで装った男たちはウィスキーソーダをすすった。それから「寝る時間だ――さあ」と、女たちに声をかけた。銀の鈴や貝殻たちはおのおの蠟燭を取り、おやすみなさいというように手を振って、おしゃべりをしながら階段を上がった。男たちは、グラスとサイフォンと煙草の置かれたテーブルの周りに集まり、それぞれにナイトキャップを作った。

「おいおい、これはいったいどうしたんだ？」男のひとりが、いきなりそう声を上げた。

　レディ・ハロウのパズルの残骸が目に入ったのだ。

「おっと、そこいら中に散らばっているじゃないか」

「拾っておいたほうがよさそうだな」

　ところが暖炉からも、焦げたピースが次々に見つかった。

「これでは救いようがない」ビーバーハットの田舎紳士が言うと、男たちは注意をほかに移した。

「ところで、今夜の悪ふざけは誰の発案だったんだ？」

「パメラじゃないのか？」

「そうだろうな」

「だが、誰もジェルヴェーズを見かけなかったのか？」

　誰も見ていなかった。

「さてと、ぼくはそろそろ引き上げようかな。きみたちは一晩中起きているつもりかい？」

　男たちは酒を飲み干し、あくびをした。

「明かりを消したほうがいいかな。それとも使用人はまだ起きているのかい？」

「念のため、常夜灯は残しておいたほうがいいだろう」

「レディ・ハロウのパズルは気の毒だったな」

「ではおやすみ」

　男たちも蠟燭を取って、次々と階段を上った。しんがりをつとめたのは、緑のフリルに飾られたフィリップの足首だった。階段の親柱のそばに置かれたテーブルの上では、常夜灯が燃えていた。その光と、消えかけた暖炉の火と、客用の棟を行ったり来たりしている小さな明かりを除けば、丸い丘の上にある屋敷はすっぽりと闇に包まれていた。

十二

みんなの横を駆け抜けたとき、ジェルヴェーズにも自分を呼ぶ声は聞こえていたが、もはや女主人役を務めるつもりはなかった。それぞれが勝手に寝に行けばいいのだ。いつもであれば、女たちはジェルヴェーズの部屋に集まる。彼女のベッドの端にちょこんと腰を下ろして、髪をすき、笑いさざめき、彼女の化粧品を勝手に使い、追い払われるまで出て行こうとしない。だが今夜は、彼女たちのおしゃべりに付き合うなど不可能だった。それでなくても、だいぶ前からうんざりしはじめていたのだ。だからジェルヴェーズは、彼女たちがそれぞれの寝室に落ち着くまで、自分の部屋に近づくつもりはなかった。そこで別の方角に向かうと、何時間か前に通った廊下を避けるようにしながら進んだ。

もはやフレディ・ランピーターに関わる問題は途方もないものになっていた。修繕、抵当、借金にあえいでいるこの屋敷の問題より、何千倍も悪いくらいだ。ジェルヴェーズはいまや、自分の本性や、その思い切った極端さと向き合わざるをえなくなっていた。自分のなかに眠っているかもしれない恍惚感と、肉体的な渇望を突き詰め、なかでも不可思議で中途半端な欠乏感と向き合わねばならなかったが、それは彼女にとって必要なのが与えることのみであるときに、彼女を永遠に縛り、閉じ込め続けているのだった。

ただ与えることができたなら、自分をアラバスターの箱のように差し出すことができたなら。その箱が割られれば、中からは甘い、隠された秘宝がこぼれだすというのに！　誰もが何かを手に入れることしか考えていないのだから、わたしだって、それくらいは望んだっていいはずよ。さまざまな天与の美点に恵まれているわたしが、どうして〝与える〟という決定的な才を持ち合わせていないの？　血に刻みつけられた厳しい掟に縛られて、わたしたちの心臓は鼓動のたびに、自分は自分だ、自分は自分だと訴え続けるけれど、最期の時まで、そのままの自分から抜け出すことは許されないのかしら？　ああ、人は、吹く風のように自由に見えるのに！　揺り籠から墓場まで、わたしたちは自由という幻想の中を生き続けるのだ。人間は同類によって自分を築き上げる。彼らを真似、彼らの思うことを信じ、いつしか彼らと同化する。それから、そう、決定的な時が突然やってくる。彼らに囲まれながらも、共有できない何かを見つけてしまう。孤独の中にあるその人に届くのは、たったひとつの声だけだ。それは忘れ去られていた声、いや、それまで発見されていなかった自分自身の声である。その一刻《いっとき》、人は虚無と向き合いながら、死のみを予感させる寝台に身を横たえるのだ。

それがいまのジェルヴェーズだった。彼女は自分の寛大さ、慈悲、情熱的な愛、肉体の疼き、苛まれた神経に捌《は》け口を見つける必要があった。そのためには思い切って、天使に剣を向けねばならなかった。彼女にとっての地獄となったエデンの園から抜け出す必要があった。祈ることで救われるのであれば、いくらでも祈ってみせよう。だが救われないのであれば、こんな渇望の中で死ぬよりも、人間らしい罪を犯したほうがましだ。

ジェルヴェーズは、狭い、漆喰塗りの廊下に立っていた。右手には、薄暗いランセット窓が並んでいる。この廊下は屋敷の北側の円周をぐるりと回り、文書保管室まで続いている。そこからは、また別の廊下で例のギャラリーに出ることができる。ジェルヴェーズはすでに、眠れぬ夜《ニュイ・ブランシュ》の戸口に立っているのであり、この古めかしい屋敷も、そのなかで幻想的な役割を果たしているのだった。彼女には自分のいる場所がわかっているだけでなく、新たに得た感覚でそれを感じ取っていた。迷路のような屋敷の隅々に宿る、時を超越したなつかしい感覚が、彼女を包みはじめていた。ジェルヴェーズには、前にもこの廊下に立ったことがあるとわかっていた。回数の問題ではなく——それは——太古からの遠い記憶によるものだった。その経験は、それがなんであれ、以前の経験が繰り返されたものに過ぎず、その狭間《はざま》にある時などは、本質的な障害になりえないのだ。ジェルヴェーズはいま、以前からずっと求め続けてきたものを求めているに過ぎないのだが、そこには大変な切迫感が加わっていた。探しているものは文書保管室とはなんの関係もない——そこにある何かを売るつもりも、調べたい図面があるわけでも、表題を確認したい資料があるわけでもない。絵のギャラリーとも関係はない——あそこには傷だらけのくすんだ赤い壁と、彼女がいま着ている服を身にまとった、冬を思わせる老いた女の姿があるだけだ。自分が何を求めているのかは、彼女自身にもわからなかった——けれど、すぐにわかるはずだ。ジェルヴェーズはその魔法の名前をはっきりと覚えてはいなかった——それでいて、いまにも耳に聞こえてきそうなのだ。そして探し続けていたものがいざ姿を現したときには、そもそもずっと知っていたものであることが明らかになるだろう。昼間はその何かを守っている固い鍵を、夜がまた、泥棒のようにこじ開ける。何がいけないというのだろう？　わたしは家畜さながら、日中の雑事によってくびきをかけられ、一日の終わりには、毎夜、麦わらを与えられるだけだというの？　いまはわたしの時間。責任からも解放されている。招いているものには、なんであれ、暗黙のうちに従わねばならない。夢に包まれた元修道院のどこかにある謎の扉は、遅かれ早かれ、自身の謎にこたえて自ずと開くはず――。

　ジェルヴェーズがふいに、自信に満ちたしぐさで手を突き出した。指が思った通りのものに触れたときには、喜びに胸が小さく高鳴った――漆喰塗りの壁についた扉だった。鍵は持っていなかったが、日中の記憶の中にあるものが、この扉の秘密につながっているような気がした。壁の出っ張りの下に指を当て、持ち上げながら、そっと肩で押すようにすれば扉は開くはず。思った通り、扉は開いた。

　文書保管室だった。わずかながら光量が増えたことでそれがわかった。小さな八角形の部屋だ。天井の中央の一番高いところがガラス張りになっている。だがいまジェルヴェーズを見下ろしている月は、鉛のようにどんよりしていた。蜘蛛の巣、埃、枯れ葉、糞《ふん》、最後に掃除されてからの年月の堆積物が、天上ガラスからその明るさを奪っていた。ジェルヴェーズのそばには、薄暗い中に収納箱が並んでいた。教会の扉のような鉄張りで革紐のついているもの、飾り鋲の打たれたもの、革のはがれかけたもの、木製の箱、漆塗りの箱。こういったものが壁際に積み上げられ、床のあちこちにも置かれている。格子状に組んだ針金から、子牛革の装丁ののぞいているものもある。部屋の隅には、ストーブの煙突のように丸められた地図や図面が立てかけられていた。

　だがそれだけだ。なんの発見もない。なんであれ、ジェルヴェーズの探しているものは、ここにはなかった。

　だがゴワゴワした布の頭飾りをかぶり、幽霊めいた姿で天井窓の下に立っていたジェルヴェーズは、レースの袖口から伸びる片手をテーブルに置きながら、ふいに、軽く身を震わせた。まるで停滞していた状態が、はじめて不安定に脅かされたとでもいうかのように。彼女は指を動かして、埃をかぶったテーブルの上にある、蛾の死骸のような紙に触れた。同時に、彼女の意識の中には、遠い声の記憶が蘇ってきた。単調で、神経に触る、抑揚のない声。紙は、最後にこの文書保管室を訪れた際に、彼女自身が記したメモだった。声の主は不動産業者か何かの若者だった。おそらくはジェルヴェーズが二度と会わずに済めばいいと願っている、あのニキビ面の男だろう。

「古風で趣がある――それは否定しませんよ――」男は、

ジェルヴェーズを不快にさせる声で言う。「――だがある意味、奇抜な地所というのは――すべての買い手に喜ばれるものではない――もう少し、希望に近い金額をつけてもらえませんかね？」

　ジェルヴェーズの興奮が高まった。またあの連中なの！　こんな静かな夜にさえ、名刺、屋敷の下見許可書、ノートを手に、鉛筆を耳にはさんで、わたしの心に押し入ってくるなんて！

　ジェルヴェーズは荒々しく周りを見やると、文書保管室にもうひとつついている扉のほうにパッと駆け寄った。

　こちらの扉には、近代的なバネ仕掛けの鍵がついている。彼女はギザギザの縁取りがついた小さなノブに手をかけ、するりと抜け出せる程度に扉を開いた。それから乱暴に扉を閉じると、廊下にそのものすごい音が響き渡った。彼女は立ち尽くし、あえぎ、耳を澄ませた。まるで閉じ込められた若者が、羽目板を叩きはじめるのを待っているかのように。

　あの鼻もちならない連中ときたら！　まったく招かれざる客だわ！　閉じられた扉のこだまが静まり、音が消えると、ジェルヴェーズは「ああ！」と低い声をもらした。

　ほんとうに危機一髪だったのだ！

十三

　だが現実は、それよりもかなり悪かった。孤独な催眠状態は、侵されてこそいないものの、脅かされつつあった。ある人々が、ああして記憶だけによって彼女の心に押し入ることができるのであれば、ほかの連中はどうなのだろう？　ほかの連中って誰？

　何も遠くを探す必要はない！　ジェルヴェーズには、自分に支配力を持つだろう人間の名前なら、たいていあげることができるのだから。その七月の夜、元修道院の屋根の下で眠っている客たちについて何かを言うのは、彼らのもてなし役であるジェルヴェーズにふさわしいことではない。彼女のプライドは、長居されて迷惑だなどと思うことさえ、自分に許さなかった。彼女が見せる態度に合わせて、彼らは何か月だって居座るかもしれない。それになんのかんのいっても、やはり彼らは、彼女の母、レディ・ハロウの招待により来ているのだ。

「ええ、ええ、わかっていますとも！　けれどお客といっても、フィリップとパメラなのよ――フィリップにはずいぶんと会っていないし――パメラも自分の部屋のことは自分でやると言っているし。ひどく疲れているようじゃないの――外に出て、風に当たっていらっしゃい

――」
いいえ、だめよ。あの連中を近寄らせてはいけない！　あの良心を欠いた客たちは、夜の静けさの中で何かを探そうとしているわたしにはふさわしくない！　わたしに必要なのは、もっと古くて、深くわかり合えるお友だち。愛情深く、理解があって、助けになってくれる人々。口にするまでもなくわたしを理解して、心の壁の奥深くにたくわえられている、天然の蜂蜜のように甘いものを見つけ、引き出してくれる人たちだ。そのほかの人々は、また、くたびれる一日をもたらすだけ。いまのジェルヴェーズに取り急ぎ必要なのは、ただただ休息の恵みだった。情熱に欠けた優しい手で髪を撫でてもらい、まぶたに安らぎのキスを受け、忘却の静けさで胸を満たしたかった。疲労のにじむ夜の散策をやめ、傷ついた魂を休息に安らえたい！　どんな椅子であれ、そこに体を沈めることさえできれば、疲れた体には休息を与えることができるだろう。だが魂は。癒すことのできない渇きなど、地獄以外に存在するのだろうか？　いいえ、いいえ、いいえ！　もしも神を嘲ることができないのであれば、神のほうでも嘲るはずがない。求める者には与えられるわ！　飢えを覚えるのも、最後には満たされるためなのよ！

ジェルヴェーズは重たい足取りで暗い通路を進むと、突き当たりの扉を弱々しく押して、ギャラリーの端についている緩やかな三段のステップの一番上に出た。ステップを下り、足を引きずるようにして、壁を厚くくった場所にある、菱形に格子の入った一番手前の窓に近づいた。彼女は限界点に達していた。窓腰掛けに座り込むと、壁のキャンバスから、レディ・ジェーンが見下ろしていた。

ジェルヴェーズは思った。時は、わたしも擦り減らしていくだろう。もう一年か二年の美。それからまた、一年か二年。そのあとは、わたしの名前を思い出す人さえいなくなるだろう。壁の上の静物は、わたしよりもはるかに長続きするのだ。ジェルヴェーズ自身は、一度も肖像画を描いてもらったことがなかった。

この作者不明の絵を売り払うことができると考えるなんて、ほんとうに馬鹿だった！　愛か憎しみかはわからないが、ふたりのあいだには、断つことのできない絆があるのに――。ジェルヴェーズには、彼女の確固とした様子がうらやましかった。どんな困難も、もはや彼女を悩ませることはできないのだ――。

芝の中庭の向こうでは、ノルマン様式の壁のてっぺんを、アラセイトウとセイヨウカノコソウが黒いビロードのように覆っている。壁の下の草の中で、ツチボタルが一匹、姿を消した月のかけらのように光っていた。その七月の夜のどこかで、追われている何かが苦悩の叫びを上げはじめた。その声は、しばらく断続的に続いてから、ふっつりと止まった。だがそもそも、ジェルヴェーズには聞こえなかった。布の頭飾りに包まれた頭を、飾り紐に彩られた肩に休め、眠っていたのだ。

　彼女は眠っていたに違いない。でなければ、目覚めるはずもないではないか？　ジェルヴェーズも自分が眠りから目を覚ましたようだとは思ったけれど、それはこれまでには経験したことのない奇妙な目覚めでもあった。薄暗い部屋の中は暖かく澄んでいたが、どことなく違った場所のように感じられた。いつもと違う角度、つまり床からではなく、上方から見下ろしていたのだ。レディ・ジェーンの絵の額の上に厚く積もった埃や、絵を壁に留めている留め金も見えた。カバーに覆われたソファや、摩擦マッチの箱の置かれたマントルピースは、何ヤードも下にあるようだった。自分が軽く、自由に感じられて、彼女はふいに、幸せな優しい涙を流しながら笑った。

　もう安らぎを探し求める必要はないのだ。このどこともいえない、奇妙に浮遊した場所で、彼女はそれを見つけたのだから。

　にもかかわらず、彼女の視線はさらにさまよった。カバーに覆われたソファ、マッチ箱の置かれたマントルピースの上をかすめたあとに、芝居用の衣装を身に着けて、目を見開いたまま窓腰掛の隅にうずくまっている人影の上でとまった。もしその人が息をしているのであれば羽根の一本を揺らすことさえなく、動脈が脈打っているのであれば、壁のレディ・ジェーンが動き出してもおかしくはなかった。ジェルヴェーズには、それが彼女の抜け殻であることがわかっていた。恍惚に満ちたいまの彼女は、欲望を阻止された空っぽの容れ物から昇華したものなのだ。もしも彼女が戻らないことを選べば、あの仮装姿のジェルヴェーズはこのまま死ぬことになるだろう。

　けれど、どうして戻らなければならないの？　すべてをそぎ落とされた、自らの純粋な最後の要素との対面を、恐れる必要がどこにあるだろう？　痛みなどまるでなかった。かぎりなき優しさで失われていくのだ。まるで白い光線からなんらかの色相が消えていくかのように。あるいは、完全には一致しないふたつの像が、ぶれながら重なり合っているかのようでもあった。ジェルヴェーズは神にでもなったように、窓腰掛の上の、それもやはり自分である、うつろになった体を愛おしく思った。そのまま生気の抜けた自分の妹のほうに腕を差し出すと、想像もできないような愛を彼女に降り注いだ。

「おやすみなさい、疲れ切った可哀そうな子！」彼女は静かに声を上げた。「おやすみなさい。あなたの胸に眠っている蜂蜜は、わたしが取り出してあげるから！　その蜂蜜は、わたしの心臓に穿たれた〈七つの傷跡〉（聖母マリアの七つの悲しみを象徴）からこぼれ出すことでしょう！　ペリカンのように胸を傷つけ、この血をあなたに飲ませてあげる！　わたしをむさぼり、力を得るのよ。可哀そうに、あなたの心は固く閉ざされたまま飢えている！　わたしは長いあいだ、たいていの時はあなたから遠ざけられてきたあなたの天使。けれどいまは、わたしが慰めをもたらすのよ！」

彼女は、理解に濾《こ》された思いを注いだ。優しさ、哀れみ、蜜と香油とワイン、サマリア人の愛を降り注がせた。

だがそこでふいに、彼女は痛みを覚えた。窓辺の体が、かすかに動いた。ギャラリーそのものが、また変化したように感じられた。彼女にはもはや、額縁の上の埃も、ニスに浮いた亀裂も見ることができなかった。彼女は沈み、呼び戻され、同化していた――月を横切るふわふわした雲が、部屋に広がる澄んだ薄闇を陰らせた。古びた壁の布が、くすんだ赤い色調を取り戻した。その上には、最近できた新しい傷跡が浮いている。窓腰掛の女は、彼女の片割れを探しているように見えた。手探りで、たぐり寄せるようにしながら――。

それから、いっそ死のほうが耐えやすいような瞬間がやってきた。心臓がおそろしく跳ね、彼女は戻っていた。神経が麻痺し、うずいているのを感じながら、袖、頭飾り、コルセットをまさぐった。

何が起こったの？

わたしはどこにいたの？

覚えていなかった。こんなところで何をしているのかも思い出せなかった。ジェルヴェーズは眉をひそめ、思い出そうとした。

何かの余興をしていたはずなのだけれど、それからは何時間もたっているはずだ。彼女がレディ・ジェーンの衣装を身に着けたのもそのためだった。またしてもジェルヴェーズは、確かめるようにして頭に手をやった。そう、間違いない。壁の絵を見上げると、その日の午後の気分が一気に蘇ってきた。

ほんとうに憎らしくてたまらない！　あの、まつげのない漆黒の瞳と、骨ばった、嘲るような顔！　この女が、生きているあいだに情事を楽しまなかったはずがない。

ジェルヴェーズは自分でもなぜだかはわからないながらに、ハンカチを落として恋を仕掛ける貴婦人の物語がことごとく否定されたはずのないことを心から誓えた。レディ・ジェーンはサー・エヴァラードの妻だった。二脚の金メッキのフレンチチェアのあいだに、アンティークの黒い四柱式ベッドが置かれた部屋が彼女の部屋だった。だがもしも妻の行動に目を光らせていなかったのだとすれば、サー・エヴァラードはあまりにも愚かだった！　修道院は広いから、間違った扉を開けるのも難しいことではない！（好きなだけ澄ました顔をしているがいいわ、ジェーン。けれど、あなたの血肉を引き継いでいる子孫に、そんなことを信じさせようとはしないことね！）誰かがいたはずなのだ。彼女に個人的な、心を乱すような質問をし、彼女の神経の中から、奥底に秘められていた極上の一本を慎重に選り抜いてかき鳴らし、つんざくような音を響かせた誰かが！

　おそらくその男は、サー・エヴァラードの背後で密かにジェーンの漆黒の瞳と視線を交わしていた恋人は、彼女に忠実なふりさえしなかった！　その手の色男についてなら、わたしもよく知っている！　彼らには野原にいても注意する必要があるが、私室では特に恐れなければならない！　彼らはまるで、一生をクッションの中で過ごす男のように見えるかもしれない！　屋敷から屋敷、愛から愛へと――。

　ジェルヴェーズは激しく震えはじめた。

　そう、愛から愛へと――ブランチ・チェイターをはじめとするたくさんの女たち、あの、頭の弱いヒステリックなパメラでさえ――。

　パメラは田舎娘の仮装をしていた。素肌のままの脚に木靴を履いて――。

　ジェルヴェーズの脳裏にあの時の光景が蘇った――薄暗いシャンデリアの下に立っているふたり。フレディは、壁の傷跡を思わせる血のように赤いメフィストフェレスの衣装をまとっており、ポピーの花芯にもたれていたパメラの顔が、一瞬だけ見えてからさっと覆われて――。

　映画のように鮮やかな映像が、時系列だったり、そうでなかったり、次々と押し寄せては、ジェルヴェーズに強い衝撃を与え続けた。

　彼女を嘲るように語られた王女の腕についての物語――逆上しながら母のパズルをかき集め、暖炉の火に投げ込んだ自分自身の手――あの午後のフレディとの語らい――。

「なんなら、お望みなだけ友だちでいましょうね。でもわたし、あなたの限界はよくわかっているのよ！」これは、彼女自身の言葉だった――。

わたしには、彼の限界などわかっていない――決して知ることはないだろう――彼のほうこそ、わたしの限界を知っているのだ――。

友だち！　わたしは彼が目の前にいないときには軽蔑し、再び現れたとたん、その指のひと振りにひれ伏してしまう。そんな男を相手に、どうしたら友だちになれるというの？

揺れ動くことのない静かな胸、まぶたに受けるキスとはいえないキス、ジェルヴェーズ・ハロウのような女の頭に置かれる冷ややかな保護者の手。そんなもの、必死に求めたところでどうにかなったかしら？　それが女の役に立つとでも？　あのみじめなパメラでさえ、もう少し知恵があったではないの！　確かに最初は拒絶した。女なら誰でもそうするように――。

「いやよ、いや、フレディ――あれは今日の午後の話で――」

それから彼は、不遜にやわらかく笑う。「心変わりをするには、いくらか遅過ぎたようだね――」

ジェルヴェーズは、あの暗い、給仕用階段のてっぺんに戻り、羽目板の向こうで交わされる言葉をまた聞いているような気がした。明らかに彼女に聞かせるよう、意図された言葉を――。

静かな胸？――ジェルヴェーズは笑った。いいえ、いいえ！　決して静かではない胸を！　さほど気高くはない手を！　一時間は続くキスを！　それもまぶたにではなく、唇の形が変わるほどの、少なくとも次のキスまでは心を満たしてくれるキスを！――

ジェルヴェーズはまたも頭にさっと手をやったが、今度はそこに熱狂したような力がこめられていた。

わたしは彼を憎み、愛するだろう！　愛しながらも、やはり憎むだろう。だがもう、彼なしでは一時間だって耐えられない！

彼女の指の一本一本で、悪魔が息づいた。布の頭飾りが床に落ち、一枚、また一枚と服が続いた。唇からは、押し殺したしゃがれ声で、支離滅裂な言葉が飛び出した。

「腕？　見せてあげる、見せてあげるわ！――いいえ、お母様はわたしの腕にキスなんてするべきじゃなかった――あれは今日の午後の話よね、パメラ？　もう遅過ぎるんですって？　待っていなさい、フレディ！――たぶんわたしは、こんなにもあなたを憎むべきではないのよね、ジェーン――そこで王女はするすると寝室の向こうまで腕を伸ばし、ランプを消した――わたしの足は塵《ちり》で汚れるでしょう――そうしたらあなたは去ることができるのよ、フレディ。わたしはあなたを克服する。二度と会いたいと思うこともないでしょう——いまはこれを——」

服がすべて床に落ちた。透き通った暗闇の中に、ジェルヴェーズの体が、皮をはいだ枝のように白く浮かび上がった。何ひとつ武器も持たないまま、豊かな髪だけが、紋章入りのマントのように垂れている。ソファに近づいたところで、ジェルヴェーズは埃よけのシートを体に巻き付けた。壁からはレディ・ジェーンが、皮肉な顔で見つめている。

光量を落としたランプが、客用寝室の並ぶ廊下を照らす角度で置かれていた。そこを通り過ぎたところで、シートにくるまれた裸足の人影が動きを止めて耳を澄ませた。ひとつ、またひとつ、扉の前で足を止めては中の物音をうかがっている。廊下の曲がり角にある部屋の前に来ると、それまでよりも長めに聞き耳を立ててから、ノブに手をかけた。中は静まり返っているようだ。神経を張り詰めるようにして警戒しながら、ジェルヴェーズはノブを回した。扉には鍵さえかかっていなかった。彼女はするりと中に入ると、またそっと閉めた。

ベッドの足元の台に男物のスーツケースが置かれ、テーブルには男物の化粧用具が散らかっていた。だが明け方の月に照らされた部屋のどこにも、男物のドレッシングガウンは見当たらなかった。月光が、ふっくらしたままの枕と空っぽなベッドの上にのびている。

ジェルヴェーズはしばらくじっと立ち尽くしてから、もう一度扉を開けて、また戻した。自分の部屋の鍵さえ持っていなかった。鍵は、屋敷の反対側にあるギャラリーの床に、仮装用の衣装と一緒に転がっているはずだ。

そもそもこの扉の鍵穴から鍵を抜いて、彼の部屋から彼を締め出す意味がどこにあるのだろう？　それがなんの役に立つというの？　そう、なんになるかしら？——扉の向こうの廊下の先から、新しくつけたばかりの、トルコ煙草の香りが漂ってきているというときに。

ショートショート

赤い淑女の茶会

井上雅彦

それが夢ではない、という自信はある。

確かに、それは儚げな縁取りに彩られるほどの遠い昔の記憶。

幼少期のことだ。とはいっても、昏くて広大な建造物を、ことごとく幽霊の棲む古城だと思い込んでいたような時期は、自分の中ではとっくに過ぎ去っていた。

幼稚園《ナーサリー》のころから、私は父の蔵書室に勝手に忍び込み、珍しい魚類や鳥類、鉱物などの図版を載せた博物学書に夢中になった。私立小学校《プレップ・スクール》にあがったばかりのころには、ブリタニカ百科事典などまで、拾い読みするようにもなっていた。いや、本の知識だけでは飽き足らず、父の懐中時計や生きたコガネムシを分解してみたり、花火を毀《こわ》して火薬を集め、より色鮮やかな炎色の花火を作ろうと試みたりと、実験にも余念が無かった。この頃の私は自分を科学者だと信じ込んでいたのである。

それでも——蔵書室に独りでいる時は、背後の漆喰《しっくい》の壁にゆらめく自分の影に、怯えてしまうこともあった。この世のあらゆる影は亡霊の潜み棲む常闇《とこやみ》につながっているのではないか、などと想像することもあった。夜の帷《とばり》が降りると、自分のなかの科学者は、あっけなく闇に熔解し、霧散した。

これも、その当時のことだから——あの館の奥の黒々とした長い廊下を彷徨《さまよ》っていた時の自分の心が、悪夢を受け入れる状態にあった、と決めつける者がいたとしても、無碍《むげ》に否定することはできない。

薄灯りは、かえって闇を深めていた。迷宮のように延々と続く昏《くら》い廊下。煉瓦の壁を覆い尽くす油絵の群れ。歪んだ鏡像のように朧《おぼろ》にゆらぎ、カタカタ音をたてる鎧《よろい》と兜《かぶと》……。

確かに夢に出るなら、魘《うな》されもするだろう。

しかし、幼い少年が、そんなところをたった独りで彷徨い歩くのは、実は、この時がはじめてではなかった。小さな階段を上がり降りして、見あげた石の迫持《せりもち》に踊る蜘蛛《くも》の影にびくつきながら、果たしてどうすれば、元のホールに戻れるのか、幼い自分は溜息をつきながら、考えてあぐねていた。

この館には、父と滞在していた。複数の塔や切妻を備えたこの広大な建造物は、実際に城館と呼称してもさしつかえのないものであり、ひとかどの歴史も持ってはいたのだろうが、この時分から、すでにホテルとして使われ、商用で各地を飛び回る父の常宿のひとつでもあった。父が商用の旅行に私を同伴するようになったのは、将来、自分の後継者にすることを考えてのことだったのかもしれないが、帝王学として目論見違いであったことは、今となっては、明白だと思う。この城館以外にも、同様の水準の城館やマナーハウスを父はたびたび宿泊に使用してきたのだが、そのたびに私は、屋内で父とはぐれて迷子になった。この時も、厠《かわや》――流石に近代的に整備されていた――で用を足したあと、父の元に戻ろうとして、異なる通路に迷いこみ、彷徨う羽目になったのだった。

不思議なことに、いつもこのような迷宮の冒険は、短時間で終わりを遂げる。この時も、自分は、ほどなくして、明るい場所へと辿り着いた。きっかけは、黒々とした廊下の途中に展示された絵画だった。これも同じような空間が幾つもあり、また同じ場所に出てしまったかと思われたのだが、ここではひときわ大きな額縁の中で、油彩画の聖母マリアが、細長い指を伸ばして、その階段を指し示していたのだ。

天啓を感じた。階段を昇ると、目が眩《まばゆ》い光にくらんだ。

これまでの闇の迷宮が、嘘のように思えた。

美しい飾り窓のガラスが、初夏の輝きをはねかえしていた。

開いたドアから、内部が見えた。

身なりの良い紳士淑女があちこちのテーブルに集《つど》い、テーブルの上には、白磁のティーポッド、ティーカップ、そして、スコーンやサンドウィッチや菓子類を載せた皿を三段に置く金属のスタンドなどが準備されている。

ティーパーティーだ。

その程度の知識は、持っている。絵本で得た知識ではない。奇妙な帽子屋も兎もいないティーパーティー。紳士淑女の嗜《たしな》み。

しかし、このようなオトナの習慣に、これまで参加したことはなかった。だが、どうしたことか、この時の自分は、妙に興味が湧いたのである。

そして——思わず、大胆な行動に出た。

ティールームの店内に足を踏み入れた。受付には誰もいなかったので、そのデスクの下の隙間に身を隠した。すなわち、勝手に潜り込んでしまったわけである。

とはいっても、別に茶菓子を盗み喰いしようというわけではない。大人たちの話に耳を澄まそうと思ったのである。優雅に午後の茶を愉しむ大人たちの会話が聞きたい。今頃は自分を探しているであろう父のことは、頭の外に追い出してしまったのだが、大人たちの会話に耳を傾けるという愉しみを覚えたのには、父の存在が大きい。マティーニなるカクテルの論争。正統なるマティーニの作り方や如何に。ジンとアンゴスチュラ・ビターの配合の割合。レモンは入れるべきか否か。そもそも、ジンはどの銘柄を選ぶべきか否か。こうしたことに大人たちは、真面目に議論する。そんな時、決まって父は「アンゴスチュラ・ビターの香りを嗅ぎながら、ストレートのジンを飲むのが最も美味いマティーニだ」などと自慢げに語っていたが、それは誰だか歴史上の人物の受け売りだったようだ。いずれにしても——自分は大人たちの「大人げない」無邪気な論争に耳を傾けるのが愉しかった。

おそらくここでも、同様の議論が聞けるだろうと期待した。カップを温める時、皿を上に載せるのは邪道か正道か。スコーンに添えられたクローテッド・クリームとジャムは、どちらを先に塗るべきなのか。

しかし——大人たちの会話を期待して、澄ました私の耳に聞こえてきたのは、皮肉なことに、大人ならぬ子どもの声。

「——てんとうむし《レディバグ》！ てんとうむし《レディバグ》！

——おうちに《フライ》飛んで《アウェイ》 おかえり《ホーム》よ！」

少し耳障りな、自分よりも幼い女の子の声が、たどたどしく朗読していたのは、マザーグースだ。でも、自分の知っているのと異なる単語が使われているようだと思っていたら、それに応えるかのように大人の女性の声が割り込んできた。

「私は、レディバード！ レディバード！ と唱っていたわ」

絵本を持った子どもの親に、というより自分自身が懐かしそうに、「どっちもおんなじ昆虫の呼び名だけれども。赤くて、丸くて、可愛らしい、あの甲虫《ビートル》のこと。てんとうむし《レディバード》！　てんとうむし《レディバード》！」

「童謡《ナーサリーライム》としても、どちらも使われています」

　年配の男性が言った。「ただ、英国では〈淑女の鳥《レディバード》〉のほうが、古くから親しまれているようですね。赤い羽織を翼のようにはためかせて飛ぶ淑女」

「なるほど。赤くて固い上翅を開いて、透明な下翅を羽ばたかせて、高く飛翔する昆虫《バグ》を〈鳥《バード》〉と表現する」

　もうひとりが感心したように言った。「実に詩的だ」

「でも、〈淑女の蟲《レディバグ》〉という呼び方も、愛嬌がありますけどね」

　別のひとりが言った。「服に真っ赤なてんとうむしがついているのを見つけた時に、この歌を唱いながら、払ってやるんだそうですよ。おうちに向かって、飛んでいけ、と。いかにも蟲《バグ》を追い払う動作だと考えれば悪くない」

　期待したのとは異なるが、いかにもな「大人の会話」が展開されていることに私は大いに満足していた。それにしても、なんと「てんとうむし」に関する二つの呼び名についての議論とは。

「でも、どうして――？」

　ひとりが言った。「淑女《レディ》なんでしょう？　レディバードにしても、レディバグにしても、どうして淑女？」

「それは、重要な質問です」

　よくぞ聞いてくれましたとばかり、物識り顔の人物が応じる。

「その優雅な名前の由来は……」

と、彼が説明しようとした、まさにその瞬間だった。

私は、自分の背後に妙な気配を覚えた。妙な気配としかいえない。異様な感触。首筋に注がれる強い視線……とでもいうべきか。あるいは、冷気にも近いもの。

　思わず振り向いた拍子に、デスクの底に頭をぶつけてしまった。目から火花が出るような痛みとともに大きな音をたててしまい、私は動揺した。覗き見をしていることに気づかれたかと思ったが、一堂は話し手の解説に聞き入っている。さらに、その瞬間には、すでに自分の背後の「気配」も消えうせているではないか。結局、自分はその「淑女の由来」を聞き逃してしまった。

「なるほど、淑女の由来がそういうことなら、ますます〈淑女《レディ》のバグ〉というのは、相応しくないように思えますね。なぜなら――蟲を意味する以外にも、英国では、バグって、別の意味もあるでしょう」

年配の声が言った。「バグ、ボギー、ブーギー……お化けのことですよ。そんな単語に〈淑女〉をつけるなんてね」

一瞬の沈黙が流れた。

「レディバグは、女のお化け」

誰かが呟いた。その口調が、妙に陰鬱な響きに聞こえた。さきほどの気配を思い出した。いや、いまも、まさに背後に不気味な感触が張り付いている。そんな気がして、なにやら、不気味で振り向けなかった。

「ぞっとさせる《バグベアー》には、もってこいだね」

「さあ！　さあ！　ぞっとさせられる《バグベアード》話題は、それまでにして」

スコーンのおかわりを運んできた女性が言った。「特別なお茶の準備が整いましたよ」

「特別なお茶だって？」

「さて、お楽しみ」

店の主人が、缶を見せた。

「とても、珍しいものが手に入ったのです。長らくご愛顧いただいている御常連の皆さんのため、この記念日にご賞翫《しょうがん》いただくのに相応《ふさわ》しい銘品！」

そう言って、微笑んでから、私のほうを見て、言った。

「せっかくですから、どうかお入りください。はじめてのお客様には、私からのおもてなしということで」

驚いた私は、再び頭をぶつけそうになるところだった。デスクから自分の顔が丸見えになっていたかと、もう一度頭を引っ込みかけた時に気がついた。自分の背後に、大人たちがいる。振り返ることを繰り返さなかったが、自分の目の端に、それが見えた。ゆっくりと目の前を通り過ぎていく二人の衣服――男と女のシルエット――が見えたので、確信した。店の主人が声をかけたのは、あきらかに、この紳士淑女のことなのだろう。

私もすでに、デスクの下から立ちあがり、足が動き始めていた。店内に二人が、ティールームのなかに入っていく速度が、妙に遅く感じられた。女は、カウンターの近くのテーブルに一直線に向かっている。まるで自分の定席ででもあるかのように。だが、男は、ふらふらとした歩き方だ。後ろ姿ながら、どこか身体でも悪いのではないかと思われた。

流石《さすが》に私は遠慮して、戸口のところで立ちよどんでいたが、そのままではさすがに不自然に思えて、二人の後を追った。

女に誘われるようにして男が席に座ったか座らないかという時に――店の主人は「特別な茶葉」の封を切った。開封した瞬間――私は、鼻の奥に強い刺激を感じた。

他の客もざわついた。

「これは驚いた！」

　ひとりが言った。「まさかの烟茶《エンチャ》？　この松葉を燻《いぶ》したような薫《かお》りは……。まるで、ラプサン——」

「正山小種《ラプサン・スーチョン》では無いようですね。それよりも、奥が深い！」

　賞賛するような声もあるが、そんなに多くはない。むしろ、戸惑った表情や、あからさまに眉を顰めてみせる者たちのほうが目立つ。

　しかし——一番、当惑していたのは、この店の主人だ。

「変ですね……この茶葉が、こんなふうに薫るなんて」

　何度も缶を見直した。「これは、燻煙《くんえん》などを着香《ちゃくこう》して作るフレーバリー・ティーではない筈です。ダージリン地方の最高級のファースト・フラッシュが、まさか」

「それで淹れてみてくれません」

　老婦人が言った。「折角じゃありませんか。きっとダージリン茶葉で作った烟茶なのでしょう。でも、残念ね。こんな日に限って、ヴァイオレットさんが来てないなんて。あの燻香のする東洋のフレーバリー・ティーが何よりもお好きなヴァイオレットさんが、定席を空け渡しているなんて」

　その言葉は、強い視線とともに、カウンターに近いテーブルに向けられているだろうということは、私も見当がついた。

　そこには、赤いドレスを着た女性が堂々と座っている。常連たちの視線を愉しんでいるようにさえ感じる。そして、同伴してきた男の手に、自分の手を重ねている。私はなにやら、ただならぬ気配を感じた。

　誰かが、ポツンと、こう言った。

「〈ぶな屋敷〉には、招待状は届いてないのかな？」

　父の書斎でシャーロック・ホームズ譚を読んでいた私には、それが、ある種の目配せであることは理解できた。物語のタイトルである〈ぶな屋敷〉というのが、ヴァイオレットさんの自宅の渾名《あだな》なのか、そもそもヴァイオレットさんというのが渾名なのか、どちらかなのだろう。

　しかし、それに答える者もなく、店の主人は、茶葉をポットに入れて、湯を注いだ。

　燻香は、さらに強くなった。

　刺激臭が強い。これが紅茶とは、信じられなかった。当初、「奥が深い」と賞賛していた人物も、眉を顰《ひそ》めていた。芳烈という表現でも、度を超している。

　私の近くにいた少女が、赤い目をして、泣きはじめた。おそらく朗読していた少女なのだろう。その手からマザーグースの本が離れて、私の足下に落ちて開いた。

——てんとうむし《レディバグ》！　てんとうむし《レディバグ》！
——おうちに 飛んで おかえりよ
——おうちは火事で 子どもはみんな
——ひとりを残して 焼け死んだ……

少女のたどたどしい声が頭の中に再生されていくかのようだ。絵本の文字から、刺激の強い煙が立ちのぼっているように感じて、私は目を逸らした。

　例の席に目を遣ると、男がなにやらテーブルの上で拡げた紙に一心不乱に書き物をしている。ありえぬことだが、私の頭の中に浮かんだてんとうむしの歌を、男が書き写しているようにも見えた。手が怖ろしく震えている。

　あまりにも異様な様子なので、あらためて男の顔を見た。奇妙なことに、その顔が父に似ているように思えて、私は目を瞬いた。もちろん、別人だ。年齢が若すぎる。

　その男の席に立ち、店の主人は彼のティーカップにポットから茶を注ぎ始めた。

　凄まじい強い燻香がたちのぼり、私はあとずさった。

　男は、青い顔をあげて、ティーカップに口をつけた。

　その瞬間——男の目が赤く染まった。涙が流れている。それを見ている自分の鼻腔に強い刺激がこみあげ、私は自分の目も炙《あぶ》られているような気がした。男は、カップを持ったまま、テーブルに蹲《うずくま》るような動作をした。

　さすがに周囲の客も男の異様な動作に目を奪われた。だが——私は、それ以上に、男の傍らの女に目を奪われていた。女は、男の手当をするかのように、背中に手を載せている。その手の下が、まるで陽炎のようにゆらぎ、みえない煙が噴き上がっているかのように、私には見えた。もちろん、それを見ている私の目に沁みわたった燻香のせいとしか思えない。女の表情は、慈《いつく》しみに満ちた顔に見えたのである。

　その時——私は、妙なことに気がついてしまった。女は茶を口にしていない。そもそも、この女の前には、ティーカップが置かれていなかったのである。二人の席なのに、なぜ、ティーカップが一人分なのか。だが、それを確かめる機会は失われた。

　ティールームの入り口から、ホテルの従業員があわただしい勢いで入ってきたのだ。そして、店の主人に小さな声で、なにかを告げた。店の主人の顔色が変わった。

「みなさん……悲しいお知らせです……。本日、朝方、御常連のヴァイオレットさんのお屋敷が火事になったとの連絡があり、あの方は——」

　突っ伏していた男が嗚咽《おえつ》をあげた。

　なにやら、私も頭がぐらぐらとし、部屋の中までぐらぐらしているような眩暈《めまい》にとらわれた。燻香が強くなり、私はよろけるように、ティールームの扉に向かった。

だが――この時も、強い気配を感じて、私は再び、振り返った。

　例の席では、突っ伏した男の背中から激しい炎が燃え広がり、赤い服の女が、両手を翳《かざ》しているのが見えた。女が、見下ろす男の身体からあげた顔を、ゆっくりと動かして、私を見た。赤い火花が、いや、幾匹もの赤い蟲が、こちらに飛んでくるように思えた。私は悲鳴をあげて、ティールームを出たところに――父が待っていた。

　泣きじゃくったのを、覚えている。

　このことは、自分にとって説明のつかない、しかし、大きな変化を与える出来事だった。

　あの時以来、私の味覚は、紅茶の正しい風味を認識することが、できなくなってしまったのだ。

　あれから――ずいぶん、長い年月が過ぎた。

　父の事業を継承し、そして、不本意ながら莫大な損失を出して畳むことになる前から、あの時に、わからなかったことが、幾つかわかるようになってきた。

　あの城館のこと。紅茶のこと。父のこと。

　そして……なぜ〈淑女〉なのかということ……。

　幾つかの謎が残り、幾つかの答が得られた。

　かの城館が何処にあったのか。烟茶の燻香は、松以外の樹木からでも作れるものなのか。旅行の際、父が私を連れて、頻繁に通った屋敷の敷地に群生していた巨木は松だったのか、ブナだったのか。屋敷で父が会っていた女性――その子どもたちと遊んだ記憶はあるが――その女性に、なぜ、私は会わせてもらえなかったのか。

　確認は憚《はばか》られた。だが、それを決意させたのは、自分の心臓が保つうちに、真実をつきとめたかったからだ。

　見覚えのある町並みと、森林の匂い。父と立ち寄った場所。道程が、私の記憶を甦らせた。

　あの巨木の屋敷で遊んだ子どもたち。かれらに、私が火薬を集めて作った色鮮やかな炎色の花火を渡したのは、いつのことだったのか……。

　すべてが思い過ごしかもしれない。

　あるいは、まったく別のなにかに取り憑かれているのかもしれない。いずれにしても、いつも私が紅茶を飲もうとすると、あの燻香につきまとわれる。

　だからこそ――真実を確かめなければならない。あの場所へ行って、あの一杯を味わいさえすれば。

　そう。私は、再び聖母に導かれたのだ。

　まちがいなかった。あの城館。あのティールーム。そっと覗いてみると、デスクの下から、なにかが動いて、ごつんと大きな音をたてる。歓迎の音だ。スコーンを運ぶ女性からも歓迎の声。

「さあ！　さあ！　ぞっとさせられる話題《バグベアード》は、それまでにして、特別なお茶の準備が整いましたよ」


以上の手記は、所轄警察の捜査資料から、現在はナシヨナルトラスト古城古跡管理部門にファイリングされている。

「私は、再び聖母に」以降の最後の数行は、あとから追加されたものらしく、筆跡の激しい乱れから、原稿の持ち主により、異変の直前に書き加えられたものと推定される。

現場は、確かに数十年前のホテル開業時にはティールームとして営業されていたが、その後閉鎖され、資料置き場となっており、かつて回廊に展示されていた絵画が保管されている。手記を手にした男の死体が発見されたのは、あたかもキリストに対してそうするかのように、慈悲深い眼差しで見つめる聖母像の前だった。我が国ではてんとうむしの名前の由来として知られているとおり、赤い衣に〈七つの悲しみ〉を星のように鏤《ちりば》めた聖なる淑女の絵画は、森のような香りを湛えていたという。

ショートショート

聖歌隊の夜

倉阪鬼一郎

俳句の同人誌はしばしば寄贈を受けているが、英米怪奇小説のそれは珍しいことだった。

「銀の燭台」というタイトルで、目次を見るかぎり同人誌の体裁だが、ことによるとペンネームを使い分けているだけで内実は個人誌かもしれない。短い手紙も添えられていた。それによると、遠い昔に公開した「英米怪奇小説読書録」の頃からわたしのそちらのほうの仕事に着目してくださっていたらしい。

一九九〇年代の初めごろだから、まだ三十代の前半だが、英米のスモールプレスから上梓された怪奇小説を買い漁って読んでいた時期があった。作者名と訳題に簡単な評価を付しただけの簡単なものだったが、「一田舎牧師」というハンドルネームを持つその読者は熱心に目を通してくださっていたようだ。

「ヴィンセント・オサリヴァンの『隣室』など、英米怪奇小説のアンソロジーに先生の『読書録』で拝見した作品を見つけたときは嬉しい気持ちになったものです。そこから斯界の沼の深みにどんどんはまってしまったような気がします」

手紙にはそう記されていた。

深みにはまった証は「銀の燭台」の随所に見られた。翻訳や随筆に加えて、書誌もなかなかに充実していた。なかんずく、怪奇小説の名アンソロジストの仕事を網羅して克明に紹介した「リチャード・ダルビー全仕事」は感嘆すべき充実ぶりだった。

「怪奇つれづれ草」と題された随筆も滋味掬《きく》すべき内容だった。歳はわたしよりいくらか下のようだが、平井呈一の導きで英米怪奇小説の愛好者になったいわゆる「平井チルドレン」の一人で、その号の随筆でも偉大なる先達に対するオマージュが上品に綴られていた。

短いものだが、翻訳も異色作だった。その作者名を見て、わたしは思わず笑みを浮かべた。紹介されていたのは、メアリ・エリザベス・モールズワースという作家だったからだ。

どういうわけか、英米怪奇小説の作者には「メアリ・エリザベス」という名が多い。「冷たい抱擁」のメアリ・エリザベス・ブラッドン、「ウィアード・テイルズ」の寄稿家の一人だったメアリ・エリザベス・カウンセルマンなど多士済々だ。

寡聞にしてその作者は知らなかった。訳者による短い解説によると、ごく少部数が刊行されたアンソロジーにその一作が採られているだけらしい。

解説にはこう記されていた。

「この作品『聖歌隊の夜』は未完の作品です。原著の解説によると、心疾患とおぼしい病気で急死した作者の手元に、この未定稿が残されていたということです。未完なのに迫真の完結感がある作品がまれにありますが、『聖歌隊の夜』はその最たるものではないでしょうか」

一読してみて、その読みの的確さにうなった。

終盤に怪異が現れ、さあこれからというところで、「聖歌隊の夜」はぶっつりと終わっている。原著の解説に嘘偽りがなければ、作者の急死によってテキストは未完を余儀なくされてしまったのだ。

さりながら、解説者が示唆するように、「未完なのに迫真の完結感」があった。ある意味では、これしかないという終わり方なのだ。

その後、一田舎牧師とはＳＮＳ上で交流が生まれた。ともに英米怪奇小説の愛読者だから、そう頻繁な回数ではないものの、チャットでは話が弾んだ。

陰島深《かげしまふかし》という筆名を持つ男は、ハンドルネームが記すとおり、田舎の教会で牧師をつとめているらしい。場所は信州の片田舎のようだ。

その後も「銀の燭台」の寄贈は続いた。

翻訳は極めてレアな作品ばかりだし、訳文も渋くて滋味があった。書誌的な面での充実ぶりもありがたかった。ことに、Ash-tree Press の全刊行物一覧は解説も含めて素晴らしい出来栄えだった。

さっそく御礼の葉書を送ったところ、一田舎牧師からこんなメッセージが届いた。

「ていねいなご感想を賜り、恐縮しております。書誌的な作業は性に合っているので、今後も書斎の整理を兼ねて取り組んでいきたいと考えております。もし信州へお越しの際には、ぜひ拙教会にお立ち寄りください。当方は独り者につき、宿として使っていただくことも可能です。最寄りの茅野《ちの》駅から送迎もいたします。英米怪奇小説のコレクションは、暮夜、独り繙いておりますが、平井呈一翁の言葉を用いれば『同臭の士』と語らいながら楽しい時間を過ごすことができれば、これにまさる喜びはないでしょう」

　これには大いに心が動いた。

　ひところは蕎麦の食べ歩きが趣味で、信州に足を延ばしたこともある。また、アップダウンが激しい当地のハーフマラソンの大会に出場した経験も何度かあった。

　ちょうど秋に信州で新規のマラソン大会が催されることになった。早く終わる十キロの部を走ったあと、茅野駅に迎えに来てもらい、英米怪奇小説について存分に語り合いながら教会に一泊する。そんな構想がたちどころにまとまった。

　一田舎牧師こと陰島深にメールで打診してみたところ、こちらがうろたえるほどの喜びようだった。こうして、初秋の週末、わたしは信州に向かった。

*

バッグには仕事道具に加えて「銀の燭台」も入れてきた。メアリ・エリザベス・モールズワースの遺作「聖歌隊の夜」が掲載されている号だ。

　これまでに何度も読んできたが、改めて目を通しておくことにした。

　舞台は田舎の教会で、端的にまとめれば深夜に怪異が現れる。それが怪異であることは、登場する者たちのある特徴に着目すればすぐわかる。

　しかしながら、その怪異のバックボーンがわからない。あるいは、未完の部分で説明がなされる予定だったのかもしれないが、作者の急死によってテキストはさっと斜線を引かれるように途切れてしまっていた。「未完なのに迫真の完結感」を瞬時に醸成して、「聖歌隊の夜」は閉幕する。そして、二度と幕が開くことはない。

　旅の行程は順調に進んだ。茅野駅に着くと、陰島深がにこやかに出迎えてくれた。牧師用の濃紺のガウンをまとっていたから、遠くからでもわかった。

「ようこそお越しくださいました。草深い田舎で恐縮ですが、これからご案内いたします」

一田舎牧師というハンドルネームが似合う風貌の男が言った。

「楽しみにしてまいりました」

わたしはていねいに一礼した。

白い蕎麦の花が咲くのどかな田舎を、教会へ向かって車は進んだ。

「ホームページを拝見したところ、古くて趣のある教会ですね」

わたしは言った。

「古いだけが取り柄で。まるで、アラン・ノエル・ラティマー・マンビーの怪談に出てきそうな教会です」

陰島深はさらりと怪談作家のフルネームを口にした。

「建築の意匠は、エドワード・フレデリック・ベンスンの小説にありそうでした」

わたしはそう返した。

そんな調子で、アルフレッド・マクレランド・バレイジの精華集を編むなら何を入れるかという話などをしているうち、茅野駅からかなり離れた教会に着いた。

小体《こてい》ながらも尖塔のある教会で、床を歩くと軋み音《ね》がした。青銅の十字架が据えられた礼拝堂などを案内されているうち、わたしはふと違和感を覚えた。それは妙な既視感とないまぜになっていた。

なぜそんな感じにとらわれたのか、ゆくりなく思い当たった。

教会の細部は、「聖歌隊の夜」で描写されていたとおりのものだった。

＊

ハーフマラソンを走ってから茅野に向かったため、教会に着くころには空はだいぶ暗くなっていた。

夕食は手打ち蕎麦と茸の天麩羅が供された。蕎麦打ちは習ったことがあるらしく、太さは多少不ぞろいだが、こしがあって風味も豊かだった。

食事が終わると、奥の書斎に案内された。

「むやみに数があるわけではないのですが、なかにはレアなものも」

陰島深はそう言って、自慢の蔵書を見せてくれた。

ことに眼福だったのは、ベレスフォードのサイン入りの短篇集だった。時を超えて、作者の息遣いまで聞こえてくるような心地がした。

さほど広くはないが清潔な浴室で汗を流し、用意されたガウンに着替えた。まだ火は入っていないが、古い暖炉のある居間で年代物のスコッチウイスキーを飲みながら、さらに怪奇小説談義を続けた。

どちらも古き良き「ただの怪談」をこよなく愛する者につき、話は尽きなかった。度数はわからないがかなり強い酒で、だんだん酔いが回ってきた。それも手伝い、聞こうか聞くまいか迷っていたことをわたしは思い切って口にした。

「ある翻訳作品の作者がまったくの無名で、経歴も不詳ということがありますよね」

まずはそこから切り出した。

「ええ。いったいどこから発掘したのかと思われるような作品もありますね」

陰島深は答えた。

「で……実は翻訳ではなく、訳者の創作だったという例も珍しくはありません」

わたしはそう言って田舎牧師の目を見た。

テーブルの上には、何冊かの怪奇小説の原書に加えて、「銀の燭台」も置かれている。

「ひょっとして、これをお疑いですか?」

陰島深は「聖歌隊の夜」が掲載されている同人誌を指さした。

「お気にさわったらすみませんが、さきほどから拝見させていただいている教会内の造りなどが作品と酷似していたものですから」

わたしは慎重に言った。

「いや、この教会は曽祖父の代から続いていますが、もともと英国の田舎の教会の猿真似ですからね。教会を舞台とした怪奇小説のディテールと似てくるのも無理からぬところでしょう」

陰島深はそう言って笑みを浮かべた。

おや、とわたしは思った。

それまで田舎牧師が一度も見せたことがない表情だったからだ。

「なるほど、似てくるのも当然かもしれませんね」

わたしはあっさりと引き下がった。

「古い教会には、固有のたましいのようなものがありますので」

陰島深は少し据わった目で言った。

「たしかに、そんな気がします」

わたしは天窓のステンドグラスに目をやった。

聖母マリアが描かれているが、その表情までは暗くて読み取れない。

聖母が怒りの形相だったなら、あるいは、ひと目見ただけで凍りつくような冷笑を浮かべていたなら、さぞや恐ろしいだろう。

　酔いが回ってきたせいで、わたしはふとそんなやくたいもないことを考えた。

「実際、こういう教会にはたましいが巣食っているのですよ。永遠にここを出られないような……あ、いや、ちょっと酔ってきましたね」

　田舎牧師は苦笑いを浮かべた。

「わたしも少々飲みすぎたようです。そろそろ寝ることにします」

　腰を上げようとしたとき、少しめまいがした。

　やはり、飲みすぎてしまったようだ。

「そうですか。では、ゆっくりお休みください」

　陰島深は笑みを浮かべた。

　それもまた、少し気になる表情だった。

＊

　酔いのせいか、眠りは意外に早く訪れた。

　どれほど経ったことだろう。

　わたしは深夜に目を覚ました。

　夢を見ているのか……。

　初めはそう思った。

　こんな夜更けに、歌声が聞こえたからだ。ただの歌ではない。讃美歌だった。

　空耳ではなかった。

　夜の教会に、たしかに歌声が響いていた。

　酔いも眠気もさめた。ベッドを出たわたしは、歌声の源のほうへ進んだ。

　讃美歌が響いてくるのは、礼拝堂のほうだった。


　引き返せ……。

　引き返せ……。


　内なるもう一人のわたしがしきりに警告した。

　こんな深夜に人が礼拝堂に集まり、讃美歌など歌うはずがない。

　引き返せ、怪しい場所へ向かうな。

　警告の声はなお高まった。

　だが……。

　好奇心がまさった。

　一歩近づくたびに歌声が高くなる。それを聞きながら、わたしは深夜の礼拝堂へ向かった。

　扉はひとりでに開いた。

主よ……

哀れな生け贄を……


聞いたことがない讃美歌が高まる。

歌っているのは聖歌隊だ。

少年少女とおぼしい者たちが声を合わせて歌っている。

「聖歌隊の夜」の一節がだしぬけによみがえってきた。


聖歌隊が振り向いたとき、彼はもう駄目だと思った。

その目が見えたからだ。


作者は本当にメアリ・エリザベス・モールズワースなのか。それとも、訳者ということになっている陰島深なのか。そんなことはもうどうでもよかった。

聖歌隊が振り向いた。

深夜に礼拝堂で讃美歌を歌っていた者たちが、音もなくいっせいに振り向いた。

その目が見えた。

それを見た瞬間、わたしはもう駄目だと思った。

全身の血の気が引いた。


聖歌隊の少年少女の目は、みな真っ白だった。

ひと目で生者ではないとわかった。


「聖歌隊の夜」の一節がよみがえる。

頭の中でわんわんと鳴り響く。

わたしは目を瞠った。

作中と同じく、聖歌隊の目には瞳がなかった。

みな真っ白になっていた。

たった一つ、テキストと異なるところがあった。

聖歌隊は少年少女だけではなかった。

その中央に、田舎牧師が立っていた。

「アーメン……」

地の底から響くような声で、陰島深が言った。

その声を聞いたとき、世界がぐらぐら揺れはじめた。

そして、不意に何も見えなくなった。

「イギリスホラーを観る時はコナン・ドイルであれ」

斜線堂有紀

※映画『ラストナイト・イン・ソーホー』の結末に言及しています。（編集部）

イギリスは幽霊に馴染み深い土地である。有名な建物には大抵幽霊話が付きものであるし、賃貸物件に幽霊が出るとなれば賃料が上がる。観光地に出てくる幽霊や劇場に出てくる幽霊には、それぞれに名前が付けられるほどだ。聞くところによると、幽霊はスマートフォンの発する電波が苦手らしく、幽霊を目撃したい人間はスマートフォンの電源を切ることを推奨されている。これが観光客のマナー向上を促す小粋な手法なのか、それとも本当に幽霊の生態に合わせ、彼らと寄り添う為の本気のアドバイスなのかはわからない。だが、私は後者なのではないかと考えている。イギリスの幽霊には、血が通っている。

そんなイギリスの幽霊は部屋や場所に取り憑くことが多い。というのも、イギリスの幽霊には浮遊霊や人に取り憑く霊ではなく、地縛霊が多いからである。その中でも、外ではなく内に、イギリスの霊はいる。先述した通り、イギリスの家は日本と違い、幽霊が出ると噂されている方がむしろ家賃が高い傾向にある。それは恐らく、幽霊が出る由縁が存在するほどその建物には歴史があるということを評価されているのだろう。あるいは、そうした出自が事細かに辿れるほど、管理がしっかりされている有名な建物であるということ自体が誉れ高いことなのだ。ちゃんと管理されておらず、歴史の中にブラックボックスが多い建物は敬遠される。その場所に出てくる幽霊を語る為には、その建物を語れるくらいずっと見つめている守人が必要なのだ。

それだけ目を掛けられている建物なら、ある意味で安心である。幽霊が出たとしても、口伝によって彼らが何者なのか——どうしてここにいるのかは、ちゃんと理解出来るからだ。

先のような理由からイギリスのホラー、その中でも特に幽霊譚に特有の要素として『場所』と『理由』が上げられるのではないかと思う。彼らは理不尽に取り憑く悪霊ではなく、何かしらの目的を持ってそこに在るものなのだ。

　そういった要素があるからか、イギリスの幽霊はミステリととても相性が良い。

　かの有名な名探偵シャーロック・ホームズを生んだコナン・ドイルは、心霊研究家としても有名な人物である。ドイルは心霊研究を『使命』とまで称し、積極的に交霊会の主催を行っていた。亡くなった作家達と交信し、共作を目論んだこともあるという。

　名作ミステリを多く書き残し、医師としての一面も持つドイルがよりによって幽霊に傾倒するというのは不自然なように思える。そういった超自然的なことは、彼が物語の中で書いたロジックとは相反するものだからだ。

ドイルと、1918年に戦死した息子キングズリーの霊

　だが、彼が幽霊を信じるようになったきっかけは、交霊会にて自身の秘密を言い当てられたことがきっかけだった。
「不可能なものをすべて消去すれば、あとに残ったものがいかに不合理に見えても、それ以外に真実はない」というのは、シャーロック・ホームズが作中にて発した言葉である。ドイルは自分しか知り得ないことを言い当てられた、という根拠に基づいて幽霊を信じるようになったのである。これはある意味で、とても合理的な判断かもしれない（その頃のドイルが大切な人を多く亡くした、という事実も大きくドイルに影響を与えたのだろうと思うが）。
　これらのことから考えると、ドイルが幽霊を信じるようになったのは特段おかしなことではない。私はその上で、更にドイルと幽霊が強固に結びつけられた理由を、先のイギリスの幽霊の性質に見ている。ドイルの身近にいたのは『理由』の幽霊なのだ。彼らが交霊会に現れるのも、建物に取り憑くのも、然るべき理由がある。ある意味で、理屈で説明出来てしまう存在なのだ。この土壌が、推理作家と心霊主義を結びつけたのではないか。

　イギリスの幽霊とミステリとの相性が良いという話をしたところで、今回はエドガー・ライト監督『ラストナイト・イン・ソーホー』について語りたい。

『ラストナイト・イン・ソーホー』は、ホラー映画として高い評価を受けた一方で、クラシカルな手法を用いた本格ミステリでもある。映像による叙述の練度が、ここ最近の映画でも飛び抜けているのだ。

　主人公のエロイーズは、ファッシヨンデザイナーを目指してロンドンのソーホー地区にやってきた女性である。彼女はコリンズという名の老女がやっている下宿で暮らすことになるのだが、そこで毎夜のように奇妙な夢を見るようになる。

　夢の中でエロイーズは一九六〇年代のソーホーに住む歌手志望・サンディに憑依し、二重生活を送るのだ。サンディは持ち前の美貌と夢への希望を胸にソーホーでの生活を送っていくが、夢追い人である彼女は騙され、完膚無きまでに傷つけられる。終いにエロイーズは、サンディが無惨に殺されかける場面まで幻視してしまう。

　エロイーズは霊感を持っている人間として描かれている為、彼女はサンディがこの部屋で殺された被害者なのだと一旦思い込まされることとなる。そして、探偵役を買って出て、サンディの事件を解決しようとするのだ。彼女の観た夢、ここにいる幽霊には理由がある、という前提が物語をミステリに変えていく。『ラストナイト・イン・ソーホー』の面白いところは、ホラーであるからこそ、探偵=被害者という極めて特殊な形式のミステリを成立させられるところにある。

　しかし、過去を追っていくにつれ、エロイーズはとある真相に辿り着く。この物語のどんでん返し、サンディは被害者なのではなく犯人側であるという事実を明かしてしまうのだ。彼女は探偵であり、犯人の立場にも立たされるのである。物語の流れを追っていくと、この映画における探偵は被害者とも犯人ともイコールで結ばれる。これはかなり希有な構造だ。探偵=犯人のミステリは少なくないが、幽霊というガジェットを使ってここまでミステリ的役割を連結した例は他に無いだろう。ホラーというジャンルが実現させた、極めてアクロバティックな奇跡なのだ。

　これがイギリス映画——それも、実際にイギリスのとある街を舞台にし、そこに大きな意味を持たせた映画であることを鑑賞後に改めて意識し、私は深く納得した。『ラストナ

『ラストナイト・イン・ソーホー』英国版ポスター

イト・イン・ソーホー』のような、幽霊とミステリの融合がある作品こそが、私の考える英国ホラーである。そこでは、幽霊の出自（歴史）を重要視するイギリスの、幽霊に対するスタンスを垣間見ることが出来る。

　二〇二〇年代の公開映画（日本公開は二〇二二年）には、もう一つ私がイギリスらしいホラーだと思った作品がある。ブランドン・クローネンバーグ監督の『ポゼッサー』である。

　これは、他人の身体に意識を転送し身体を乗っ取って、その上でターゲットを殺すという特殊な殺し屋を描いたSFホラーだ。意識とは魂とも言い換えられるので、ホラーらしさを強めた言い方をすれば、これは憑依もののホラーだと言えるかもしれない。

　この映画では意識を乗っ取る側と乗っ取られる側の攻防が容赦無い暴力描写と共に描かれている。その上で、一体今何が起こっているのか？　互いの意識は何か？　そして、この映画において何が一番恐ろしいのか？　を観客が推理しなければならない映画なのである。この攻防の末に『ポゼッサー』は思いがけない結末を迎えるのだが、それすら自分で解釈しなければ、恐怖に辿り着けない構造になっている。

　この『謎を解く』という要素こそイギリスホラーの醍醐味なのだ（考えてみれば、意識が魂でありゴーストと言い換えられるのであれば、身体は彼らの留まる『場所』なのかもしれない）。

　これはただの予想なのだが、これからもイギリス製ホラー映画で傑作と呼ばれる物は、恐らくミステリ映画としての傑作も兼任するだろう。観る側の私達は論理的にそれらを解釈し、謎に挑みつつ、恐怖は恐怖で味わうドイルになるのが、それらを最大限に楽しむ術なのかもしれない。

怪奇の灯は絶えず

灰色の家

The Grey House

ベイジル・コッパー　Basil Copper

三浦玲子訳

ベイジル・コッパー（一九二四―二〇一三）は英国屈指のフィルム・コレクターとして知られる。小説家としては、オーガスト・ダーレスの名探偵ソーラー・ポンズのシリーズを引き継ぎ、アメリカに行かずしてロス・アンジェルスを舞台にした私立探偵マイク・ファラデーものを量産した。怪奇小説も凡手ではなく、四十余年の作家生活のあいだに六十を超える中短編（邦訳もいくつかある）と六作の長編を手がけている。本作は最初の短編集 *Not After Nightfall: Stories of the Strange and Terrible*（1967）に収録された幽霊屋敷もの。旅先で見つけた廃墟に惹かれた小説家と、その妻を見舞う怪事とは？

灰色の家《グレイ・ハウス》と名づけたその家は、晩夏の午後の陽光の中に立つアンジェルには、日中の明るく暖かな雰囲気とはまるで正反対の、冷たく荒廃した空気をたたえているように感じられた。人が住んでいるとはとても思えず、明らかにずいぶんと長い間、空き家になっているのがわかる。しかし、フィリップのほうは、この場所に歓喜していた。五歳児のように手を叩きながら、あたりを歩きまわり、腕組みしては無言で感心しきりの様子だ。是が非でもここを手に入れたがっていて、地元の不動産屋を根こそぎあたって、この家に唾をつけるまでは、いてもたってもいられないといった感じだ。

夫のフィリップは作家で、大ヒットした探偵小説シリーズのおかげでかなり羽振りが良く、何作もの興味深い謎と怪奇の物語の作者でもある。まさに作品のインスピレーションを与えてくれそうなこのグレイ・ハウスに、彼は笑いがこらえきれないのだ。アンジェルは、余計な考えを封じ込めた。夫がせっかく有頂天になっているところに水を差したくなかったので、気が進まないながらも、夫の後について不動産屋に立ち寄ったのだ。

この家を見つけたのは、ブルゴーニュの旧市街をまる一日ついやしてドライブした後のことだった。その日の午後、ふたりは遅いランチをとるために、中世の小さな町に立ち寄った。周囲を山々に囲まれ、青白い靄《もや》の中にたたずむ町からの眺めはすばらしかった。ランチの後でふたりは、大きな石や黒い松林の間を勢いよく流れる小さな川に沿って城壁を歩きながら、快適な時間を過ごした。

最初にグレイ・ハウスに目を留めたのはフィリップだった。もう長い間、イラクサでびっしり覆われていると思われる狭い小道を進んだ先にあった。隣家から数百ヤード隔てられたつきあたりの家で、荒れた田舎道があるにはあるが、木々や低木や藪が生い茂っている。最初は、納屋か馬小屋かなにかのように見えたが、明らかに廃墟だった。

大部分が灰色の石の大きなブロックで建てられているため、ふたりは勝手にグレイ・ハウスと名づけることにした。教会のように大きな正面玄関の上には、先端が丸い櫓《やぐら》が妙な角度でついている。片側には、びっしり苔に覆われた相当古そうな円塔。赤いタイル張りの屋根は、悲惨なほどひしゃげていて、かなりの修繕が必要になりそうだ。

大きく古い木製のドアは施錠されていたが、フィリップは、アンジェルの胸ほどまであるイラクサの藪をかきわけて、嬉々として先に進んだ。ふたりは大きく歪んだ小道沿いの壁に沿って進み、敷地の行き止まりらしき所までやってきた。それから先は、とても足を踏み入れることができないほどのキイチゴの群生が茂っていたが、フィリップにしてみれば、ここまで来れば十分だった。崖の下の木々の間から、バルコニーの錆びた鉄の手すりや、古い水車小屋と思われる離れの建物がいくつか見えた。

「この荒れようなら、タダ同然で手に入るな」フィリップは妻に向かって嬉しそうに言った。「もちろん、相当手を入れなくてはならないだろうが、テラスは執筆する場所として最適だし、それにすばらしい眺めだ！」

夫のこれだけの熱意に異論を差し挟む余地はなかった。というわけで、三十分後には、ふたりは町の中心にある、この地域一番の不動産業者ムッシュー・ガシオンのオフイスにいた。

肩幅が広く、背が低くてずんぐりしたガシオン氏は、にこやかな人物で、見るからにワイン好きらしく、この取引がうまくまとまりそうなことに大いに相好を崩していた。あの家は、ガシオン氏がこの会社を開業する二十年以上前から、かれこれもう四十年以上も台帳に記載されたままの売れ残り物件だったのだ。そのため、あの家のいわれについては、彼自身もうろ覚えだった。そうですね、相当修繕しなくてはならないのは確かでしょう。でも費用についてはお客さまがそれほど心配することはございませんよ、と彼は言った。

見た限り、法外な金額にはなりそうになかったが、修繕しなくてはならない箇所はそれこそたくさんあり、どうなるかはわからなかった。フィリップは、大いに乗り気でご機嫌そのもので、アンジェルは思わず苦笑した。フィリップのような買い手は、生涯に一度現れるか現れないかだろう。間違いなく、ガシオン氏も喜んでいた。

提示された金額は、確かに信じられないくらい安かった。母屋と円塔、テラス、離れ、水車小屋、さらにテラスが張り出している先の崖の下の細長い果樹園を含めて、わずか三〇〇ポンド。フィリップとしては、この場ですぐにでも契約するほかないほどの話だ。それからさまざまな手続きでひとしきりごたごたした後、公証人《ノテール》が派遣されることになった。その間、アンジェルとフィリップは、ガシオン氏と一緒に建物見学ツアーに繰り出した。家の鍵を探すのに時間がかかり、ようやく一行は現地に向かった。

ガシオン氏が何度か鍵をさし直して、やっとのことで大きな玄関ドアがきしんだ音をたてて開いた。およそ四十年ぶりに家の中に差し込んだ太陽光は、なかなか奥までは届かない。この古びた家周辺でのいつもと違うこうした動きは、小道の手前に住んでいる地元の人々の注意を引かずには済まなかった。アンジェルはこちらに向けられる好奇の視線に気づいていたが、フィリップは相変わらずガシオン氏と話し込むのに夢中で、なにも気がついていないようだ。

アンジェルは玄関から中へ入るとき、ふと肩越しに振り返ったが、家の正面の小道の最後の曲がりのところで、こちらをじろじろ見ている集団を見ても驚かなかった。逆に驚いたのは、こんな廃屋にも電気がきていることだった。ドアの内側にあるメインの配電盤は、古い石に大きなボルトで直接取りつけられていて、錆びたワイヤーの断片や、緑青《ろくしょう》に覆われた部品以外は、むき出しの状態だった。電気は、最後の居住者が去った一九二〇年代から切られたままだと、ガシオン氏は説明した。

　まだ午後の明るさが残っている時刻だったが、ガシオン氏は強力なランプを持ってきていた。かつてこの家は、今は断絶してしまったド・メニヴァル家のものだったという。広大な土地の所有者で、向かいの山にある広い公園の中に昔は城も所有していた。城の建屋は数百年以上前の大火と爆発で焼失してしまい、今は石組みしか残っていない。最後の子孫ガストンは非業の死をとげたと、ガシオン氏は含みをもたせるような言い方をした。ガストンは相当な女たらしだったらしく、このグレイ・ハウスを愛人とのお楽しみの場にしていたという。

「逢引用の隠れ家《ユヌ・メゾン・ダシナシオン》ですよ」ガシオン氏は男同士の会話だといった笑みを浮かべて、フィリップに言った。それに対して、フィリップはにやにやしただけでなにも言わず、三人は家の奥へ入って行った。中の様子を見て、アンジエルは身震いを抑えられなかった。この古い家は、いったいどんな行為を目撃してきたのだろう。アンジェルとフィリップはこの日の午後、古い城の廃墟を訪ねた。そこはこの地域の見どころのひとつで、今でこそ公園は人々が行きかう憩いの場になっているが、血塗られた暴力の歴史があったことをガイドが熱をこめて話してくれた。

　しかし、数世紀も前の肉欲にまみれた暗黒の情景をあえて想像してみるまでもなかった。廃墟と化した建物の歪んだ残骸をよくよく見てみると、古い梁の焦げ痕や、石の裏側の黒ずんだ痕跡が今でもわかる。グレイ・ハウスが、ド・メニヴァル家のものだったことを聞いてアンジェルは胸騒ぎがした。自分の母親がまさにこの地の出身であることから、アンジェル自身、フランスに先祖をもつ。やたら神経が過敏になって、心の片隅でなにか警鐘のようなものが鳴った。

　家のドアを勢いよく開けたとき、長らく誰にも侵されていなかった悪臭が待ち受けているとは、不動産屋でさえ、思いもよらなかったようだ。あまりに強烈なにおいで、太陽の光でさえかすんでしまいそうだった。入口のドアを開け放ち、外でしばらく一息ついてから、再び中に入るはめになった。

「うわっ《フー》！」ガシオン氏は嫌悪感をこらえきれずに思わず声をあげたが、それでもフィリップの家に対する情熱は冷めることはなかった。

「雰囲気十分じゃないか？」フィリップは、アンジェルのほうを向いて微笑んだ。それから、三人は広い石の階段を何段か降りた。においは相変わらずだったが、多少は慣れてきた。おそらく植物が腐った臭いだろうと、アンジェルは思った。ガシオン氏が持っている懐中電灯と、高いところにある小さな窓明かりで、そこが巨大な石の広間になっていることがわかり、アンジェルは驚いた。片側に雄牛を丸焼きにできそうなほどの大きな暖炉があり、年月と木食い虫によって崩壊した古い回廊の名残があった。

床は、言いようもないほどの雑多なゴミであふれていた。足の踏み場に注意しなければならず、ざっと見て回るぐらいしかできなかった。古く太い屋根の梁の多くは交換が必要で、歩きまわるうちにフィリップも考え込むようになった。予想以上に大変な修繕作業になりそうだ。だが、ほかの部屋を見てまわるうちに、彼の顔が輝いた。使われている石は頑丈なので、ペンキや漆喰を塗り直すだけでいいのではないか。古い広間の広さにはかなわないが、ほかにもふたつの大きな応接室があり、ひと部屋は半地下になっていて、もうひとつの部屋はキッチンとして使われていたようだ。

上の階は、巨大な屋根の梁がひしゃげていて、そこから空が見えてしまっている。下の大広間のすぐ上に当たる場所に、またべつの大きな部屋があった。ここに仕切りを入れて、バスルームとそこにつながる廊下を作れば、広い寝室が三つできると、フィリップは言った。あるいはひと部屋を書斎にして、ひとつは客用の予備の寝室として残しておく。この広い上階の部屋の端からは、円塔の空間が大きく広がっている。フィリップは自分のありきたりな間取り計画など、出る幕がないと感じた。

最後に、キッチンの外にとっておきの場所が待っていた。ドアを苦労して、ひどい音をたててなんとか開けると、グレイ・ハウスのとっておきともいえる場所に出た。それは、広いタイル張りのテラスにすぎなかったが、ここが手に入れるにふさわしい家であることをはっきり示していた。執筆のためのこの家の実用性や適合性と費用とを天秤にかけながら迷っていたフィリップも、ついに心を決めた。

錆びた鉄の手すりに囲まれたテラスは、間違いなく優雅そのもので、きれいに磨けば必ずもとの輝きを取り戻すだろう。フィリップはすでにガシオン氏に淡い青に塗るつもりだと打ち明けていた。そう《コム・サ》、自分の書き物テーブルを置いてもいいし、夜明かりの元、バルコニー《スュル・ル・バルコン》でディナーをしてもいい。ガシオン氏ですら、彼のこの夢心地な計画に、しばし感じ入っているようだった。

眺めも申し分なく、まさに非の打ち所がなかった。バルコニーの真下は、石が露出した地面へ十二メートルほど落ち込んでいて、細長い果樹園へとつながっている。

この果樹園も手に入ることになるのだ。びっしりと葉が茂った木々の深い連なりが、すぐ近くの景色を遮っているが、その先には森に覆われた丘や谷、合間を流れる小川が見え、古い城の廃墟が残る向こうの山が目に飛び込んでくる。遠くからでも、青みがかった暗い靄の中に建つ石の白さがよくわかり、アンジェルは驚いた。すぐ下の左手には、小さな石造りの古い水車小屋の建物があり、果樹園の向こうへ水の流れが曲がりくねっていた。

　えも言われぬ森林の美しさから我に返ると、すでに夕暮れが迫り、水車小屋の寂し気な水の音が、日が陰ってしまったもの悲しさをことさらに漂わせていた。果樹園と接する暗い木々の連なりから、すでに薄い霧がたちのぼっている。アンジェルは、なんだか有害なものに体を蝕まれるような感じがすると、フィリップに言った。

「いや、そんなことないよ」フィリップは笑い飛ばした。「一年のこの時期は、水のあるところには霧はたつものだよ。とくに暑い日の後はね。僕たちはあそこよりも高いところにいるのだから、いずれにせよ影響はないよ」

だが、そう言うそばから、白くじっとりした、分厚い煙のような霧が木々の上に上がってきて、一番遠くの木でさえ、すでにその触手に翻弄されているかのようだ。

　話はこれで打ち切られた。ガシオン氏の大きなライトの明かりに導かれて家の中に戻り、再び外に出ると、玄関のドアをしっかり閉めて、二つの南京錠で戸締りを完了した。三人は黙ったまま町へ戻った。フィリップが車になにかを取りに行っている間、オフィスでふたりきりになったとき、ガシオン氏は、少し考えてからアンジェラに話しかけた。

「あの家はお気に召しましたか、奥さん？」

　アンジェラは、どっちつかずの返答をした。見るからにあの家にご執心なフィリップの気持ちを台無しにしたくなかった。だが同時に、夕暮れの中で不気味な音をたてる水車小屋、その上にそびえる、暗く静かな灰色のあの建物について、口には出さずとも、思うところはたくさんあった。だが、あの家は放置されていた時間が長いので、修繕に莫大な費用がかかりそうなことが心配だと、口ごもりながら言うに留めた。

　ガシオン氏は　即座に合点がいったように顔を輝かせた。費用のことがご心配なだけなら、大いに勉強させてもらうつもりですよと。

　ガシオン氏はざっくばらんに言った。あの荒れ具合には自分も面食らったので、二五〇ポンド相当をお支払いいただければ非常に御の字で、すぐにでもお売りできます、とのこと。ちょうど車から戻って来たフィリップはこの展開に大喜びし、あれよあれよという間にこの取引を成立させる手はずが整っていった。

公証人も到着した。モルソーという、キツネのように痩せた男で、お気に入りのカフェにいたところを呼び出されて、ご機嫌斜めだった。紹介が済むと、ガシオン氏がワインのボトルとグラスを引っ張り出した。嬉しそうに唇を鳴らし、おいしそうな小さなビスケットを配りながら、この売却の詳細を詰めていった。

一時間後、フィリップとアンジェルは、グレイ・ハウスの事実上のオーナーである不動産屋のオフィスを後にした。ふたりは、時間がかかりそうな細かい法的手続きが整うまでの数日間、町のホテルに泊まることにした。残りの手続きは形式的なものなので、お客さまがあの物件を調査したり、自由に仕事にとりかかるのを止めるものはなにもありませんとのことだ。フィリップは契約書にサインすると、小切手を渡して、ロンドンの代理人に電報を打ち、このままこちらに滞在して執筆を続けると伝えた。そして、グレイ・ハウスの今後の可能性に大いに期待を膨らませ、上機嫌になっていた。

フィリップとアンジェルは、数週間ロンドンに戻って雑事を片付け、秋にはブルゴーニュに戻って来ることにした。その頃には、地元の作業員の協力を得て、あの家の修繕に忙しくなることだろう。さらに現地の建築家の助言を得て、どのような大規模修理や改造が必要かを決めていかなくてはならない。十一月にはロンドンに戻るので、建築家と連絡を取りあいながら、作業の進捗を追っていくことになるだろう。そして春には、グレイ・ハウスに帰ってきて、工事の最終段階の指揮や、新築祝いパーティの準備をするつもりだった。

来年の夏までには、フィリップにとってはせっせと執筆して稼ぐ半年のシーズンのため、アンジェラにとっては喜びと楽しみの期間になるよう、グレイ・ハウスを完全に整えたかった。フィリップはあの古い家を、ロンドンの友人たちがしょっちゅう通って来てくれる、見どころ満載の場所にしようと決めていた。その晩、ホテルが静まり返った後もずっとふたりは起きていて、今後の計画や見込みをあれこれ話し合った。アンジェルにはほかにも言いたいことがあったが、胸に秘めておいた。自分の直感など間違っているだけかもしれない。きっと、職人たちがあの古めかしい家を見事によみがえらせてくれるだろう。どんな風に変わるのか、成り行きを見守ればいいのだ。

一ヶ月後、グレイ・ハウスには、すでに足場が組まれていた。フィリップは地元の工務店と契約し、親方とふたりの職人、古着を着たフィリップとアンジェルは、建物の解体と修繕に夢中になっていた。フィリップは、まずは大広間に取り組もうと決めていた。おもに石が敷き詰められているので、床に散らばった忌まわしいゴミの山を取り除けば、あの嫌な腐敗臭もなくなるだろう。だが、まずひと悶着あった。

契約した親方のピエールは、無表情だがハンサムな、樽のようにずんぐりした体格の五十代の男だった。職人と一緒に自ら体を動かして働くことを習慣としていて、直接、仕事の指揮をとるだけでなく、自ら力仕事もこなした。地元の人たちと同様にピエールも、長いこと無人だったグレイ・ハウスを今さら再開して住もうというのに驚いたが、この仕事を喜んでいた。

しかし、初日の午後、ピエールはふたりの職人に脇に引っ張っていかれ、ちょっとした相談をされた。ちょうどフィリップが小道を戻って来たので、ピエールがちょっといいですかと声をかけた。なにか戸惑っているようで、やっと、電気が通るまではなにもできないと言いにくそうに切り出した。要するに、大広間の足元がひどいありさまなので、作業するには照明が不可欠だということなのだ。

それはもっともなことだったが、アンジェルはふたりの職人の目に妙な表情が浮かんでいるのにはっきり気がついた。ふと、彼らのこの要求には、別の理由があると感じた。幸いなことに、近代的な水道設備はちゃんと引かれていたので、フィリップが、地元の電力会社に電気の復旧申請を出せばいいだけだった。多くのイギリス人と同様、彼も地元の状況については疎かったため、アンジェルは苦笑しながら彼に、電気がちゃんと通るように手続きしてもらえるのには、一ヶ月以上はかかることを話した。

フィリップは、職人たちにその日の午後には電気が通ると言っていた。そんなことは誰も信じていなかったが、フィリップは二時に電力会社の担当者と約束していると言って、家の正面にあった箱をひっくり返して、そこに座って待った。ピエールと職人たちは、彼らだけで話をしていた。担当者が来ると信じているのは、フィリップだけだった。

三時半になっても仕事はまったく進まず、さすがにフィリップも今日は電気は通らないということがわかって、怒ったように立ち上がると、車でどこかへ行ってしまった。電力会社のオフィスに行ってみても、鍵がかかっていて埒《らち》があかなかった。きっと、担当者は地元のカフェにいたのだろう。

　こうした効率の悪さに腹をたてたフィリップはガシオン氏に電話して、グレイ・ハウスに来てもらった。ガシオン氏はこの手違いをなんとかおさめて、次の日には必ずグレイ・ハウスに担当者をよこしましょうと請け負った。なんとか気を静めたフィリップは、明るいうちは作業ができるはずだと言った。まだ四時半にはなっていなかったので、いくつかのカンテラの明かりを持ってきて、オフィスに帰ったガシオン氏以外の五人は、薄暗い応接室からテラスにかけて作業を始めた。明るい太陽の光と開放的な田園の空気で元気を出すと、職人たちは作業道具を下ろし、冗談に笑いながら清掃に取りかかった。

　テラス全体が苔に覆われているようで、あちこちにキノコが生えている。ふたりの職人がこれらを取り除くと、下にある込み入った模様のタイルが見えてきた。一方、ピエールとフィリップとアンジェルは、散らばった雑草や落ちた木の枝など、たまりにたまった積年の残骸をきれいにするのに精を出していた。それらをバルコニーから下の果樹園へ放り投げると、枯れ枝が砕ける大きな音がした。どういうわけか、その音にアンジェルは大きな不安を覚えた。

　思わずアンジェルは、水車小屋と果樹園のはずれの暗い木々のほうを見た。だが、なにも動くものはなかった。水が流れ落ちるかすかな音が、神経に障るだけよ。アンジェルは自分に言いきかせた。一時間もたつと作業はかなりはかどり、職人がゴミを取り除いた広い範囲のタイルに何度もバケツの水をかけると、テラス全体がかなり優雅で美しい造りになっていることがわかった。

　職人たちが気持ちよく効率的に働いてくれたので、出だしは上々だと見たのか、フィリップの機嫌は直ったようだ。

　確かにこのチームになら、グレイ・ハウスを安心して任せられそうだ。フィリップは、前段階の処置を早く終わらせて、本格的な修繕にとりかかろうとしているようだった。メインの屋根や、傾《かし》いだ櫓をどう修繕するかについてピエールと話し、冬が来る前に最優先で取り掛からなくてはいけないことだと言った。ピエールは、内装の作業体制が整ったら、屋根などの修繕は二週間以内に始められると返答した。

　お互いに満足した雰囲気の中、この日の作業は終わった。あたりが薄闇に包まれ、カンテラをテラスに持ち込んで、タイルの清掃を終わらせた。職人のひとりがすでにテラスの手すりの大部分から錆《さび》を落としていた。黄昏の中、耳障りな音が下の暗い森から響いていた。作業を終わらせ、夜になるので道具を家の中にしまっていたとき、家の裏手の水車小屋のそばの草むらから、かすかにサラサラと衣擦れのような音がした。だが、その音を聞いたのはアンジェルだけだった。下の果樹園のほうに目をこらすと、かすかな影が、果樹園のはずれの古い木々の陰に滑り込むのが見えた気がした。

たぶん、猫かなにかだろう。グレイ・ハウス周辺の小道に、たくさん猫がいた。フィリップと一緒に出かけたとき、灰色の大きな猫たちが、薄闇の中で寂し気に鳴いている声を何度か聞いた。全員で家を後にしようとしたとき、玄関の大きなドアが悲鳴のような音をたててきしんだ。まるで、四十年にわたる長い沈黙を蹂躙《じゅうりん》されたことに苛立っているかのようだ。家の正面にある外の小さなテラスに、フィリップはタイルを敷き詰めて、後で小さなガレージを作るつもりだった。雇い主と職人たちは、互いに満足したように勢いよく握手を交わした。

それから、フィリップが最初に入ったカフェでみんなに一杯おごると言い張った。その後、上機嫌で皆と別れ、フィリップとアンジェルがホテルに戻ってきたときは、すっかり暗くなっていた。フィリップは翌日もいいスタートを切ろうと決め、朝九時に電力会社の人間に来てくれるよう頼んでいた。職人たちが来るのは十二時頃になるだろうから、運が良ければ十分な照明のもとで、グレイ・ハウスの清掃を始めることができるだろう。

翌朝、驚いたことに電力会社の作業員たちは、ほぼ定刻どおりの時間にやってきた。再び、グレイ・ハウスの扉が開けられ、正午ごろには、フィリップは大喜びで主電源のスイッチを入れ、大広間に光があふれた。家の大部分は、配線をやり直す必要があった。フィリップには暖房や外の投光照明灯など、ほかにも特別な計画がたくさんあったが、それらはあと回しになるだろう。

当分の間、職人たちの手元を明るくするために、裸電球と電気コードを家じゅうに張り巡らせなくてはならない。フィリップは、大広間の石壁にふたつの大きなはめ殺しの窓を開け、日中に室内に光を取り入れたいと考えていた。

ほかにも、家にはおかしな点がたくさんあり、フィリップは首を傾げていた。そこで、時間ができたら、市立博物館の大きな歴史図書館で、ド・メニヴァル家の歴史について調べてみようと決めた。だがそのチャンスは、翌年になるまでめぐってこなかった。その間、フィリップとアンジェルは、作業チームと共に熱心に修復作業に取り組み、ガシオン氏、モルソー公証人、のちに建築家も関心を持ち出した。

だが、妙なことに、初日のような好調な進み具合は二度となかった。二日目の午後、職人のひとりが具合が悪くなった。いくら丈夫な胃でもひっくりかえりそうになるほどの強烈な悪臭が、間違いなく大広間の床から漂ってきていた。フィリップは、湯の入ったバケツと消毒液でこれに対処し、しばらくすると、家の古い土台から漂っていたと思われる瘴気が多少は晴れたような気がした。

　悪臭を放つゴミの山をトラックで次から次へと市のはずれまで運び出したので、翌日、具合が悪くなった職人も仕事に復帰して、かなりましになったと認めざるを得なかった。アンジェルには、漠然とした不安がまだあったが、フィリップは相変わらず、この場所の妙な空気に気がついていないようだった。職人たちが尋常でない数の電球やコードの設置にこだわるのに、フィリップは訳がわからず困惑していた。どこか嫌な感じのする垂木の間で作業をするときにはとくにそうだった。このままでは、電気代と電球代で、家にかかる総費用がかさむと、フィリップは文句を言っていた。

　だが、アンジェルは、職人たちの気持ちがよくわかり、夫の鈍感さに改めて驚いた。特に彼の作家としての名声は、まさにこのような状況を描写することで築かれたものだったからだ。家の修繕が始まっておよそ一週間ほどたった頃、職人たちはまだ二階の清掃をやっていた。フィリップは、早く屋根の修繕に取り掛かりたがっていたが、数百年分のがれきの中に珍しいものを見つけては喜んでいた。明らかに身分の高い男性のものと思われる奇妙な記号が刻まれた指輪、剣の柄、ラテン語の奇妙な碑文が刻まれたタンカード（蓋付き大ジョッキ）、用途不明な磁器の壺や容器など。

　フィリップは、それらをホテルの部屋へ持ち帰ってきれいにし、グレイ・ハウスの修繕が終わったら、飾ろうと考えていた。ある日、職人のひとりが、上の部屋で見つけたといって、不気味なものをフィリップのところに持ってきた。それは長い道具で、片方の端にはかなり古びた金属のスパイクがついていて、もう片方の端は、鞭のようになっている。革ひも部分はワイヤーでできていて、数世紀分の錆で汚れていた。

　市立大学でフィリップと親しくなった博識の聖職者《モンシニョール》ジョフロワが、問題の午後、グレイ・ハウスを訪ねてきた。その奇妙な道具を見るなり、聖職者の顔色が変わったのを、アンジェルは見逃さなかった。

「ちょっと見せてもらってもいいかな？」ジョフロワは、慌ててフィリップからその鞭を受け取ると、彼を片側に引き寄せた。普段は温厚な聖職者が、今はとても心配そうな顔をしていた。

「怖がらせるようなことは言いたくないのだが、友よ。だが、これは穢《けが》れたものなんだよ」その言い方には凄味があった。

「これを見て」ジョフロアは、その道具の柄に刻まれた印を示した。「これは、ド・メニヴァル家の紋章だよ。大学の古代美術館に開かずの間があるのだが、そこには、ド・メニヴァル家のこうしたサディスティックな遺物が所蔵されている。よければ、安全に保管しておけるよ。このような不吉なものは、外の世界に置いておくべきものではないんだ」

　ジョフロアは十字を切った。それを見たアンジェルは思わず身震いした。フィリップは面白がって真剣にとろうとしなかったが、ジョフロアのひどく深刻そうな、有無を言わせない態度に気おされたのか、すぐに彼の意見に同意した。

「いつか、あなたからド・メニヴァル家の歴史について拝聴したいものだね。僕の本のいいネタになるだろうから」

　ジョフロアは、フィリップの腕をつかんで、目をのぞき込んできた。

「いいかい、友よ。冗談じゃないんだ。これは、本のネタなんかにするふざけたものじゃない。とくに君の書いているようなジャンルの本のね。背筋の凍るような君の本はすばらしいし、成功に値するものだが、今はもうない上の城で行われていたことに比べたら、子供だましのおとぎ話なんだ。神をたたえたまえ」

　しばらくして、ジョフロアはアンジェルに挨拶して、大学へ戻っていった。彼が帰った後、フィリップはいくぶん考え込み、アンジェルはすっかり動揺していた。いちおう懸命にも、フィリップはピエールや職人たち、ガシオン氏にはなにも言わなかった。ガシオン氏とは、ときどき彼の家でカシス酒を飲むなどしていたが、フィリップは用心して、奇妙な鞭のことには触れず、職人が見つけたほかの発見物のことを話題にした。大ジョッキに刻まれた文章から、ド・メニヴァル家のことがひとつわかったが、それについて、アンジェルにもなにも話さなかった。

　ジョフロアが訪ねてきた午後、アンジェル自身は奇妙な体験をした。夕暮れ時、バルコニーにひとりでいたときのことだ。もう、例の水の流れの悲し気な音にも慣れ、怖ろしさは感じなくなっていた。霧にも不安を煽られることはなく、バルコニーに張り出した古い木の枝を刈りこんでいた。

ほぼ完了し、最後にもう少しやっておこうと思った。両開きのガラス扉の上の電気の明かりが、いつになく優雅な感じを醸《かも》し出していた。アンジェルは、下へおりてフィリップに声をかけ、また二階へ戻った。山の向こうに沈みゆく太陽の最後の光が薄れていく。その光景のもの悲しさに圧倒され、アンジェルは腰を下ろしたまましばらく、目の前に広がるなんとも魅惑的な地形をじっと見つめてぼんやりしていた。景色に気をとられていたので、はっきり見たわけではないのに、かすかな黒い影が果樹園の一本の木からそっと抜け出てきて、べつの木の後ろに消えるのが感覚でわかった。

次になぜそんなことをしたのか、自分でもよくわからなかったが、なんとも言い難い衝動にかられ、アンジェルは身を屈めて、刈り取った木の枝の大きな束をつかむと、音をたてないようにバルコニーの端まで行って、それを下の果樹園に向かって投げつけた。偶然にも、枝の束は狙ったところに落ち、恐ろしいほどの鋭い衝撃音と共に、下の木にぶつかり散乱した。

さらに枝が地面に落ち、砕けた木々の間から、なにか黒くて長いものが、果樹園を突っ切って一筋の線のように走り出した。その生き物はいったん身構えると、水車小屋の建物の端へとジャンプした。どうやら、大きな灰色の猫のように見えた。薄闇の中で、その大きな金色の目が怒りに燃えているかのようだ。それは振り返ってアンジェルのほうを咎めるようにねめつけると、藪の中に消えていった。

それが消えた直後、秘かに鞭を振るうような音が聞こえ、それが果樹園の裏手の暗い木立の中を通り抜けていったのがはっきりわかった。恐怖を感じるより驚いたアンジェルは、バルコニーを後にして家の中へと急いだ。今はすべての部屋に明かりが灯っていて、すぐにでも守ってもらえそうな安全な隠れ場所に逃げ込みたかった。

翌日、フィリップたちは泊まっているホテルのテラスで、ジョフロアと一緒に食事をしていた。このときアンジェルは、猫のことを初めて話した。フィリップはとくに興味を示さなかったようにみえたが、ジョフロアはまるで感電したかのような反応を見せた。手を震わせ、グラスからコニャックがこぼれてテーブルクロスを濡らした。彼は慌てて謝りながらクロスを拭き始めたが、その目はアンジェルにじっと据えられていた。

「そんな動物はいませんよ、奥さん」ジョフロアは必要以上に強い口調で言った。

「まあまあ、モンシニョール」フィリップは快活に笑った。「それほどたいしたことじゃないでしょう。グレイ・

ハウスにつながる小道には、たくさんの猫がたむろしていますよ。僕も見ましたから」

ジョフロアは、まだアンジェルを見ていた「ですが、やはり断言できますよ。そんな動物はいません。目の錯覚では……」

アンジェルは、あえて反論しなかった。すぐに会話はべつの話題に変わった。しかしその夜、アンジェルは、ジョフロアの視線が時々自分に向けられるのを感じた。その瞳にはなにかを懸念している様子が読み取れた。

グレイ・ハウス修繕の進捗はめざましかった。秋の色あいが深くなってくる頃には、家周辺の重苦しい空気も、次第により現代的な整然とした雰囲気に変わり、アンジェルの不安も薄れてきた。計画どおり、フィリップとアンジェルは十一月にイギリスへ向かい、四月にはこちらに戻って来る手はずを整えた。四月には建物の主な修復は終わり、フィリップが自ら監督、助言できるようになるはずだった。翌週の火曜日に出発する予定だったので、それまで家の周りをぶらぶらしたり、作業の様子をぼんやり眺めたり、春に向けてのさらに壮大な演出を計画したりした。

最終的に契約した建築家ロジェ・フレイは、フィリップの考えを全面的に支持し、才能ある若者が提案した構想に夢中になった。フィリップも、ロジェならば望み通りの演出を実現してくれるはずと信頼を寄せた。グレイ・ハウスは、古いものと現代的なものが融合した癒しの家にする予定だったが、特に大広間とその上の部屋には、中世の雰囲気を残すつもりだった。

屋根の修繕は半分以上終わり、ふたつの大きなはめ殺しの窓が、大広間の東側の壁の高いところ、暖炉から九メートル以上も上の古い石に穿たれた。

この窓について、フィリップは自分なりのアイデアをあたためていたが、ロンドンから戻ってくるまでは、この特別なプランについてアンジェルや職人たちに明かしたくなかった。ロジェは、とっておき《ピエス・ド・レジスタンス》として、すばらしい設計を考案していた。最終的にロジェの見事な設計の半分しかできなくても、友人たちに自慢できる家になることは確かだった。

冬場は長く骨の折れる大変な作業になるだろう。フィリップは、ロンドンのアパートで快適に過ごせることを喜んだ。グレイ・ハウスにはまだ暖房はないし、風雨にさらされたむき出しの回廊もまったくの手つかずだ。ピエールは、春までにはすべて予定通りに終了させると約束した。暖かくなったら、フィリップとアンジェルが、セントラルヒーティング、ラジエーター、家具、カーテン、その他、グレイ・ハウスを新旧織り交ぜた見事な傑作にするための数多くの細かい詰めの部分を、自ら手がけることができる。

それまでの間、ピエールと職人たちは屋根の修繕を終わらせ、新たな窓にガラスを入れ、セントラルヒーティングを設置し、家の前にガレージとテラスを作り、内壁を磨いて漆喰を塗り、大広間にオークの羽目板を貼る。完成したら、家全体がどれほどすばらしいものになるか、フィリップには目に浮かぶようで、喜びにうっとりしながら、家じゅうを歩きまわった。新しい優雅な階段、家の現代的な部分であるヒマラヤスギの手すりは注目すべきところで、アンジェルのための機能的なキッチンはすでに着手している。

二階の部屋割りはまだ手つかずで、やらなければならないことがたくさんあったが、ピエールやロジェを信頼してよかったとフィリップは思った。彼らは、この仕事には昨今ではほとんど見られることがなくなった職人魂を刺激されていた。すでに大広間の内装に取り掛かっていて、足場やライトが床の敷石から目もくらむような高さの壁に沿ってずらりと並んでいる。外の屋根の上では別の職人たちが仕事をしていて、グレイ・ハウス全体が活気あふれる工場のようになっていた。

初めてこの家を見たときの、霧がたれこめた暗い様相とは対照的な中、フィリップはパイプをふかしながらテラスを歩き回り、大いに想像力を刺激されそうなこの雰囲気の中で、怪奇小説の新しいシリーズを執筆している自分の姿を想像した。まもなく、二作の小説が出版される予定だが、この冬にはイギリスで、いくつかのハードな仕事に本腰を入れて取り掛からなくてはならないだろう。それからグレイ・ハウスに戻り、夏の終わりまでには自分のペースで仕事できるようになる。

出版社は、フィリップの作品の一貫性に満足していた。グレイ・ハウスの静かな環境は、間違いなく大いに執筆の役に立ってくれるとフィリップはふんでいた。ただ、アンジェルがもう少しここを好きになってくれればいいのだが……以前と比べれば、この家を気に入ってくれるようになったと感じる。彼女のために提案した、新しいキッチンや最新式の家電を見たときは、確かに自分と同じくらいグレイ・ハウスのことを喜んでくれているように見えた。

突然、叫び声が聞こえ、フィリップはぎょっとして、夢想から現実に引き戻された。

声は大広間のほうからだった。さらに石の床を走るけたたましい足音が聞こえた。ピエールだった。

「ムッシュー！」やたらと興奮した声だったが、危険が感じられるものではなかった。フィリップはピエールのほうへ急いだ。ふたりは大広間の入り口で顔を合わせた。すぐに、なぜピエールがこんなに興奮しているのかがわかった。

　職人たちは、漆喰を塗り直す下準備のため、大広間のちょうど暖炉の上の壁を磨いているところだった。フィリップは、この大広間で来客の目を引く呼び物についてずっと考えていたが、今、その答えが出た。昔の壁の表面に塗り重ねられていた古い漆喰の下に、絵が隠されていて、それが少しずつその姿を現し始めていたのだ。

　フィリップが大広間に入ったとき、ふたりの職人が夢中できれいにしていた箇所には、金めっきボタンのついた青いチョッキを着た男の絵が見えていた。フィリップは一緒に足場に登って、絵をまじまじと見ているうちに、徐々に興奮がつのってくるのを感じた。ピエールも刷毛と水の入った缶をつかんで、べつの場所をきれいにし始め、四人がかりで漆喰を落としにかかった。

　家の中は静かだった。アンジェルとジョフロアは、散歩に出かけていて、屋根で作業していた男たちは、休憩に入っていた。

　一時間後、悪魔そのものといっていい独特な絵がその全容を現わした。職人が照らした眩《まばゆ》い電灯の明かりで下から絵を見上げると、絵がこの部屋の最高傑作であることに気づいて、フィリップは歓喜した。怪奇小説作家としての自分の職業にまさにぴったりではないか。だが同時に、この絵が見る者に与えるかもしれない影響について、深刻な疑念を抱かずにはいられなかった。

　遥か昔に白塗りにされたにもかかわらず、その色彩の輝きはちっとも色褪せることなく、実に際立っていた。老境にある男の、禍を招きそうな不吉さが紛れもなく表現されている。灰色の三角帽を被り、金ボタンの青いチョッキ姿。半ズボンには、金色の紐がついていて、黒い靴には銀のバックルがついている。暗く湿った下生えの茂みのようなものの間を、残忍さをむき出しにして押しのけ進んでいる。その腕に抱かれ、こうべを垂れまま暗い茂みの中に引きずり込まれようとしているのは、若い娘だった。

　娘は全裸で、その桃色を帯びた肌は、キイチゴのトゲで容赦なく傷つけられ、血の筋がしたたっている。無名だが天才だとわかる画家が、冷酷に細部まで描き出した絵だ。死んでいるのか、気を失っているだけなのか、娘の目は閉じ、その口はなにも語ることはできない。長い金色の髪が、濡れた草の間を引きずられている。この絵がもつ極悪非道な輝きが、見る者に与える忌まわしさを、うまく伝えるのは難しい。

　こちらに向けられた男の左手には、つい先日フィリップがこの家の中で見つけた、スパイクのついたあの不気味な鞭が握られている。職人たちは相変わらず、絵の右下隅から漆喰を落とすのに忙しくしている。フィリップの位置からは、彼らの背中が邪魔で、細かい部分が見えない。もっとよく見ようと、フィリップは近づいた。

　絵の一番下には、エナメルでコーティングされた紋章があり、その下にラテン語で碑文が書かれている。フィリップは、後でその文章を訳してみるつもりだった。フィリップは学者ではないので、ジョフロアに訊いてみようと思った。屋根のほうで、職人たちが休みなくハンマーをふるう音がまた始まった。大広間の入口の階段で、ジョフロアがやって来る足音が聞こえた。

　ライトの光の中、ジョフロアの顔が青ざめているのがわかった。職人たちがすっかりきれいにした絵を目にするなり、よろめかんばかりになって、手でなにかをはらうような仕草をした。

「なんてことだ、ムッシュー」ジョフロアの声はかすれていた。「こんな、怖ろしい……」

　フィリップは驚いて駆け寄ろうとしたが、階段の上からすさまじい金切り声が聞こえてきて、口に出しかけていた言葉を飲み込んだ。ジョフロアは、老年にさしかかる年齢のわりには機敏な動きで、フィリップより先に階段を駆け上がった。ふたりは、石の床に卒倒しそうになっていたアンジェルを間一髪で助け起こした。

「広間から彼女を連れ出そう」ふたりでアンジェルと抱き起こしながら、ジョフロアがフィリップに顔を近づけてささやき、何事かと足場から降りてきた職人を追い払った。「なんでもない。なんでもないんだ。ただ気を失っただけだ。奥さんは、あの絵に驚いただけだよ」

　三十分後、フィリップは広間に戻った。取り乱して真っ青になったアンジェルは、作業の進捗を見に来たロジエの車でホテルに帰っていった。やっと落ち着いたが、アンジェルは、なぜそんなに取り乱したのか話そうとせず、細部まであまりに生々しく描かれた絵を見たショックのせいだとだけ言った。

　階段の最上段から絵を見てみると、その残酷さに衝撃を受けることは確かだった。アンジェルが立っていた場所に自分も立つとそれがわかった。このわずかの間の出来事で、いくら鈍感なフィリップでも、現実主義の心が揺らぎかけた。ジョフロアは、絵を消してしまうか、レンガで覆い隠すよう忠告して、アンジェルを宥《なだ》めに帰っていった。

「いいことはなにもないですよ」ジョフロアは言い張ったが、それ以上、なんの説明もしようともしなかったし、できなかった。だが、ジョフロアはフィリップはすでに感づいているとを確信していた。奇妙な絵の下の紋章は、ド・メニヴァル家のものだ。盾型の紋章の下には、ド・メニヴァル家がモットーとしてきた、古くさくおぞましい処世術が刻まれていた。

〝汝の思うがままにせよ〟

だが、フィリップを一番不安にさせたのは、職人がすべてをきれいにした後にわかった、あの絵の最後の部分だった。この点に関して、ジェフロアは固く口を閉ざした。

フィリップはもう一度、絵を見た。ジェフロアの言葉がよみがえってきた。恐ろしげなこの男女の後ろについて、見る者を蔑むような表情で見つめているのは、この世のどんな猫よりも三倍も大きなおぞましい猫だった。燃えるような金色の目をした、不気味なほど大きな灰色の猫。

ロンドンで、アンジェルとフィリップは、中断していた普段の生活を再開した。この秋の出来事の記憶は次第に薄れ、あの異様さは、現実というより想像の産物だったではないかと思うようになり、遥か彼方のものになっていった。友人たちが入れかわり立ちかわりやってきては、古いグレイ・ハウスのことをからかい、ロンドンの都会生活より、人里離れた場所で暮らしたいなどというのは、成功した作家だけの特権だなどとひやかした。

フィリップはそんな友人たちに、どれほど魅力的なお宝を発掘したか、飽くことなく語った。実際、彼の語り口はとてもおもしろく、かなり疑い深い頑なな聞き手でさえ、半分以上話をまともに受け取った。かなりの数の夫婦が、フィリップの話の魔術にその気になり、来年の夏のグレイ・ハウスへの招待を受けた。フィリップが語るグレイ・ハウスの話は、その著作と同じように魅力的だったのだ。

アンジェルもまた、この成功は喜ばしく思った。ロンドンの馴染みの雰囲気の中に戻って来た今、グレイ・ハウスでの出来事は、とくになんでもない些細なことのような気がしてきて、誰にでも起こり得ることなのだろうと思った。環境というものは、いろいろなことを引き起こすものだ。確かにグレイ・ハウスは、すっかり忘れ去られていたことをよみがえらせるような空気を漂わせているけれど、電気や現代の設備がそろえば、そんなものは追い散らしてくれるだろう。

アンジェルも、小説家になるべきだったかもしれない。フィリップによく、想像力がたくましすぎるとからかわれた。ある意味、確かにそうだった。そんなことを考えながら、アンジェルは居間の隅にいるフィリップのほうを見た。パイプをくわえ、片手にジョッキを持っている彼は、四十五歳にしては若く見え、身のこなしもしなやかで、髪は黒く艶やかで白髪もない。夫のことが誇らしく、ふたりで築いた人生と結婚の成功に満足していた。

グレイ・ハウスと妙な雰囲気について、あれこれ思い悩むなんて、ばかげている。古い家なんて、皆あんなようなものだ。そういえば、フランス革命のときの公安委員会や、マリー・アントワネットが投獄されていたパリの牢獄コンシェルジュリーに行ったときも、同じような感覚を覚えたものだ。アンジェルは、さまざまな思いを頭から追い出し、フィリップが読んでくれる、ロジェやガシオン氏からの最新の進捗報告に、熱心に耳を傾けた。

ジョフロアも、学術的な書き方で短いメモを送ってくれることがあったが、グレイ・ハウスについては、ごく一般的な言い方しかしていなかったし、あの絵のことにもまったくふれていなかった。アンジェルは、階段のところで愚かな卒倒騒ぎを起こして以来、もう一度だけあの絵をまた見た。昼間の光の中で、夫や友人たちと一緒のときに見れば、なんのことはなかった。

確かにあれは、悪夢のような絵だった。この年配の男には、胸が悪くなるような嫌悪感しか感じられない。描いた画家は、男の顔に最上級といっていいほどの邪悪な表情を加えていた。それが見る者に不穏なものを植えつけていたが、ただそれだけのことだった。さらにあの猫は、アンジェルが果樹園で見たと思った猫とは違う。絵に描かれている猫の大きさは、少なくともブラッドハウンドほどもあるが、目や顔つきは違っていた。

アンジェルとフィリップとロジェで、そんな幻想を笑い飛ばした。猫には九つの命があって、なかなか死なないと言われているが、あれほど大きな猫でも、二十世紀後半まで二百年も生きていられるはずがないと、フィリップは言った。そう、もう心配することなどない。でも、果樹園で見かけた猫の姿、古い家の雰囲気、おぞましい絵の発見が、なんの恐怖もないというのなら、あのときあんなに不安になった原因は、いったいなんだったのだろう?

はっきりと理由を説明するのは難しく、ロンドンで平穏な生活が続くうちに、みんな忘れてしまった。フィリップの本が、十二月に一冊、春の始めにもう一冊出版され、これまで以上の大成功となった。金銭的にも恵まれ、生活も前途洋々だった。

　グレイ・ハウス修繕の進捗報告は、満足のいくもので、晩春になると、フィリップはイギリスでの生活から、自らの手による最後の仕上げを待つばかりになったグレイ・ハウスに思いをはせるようになった。急いで友人たちへ夫婦連名の招待状を発送し、再びグレイ・ハウスへ向けての旅立ちまであと二週間を残すところとなった。

　屋根の修理が完了したという、進捗状況の定期報告がきた。グレイ・ハウスに関するあらゆることが最終段階に入っていた。大広間の壁の板張りや、はめ殺しの窓も滞りなく完了し、電気系統も申し分なかった。ロジェは、フィリップと共に計画していたサプライズも予定通りだと言っていた。彼は分割して作業を進めていて、いつでもフィリップの好きなときに、仕上げられるようにしていた。ガレージや前のテラスも、ほぼ完成していた。残っているのは、春にフィリップの仕上げを待っている、二階の改装だけだった。

　フィリップはことのほか上機嫌だった。とくにロジェが送ってくれたグレイ・ハウスの見事な写真からすると、改装を始めた当初描いていた、込み入った計画よりもずっとすばらしい出来に思われたからだ。水車小屋を見下ろすバルコニーもすばらしく、片側にガラスの庇を設置して、夏の日に雨が降っても、ここで食事ができるようにしたいと思っていた。

　ジョフロアの忠告を聞かずに、フィリップは大広間の目玉として、あの絵を残すことに決めた。いろいろ調べた結果、絵の男はド・メニヴァルの家系の中でももっとも女たらしで、サディスティックな人物のひとり、子爵の老エクトール・ド・メニヴァルではないかと考えた。本人自身が、黒魔術を思わせる、猥褻で寓話的な場面に描かれたいと思っていたに違いない。

　そこでフィリップはロジェに、絵をオークの枠で囲って、ガラスで保護してくれるよう頼んだ。アンジェルやジョフロア、神経が細いほかの友人たちに配慮して、この作品の上に現代的なスウェーデンスタイルの簡単なスライド式パネルを設置することにした。こうすれば、お互いにとって都合がいい。普段は隠しておくが、ボタンひとつでこの大昔の悪党の姿が現われ、寒い冬の夜に集まった友人たちをあっと言わせることができる。

　やっと二週間が過ぎた。フィリップは、出版社主催のディナーに出席して、グレイ・ハウスへの招待枠を広げ、最後の送別会で飲み明かした。そして、当初の予定よりも遅れた五月の第一週に、アンジェルと共に車で出発し、海峡を渡るフェリーに乗った。最初の晩はフォンテーヌブローに一泊し、翌日、何事もなく南へと向かった。

ふたりはとりあえずは、グレイ・ハウスは仮住まいにしようと決めていた。ロジェが言っていたように、ほとんどはもう住める状態だったが、バスルームは一部しか整っていなかったし、キッチンの作業部分も同様だった。ふたりは、最後の仕上げは自分たちで監督しながら即興でやるつもりだった。そうはいっても、食料の備えもろくにないし、午後遅い時間に家に到着するよりも、ふたりとも快適さのほうを望んだ。例の古いホテルに二泊予約を入れて、それから、グレイ・ハウスの仕上げに取りかかることにした。

ふたりの到着よりも、電報のほうが先に届いていて、ガシオン氏、ロジェ、ジョフロアが約束の時間に夕食に現れた。みんなで笑い、冗談を言い合う楽しい時間を共に過ごした。フィリップは、このときのことをいつも思い出した。ピエールが現れたときは、もう彼は来ないのかとみんなが思い始めていた遅い時間だった。その夜はなにもかも完璧なように思えた。後で、全員でバルコニーに座り、タバコを吸い、コニャックを飲んで、静かな町の灯を眺めた。

グレイ・ハウスはすべて順調で、期待していた以上の出来栄えだった。ピエールとロジェは、明らかに浮足立っていた。酒を飲んでいなければ、こんなに夜遅い時間でも、フィリップとアンジェルを車に押し込んで、グレイ・ハウスまでひとっ走りしそうな勢いだった。

ロジェとフィリップは、〝箱詰め〟と称した例の絵について、ジョフロアをからかった。そんな戯言にも、ジョフロアはうわべは機嫌よさそうに微笑んでいたが、その目は明らかに笑っておらず、思案気で真剣な様子をたたえていた。夜遅く、パーティはお開きになり、フィリップは友人の誰ともふたりだけで話す機会はなかった。フィリップとアンジェルは、翌朝遅くまで寝ていた。

昼過ぎ、ロジェ、ピエール、ガシオン氏が、ホテルにやって来て、フィリップたちが意気揚々と新居へ入るのにつきそった。グレイ・ハウスは、すっかり変わっていた。家の前面のテラスにはピンクのタイルが敷き詰められ、淡い黄色に塗られた正面の大きな玄関ドアは生き生きと明るく、花のプランターが正面部分を飾っている。壁のあちこちにもたくさんの花かごがフックで吊り下げられている。

新しくなった屋根の赤いタイルが太陽の光を一心に浴び、まっすぐな櫓はまさに十八世紀の頃のままに見えた。脇の新しいガレージはほぼ完成していて、あとは最後にペンキを塗るだけだ。テラスを囲む白い手すりは、この家の注目すべき見事な修繕作品として、最後の仕上げを加えていた。

古いものと新しいものが完璧な調和でブレンドされ、アンジェルでさえも、思わず喜びの声をあげた。あらゆる点を褒めそやしながら、建築家、親方、仲介人は大きなドアから家の中に入り、フィリップとアンジェルに驚きの内装を披露した。至福の午後となり、フィリップは喜びを隠しきれなかった。優秀なスタッフというだけでなく、人間的にもいい業者を選ぶことができた自分の眼力にも満足していた。

ひとしきりつくと、一行はそのまま居残って、楽しいディナーの時間となった。ダイニングで、地元の料理人が出すコーヒーやコニャックを手におしゃべりした。フィリップとロジェは、大広間へ行って、次の作業について話をした。ジョフロアも夜の九時頃やってきて、この家がとても魅力的な住まいになったことを認めた。なにか胸に一物あっても、懸命にもとりあえずは口に出さなかった。

ジョフロアは大広間に入ったとき、暖炉の上のスペースをちらりと見て、ほっとしたような表情を見せた。あの絵があった場所には、滑らかな木のパネル以外、なにもなかったからだ。次の数日間、フィリップとアンジェルは、穏やかないつもの生活にほぼ落ち着いた。一階のまだ未完成のひと部屋に、ふたつの小さな簡易ベッドを入れて、食事はキッチンかテラスでとった。

これは、ピエールとロジェの指示のもと、最終段階の仕事を進めている職人たちに、不便や余計な手間をかけないようにするためでもあった。フィリップはすでに執筆を始めていて、テラスから規則正しいタイプライターの音が一日に何時間も聞こえていた。ロジェは日に何度も出入りして、仕事は順調にはかどっていた。フィリップとアンジェルは、あれやこれやと忙しい日々を過ごしていた。夕方、車で町まで食事をしに行ったり、友人たちと飲んだりすることもあれば、週に何回か午後には、アンジェルは単独、またはフィリップと買い物に出かけた。

アンジェルは、家具や日用品、カーテンなど家に必要な多くのものを注文するのに忙しかった。嬉しいことに、かなり幅広く手を入れたにもかかわらず、グレイ・ハウスの修繕費用は考えていた予算よりも低く抑えることができた。これはおもに、ロジェの善意と、ピエールの良心的な料金と親身な対応のおかげだった。

つまり、アンジェルが担当する家具購入にもっと金をかけられるということで、夫が決めた高い水準に、確実に見合うようないい装飾をしたいと思っていた。アンジェルはもう、不穏な思いに悩まされることはなかった。水車小屋の妙な音にもだんだん慣れた。今でも、極端に暑い季節には、果樹園の下の木々から深い霧が立ち上ることはあるが、それももう気にならなかった。

七月の第三週あたりになると、ロンドンから最初の友人が、修繕の進捗を見にやってきた。ドリーンとチャールズ・ヘンドリーは、陽気な夫婦で、ある午後、スポーツカーでやってきて、グレイ・ハウスを初めて見るなり、歓喜した。だが、それ以降はどういうわけか、彼らの熱狂はしぼんでしまった。客室のひとつはもう使うことはできたが、まだペンキを塗っていなかった。ドリーンとチャールズがグレイ・ハウスでの最初の夜に泊まった部屋からは、高みからバルコニー下の果樹園や木立を見渡すことができた。

翌朝、テラスで朝食をとったとき、アンジェルには明らかにドリーンが疲れてやつれているように見えた。さすがのフィリップも気がついて訊ねた。「よく眠れた？」

チャールズはなにか当惑しているようだった。朝食のテーブルを見回し、軽く笑った。「実を言うと、ふたりとも一睡もできなかったんだ。一晩中、たくさんの猫が鳴きわめく声が聞こえてね、ほとんど眠れなかった。あんな声は聞いたことがないよ。果樹園にすごく大きなやつがいたんで、水を浴びせてやった。燃えるような金色の目をしてて、ぎょっとしたね」

「それは、申し訳なかった」フィリップが言った。「確かにここらへんには猫がたくさんいるよ。君が言ったような猫もいる。でも、そこまで悩まされることはないな。君、鳴き声を聞いたことある？」アンジェルに訊いた。

アンジェルは蒼白になっていた。口ごもりながら、当たり障りのないことを二言三言言うと、急いで席を立った。ヘンドリー夫妻の短い滞在中には、これ以外にはとくになにもなかったが、彼らはほんの数日しかグレイ・ハウスにいなかった。もともとは二週間の予定だったのに、わずか数日でチャールズが急ぎの仕事ができたと言い訳して、イギリスへ帰っていった。ふたりのスポーツカーが走り去るのを、フィリップとアンジェルは手を振って見送ったが、去り際にドリーンの目にほっとするような感情が見えたのを、アンジェルは見逃さなかった。

気のせいだったかもしれないが、チャールズの〝急ぎの仕事〟は口実であることは明らかだった。というのも、数日後の午後、町の中央広場でフィリップはチャールズにばったりと出くわして、互いに気まずい思いをしたのだ。さらに同じ週の金曜日、フィリップは心の平穏が乱されるような驚くべき発見をした。アンジェルへの影響がかなり心配になった。フィリップはロジェとの散歩から帰ってくると、ピエールに訊いた。「ねえ、道の行き止まりに古い墓地があるのを知っていましたか?」

　ピエールは肩をすくめ、確かそうだったなと答えた。だが、墓地はグレイ・ハウスからかなり離れていて木々で見えないし、たいした影響はないだろうと言う。地元の人間が気にしないのなら、気にすることはないのだろうとフィリップも思わざるを得なかった。だが、このようなタイミングで墓地の存在がわかったのは、フィリップにとってショックだった。とはいえ、それを認めるのはどうしても嫌だった。

　墓地を見つけたのは、フィリップとロジェが敷地の範囲を調べていたときだった。果樹園や水車小屋をもっとよく調べて、壁やフェンスに修理すべき問題がないか、判断したかったのだ。胸までの高さのイラクサをかき分けて境界線のほうに向かっていったとき、錆びた鉄の手すりで囲まれた広いエリアがあるのに気づき、茂った木々の間から白い大理石の輝きが見えたとき、フィリップは驚いた。

　ロジェもまた驚いていて、ふたりは好奇心にかられた。奥はよく見えなかったが、まもなく、錆びついてはいるが、手の込んだ渦巻き模様が施された鉄の門が現われた。そこに刻まれた昔の文字にはどこか見覚えがあった。両脇の石の柱は苔や地衣類でびっしり覆われ、片方の柱の上の石の球は下の草の中にもう長いこと落ちたままになっているようだ。

　門は少し開いていた。ためらいつつも、ふたりはそれを開けて、墓地の中に入っていった。それほど広くはなかったが、ふたりを取り囲む古い墓からおぞましい腐敗臭がしていた。長い年月を経た門の蝶番が、長く尾を引く悲鳴のような響きをたて、ふたりは嫌な気分になった。

　墓地には三十ほどの墓があるようだった。最後の死者が埋葬されてから、百年以上はたっているのは明らかだった。あたりを見回し、ロジェが緊張した声で言った。

「これは、ド・メニヴァル家の古い墓地に違いないね。上の城からここに運ばれたんだ。町の喧騒からかなり離れたこの場所に埋葬しなくてはならなかったんだな。確か、町の人たちが話していた古い歴史によると、ド・メニヴァル家は呪われた家系で、市営墓地に彼らを埋葬することに教会で大論争があったようだ。だから州司教は、この私設の墓地《スィムティエー》をド・メニヴァル家専用にしたというわけだ」

　フィリップは、周囲の陰気な雰囲気のせいでよけい不気味さを増すこの話に、思わず身震いした。確かに、果樹園の下の暗い木立が墓を視界から遮っている。このようにしたのは、間違いなく意図があってのことだったのだ。夜、果樹園とその周辺に立ち込めるじめじめした霧の理由については、もう疑う余地はない。この場所には、なにか病んだものがある。保健所の助言を仰がなくてはいけないかもしれない。

古い墓地を二分している小さな道を横切って行くと、一番奥まったところにあるひときわ立派な墓の前に出た。生い茂る月桂樹の垣根がまわりを取り囲み、墓の下部はキイチゴやもつれた雑草がはびこって見えなくなっている。入口がギリシャ神殿スタイルの見事な大理石の柱廊になっているのに気づいて、フィリップは興味を抱いた。地下はかなりの広さの納骨堂になっているに違いない。

柱廊の正面には、グレイ・ハウスの大広間の例の絵の下にもあった盾の形をした紋章がいくつか連なっていた。エクトール・ド・メニヴァルや彼の家系の者の名はわかったが、生没年は年月の経過のせいか見えなくなっている。だが、よく見てみると、そうではないことがわかった。生年月日は確かに書かれているが、残りの者の名前の後がブランクになっていて、たいてい入れるはずのダッシュすらない。これは明らかに妙だった。

ロジェはその場を少し離れ、霊廟の側面にずらりと刻まれているラテン語の碑文を解読していた。ざっと訳すとこうなるという。「彼らは強大な力、大いなる喜びは彼らのもの。彼らは永遠の命を味わい尽くすだろう」どういうわけか、この碑文はフィリップの心に漠然と不快な印象を植えつけた。初めて、あの絵に描かれた老人の邪悪で狡猾な表情が気になってしかたがなくなった。

門のほうへ引き返そうとしたとき、ロジェの鋭い叫び声が聞こえた。慌ててロジェのほうへ行き、彼が震える指で示すほうを見た。霊廟の片側が、長年の風雨に浸食され崩れている。土砂が大理石の破片を巻き込んで中に落ち込み、ぽっかり穴があいて、納骨堂の内部が見えているのだ。

暗い階段があり、遥か下のほうに棺台のようなものがあるのがわずかに見えた。中から、かすかに瘴気がにじみ出していて、墓周辺の空気を汚染しているように思えた。少し離れてみると、フィリップはもうひとつ妙なことに気づいた。大理石の穴のまわりの雑草が、押しつぶされ、引き裂かれている。まるで、なにか重たいものが引きずられたかのようだ。その跡は、墓地の門に接する暗く陰鬱な藪の中へとしばらく続いていた。

ふたりとも、その跡をたどっていく考えはなかった。

まもなく、互いに暗黙の了解のうちにその場を離れ、急いで家へと続く上の道へ、正気に戻れそうな健全な世界へと戻った。ふたりの背後で、門が嘲笑うかのような耳障りな音をたてた。フィリップは、古い墓地まで行ったことについて詳しくはふれなかったが、最初、アンジェルはショックを受けて身構え、それから、その件についてはこれ以上考えないようにした。次の週にはささやかな祝宴が開かれ、フィリップのサプライズが披露されて盛り上がった。

　フィリップの出版社の社長が、数日間ブルゴーニュに滞在することになり、新居を視察がてら、一日フィリップたちと一緒に過ごすと約束した。フィリップはパーティを企画し、クライマックスは大広間で計画していた建築を目玉にするつもりで、あらかじめ、三日間は家の者も友人もこの部屋の出入りを禁止した。ハンマーやのこぎりの音が一日中響き、ロジェとフィリップは、閉ざされた部屋のドアの向こうで打ち合わせをした。職人たちは、重たい材木や精巧な彫刻が施された梁を運び込み、部屋を出たり入ったりしていたが、サプライズの内容については、ただ笑うだけで、一切明かさなかなかった。

　パーティは大成功だった。大広間の解禁は、記念すべき出来事となった。ワインや料理の並ぶテーブルが中央に設置され、石造りの広間は木の羽目板があっても、夏でも寒いため、暖炉には赤々と燃える火が入れられた。壁に取りつけられた五十もの金属の金具から、ライトがこうこうと照らされている。だがなにより来客を魅了したのは、フィリップとロジェが長い間、取り組んできた建築の妙だった。

　広間の上部には、吟遊詩人が行き交っていそうな、風通しのいい回廊がぐるりとめぐらされていて、暖炉の上を回り込んで、大きなドアまで続いている。入口の両側には、美しい彫刻が施されたオーク材の手すりがついた、磨きあげられたオークの階段があり、直接回廊に上がることができるようになっている。壁にあけられたふたつの大きなはめ殺しの窓の部分を除き、回廊全体が色とりどりに華やいでいる。おびただしい数の本、フィリップ自慢のコレクションが、壁にぴったり沿ってずらりと並べられたマホガニーの本棚に納められているのだ。すべてがの成功の証、客は思わず感嘆の声をあげずにいられなかった。

　それから、フィリップとアンジェルは手に手をとって、最初に階段を上がった。アンジェルは、この部屋の構想は、まさに大広間の極致だとつくづく思った。十メートルほど上にある敷石がひかれた回廊から下を見下ろすと、来客たちの楽しそうにさざめく顔が見え、海の波音を思わせるおしゃべりの声、グラスを合わせる音が聞こえてくる。客たちも回廊へ上がって、壁から壁へとずらりと並ぶ本をゆっくり見てまわることができる。はめ殺しの窓からの眺めもすばらしく、アンジェルは頑丈な手すりに背中をあずけて、遥か遠くの青く霞んだ山の連なりを眺めた。

　回廊は、中央の大きな暖炉の羽目板の少し下を横切っていて、アンジェルの観点からすると、これだけが少し残念な点だった。羽目板が開かれるたびに、回廊にいる人は、いくら二メートルほど上にあるとはいえ、あの不穏な絵を至近距離で見ることになるからだ。

　アンジェルとしては、これだけが唯一、パーティを損なっている点だった。アンジェルとフィリップが、回廊からの眺めを楽しんでいたとき、下にいたロジェや別の友人が、興味をもったゲストのために、例の独創的なパネルの用途を実演してみせようとした。ボタンが押されると、パネルが静かにスライドして絵が現れ、二メートルも離れていないところから、アンジェルはあの忌まわしいシーンを目の当たりにするはめになった。やはりショックなことに変わりはなく、ふいをつかれたせいか、アンジェルは思わず声を上げ、手すりのほうに後ずさりしてよろめいた。

　フィリップはすぐにアンジェルに駆け寄り、心配そうに顔をしかめた。

「どうしたんだ?」フィリップはさっとまわりを見回した。これまで見たことのない仕草だった。

「なんでもないわ。ちょっとぼんやりしただけ。きっとここが高いせいね」

　フィリップに導かれて下へ降りながら、アンジェルは思った。高い山の上でもめまいなど一度も起こしたことなどない。前にもあの絵を見ているはずなのに、あんなに狼狽するなんて。そう、きっと目の錯覚だったに違いない。アンジェルは疑わなかった。でも、確かにあの老子爵の邪悪な目が、ほんの一瞬だが閉じたのだ。まるで卑猥なウインクをこちらに投げかけるかのように。高いところにあるガラス窓からの光と混ざった絵の具の質感のせいに違いない。階段を降りながらもう一度絵を見てみたが、あの衝撃をとらえることはもうできなかった。しばらくすると、パネルは再び閉じられ、集まったゲストたちの驚嘆のざわめきが残されるだけになった。

　再び、夏の終わりに向かっていた。フィリップは執筆に熱が入り始めた。ロジェが家にやって来る回数も減り、残ったひとりかふたりの職人が、天気のいい日にのんびりやってきて、装飾の最後の仕上げをした。アンジェルは忙しく、陰気なことを妄想するのにかまけている暇はなかった。アンジェルは自分が手際よく手配した家具やカーテンの趣向にとても満足していた。

　だが、ジョフロアは以前よりも頻繁に訪ねてくるようになった。アンジェルは彼が来てくれるのを歓迎した。知恵と善意にあふれた慈悲深い彼の瞳は、安らぎと安心を確実なものにしてくれた。ジョフロアは口数は少なく、なにか深い心配事があるようだったが、ユーモアとおもしろい会話で、ささやかなディナーが終始、笑いに包まれた明るいものになった。夜の蛾がランプに寄ってくる中、バルコニーで穏やかな夕べを過ごした。すばらしい景観は、いくら眺めていても飽きることがなかった。

　フィリップとアンジェルは、古い大学の中にあるジョフロアの聖職者宿舎で、何度か過ごしたことがあった。そこの図書館の広さと歴史の古さは驚嘆すべきものだった。あるとき、フィリップはジョフロアに、ド・メニヴァル家の知られていないありのままの歴史について、調べてもいいかと訊ねた。

　ジョフロアはしぶっていたが、ついに了解して、真鍮で装丁され、四つの鍵がついた大型本とフィリップだけを自分の書斎に残して出て行った。難解なラテン語を翻訳するのは、時間がかかる骨の折れる作業だったが、フィリップはついに、ド・メニヴァル家の暗黒と恐怖を余すことなく語る、胸が悪くなるような物語を解読した。本を棚に戻すと、フィリップは腰を下ろしてじっくり考えた。初めて、グレイ・ハウスを買ったのは間違いだったのではないかという思いが生まれた。

　その後、フィリップは封印された本の中に書かれたことについて、頑なに口を閉ざしていたが、ロジェには老ド・メニヴァルの行いが、百年前の町の人々によって、この残虐な一族の城が包囲、焼き討ちされる結果を招いたとほのめかした。市民がここまでの暴挙に出たのは、ド・メニヴァル家が口にするのもおぞましい彼らの儀式のために、近隣からたびたび若い娘を拉致していたからだった。

　ラテン語で書かれているとはいえ、その詳細はあまりにも冒瀆的で背筋が凍るものであることがわかり、とても読むに耐えなかった。だが、これで大広間にあるあの異様な絵の内容について説明がついた。今やフィリップは、あの絵は寓話的なものではなく、事実そのものを表わした場面だということを確信し、大きな胸騒ぎを感じた。図書館を出たとき、ジョフロアはこのことについて話をするのを拒んだが、フィリップに鋭い視線を向け、語気を強めた。「奥さんのことを気をつけてあげてください、ムッシュー」

　それから数日の間、フィリップは妙にぼんやりしたまま、グレイ・ハウスのまわりを歩き回っていたが、温かく晴れた日が続くと、次第に元気を取り戻してきた。あの古い墓地のことで保健所にかけあって、調べてもらうよう約束させた。しかし、フランスの地方のこと、すぐには対応してもらえなかった。数週間がたつうちに、フィリップはそのことを忘れてしまっていた。

　九月初めの、太陽の光が燦燦とふり注ぎ、善の輝きがなににも増すような日のことだった。アンジェルはバルコニーで、遠くの山々を背景にした美しい広野を堪能していたとき、奇妙な体験をした。あたりは静かで、それを遮る音といえば水が流れるかすかな音だけ。フィリップは、ロジェと仕事の相談をするとかで町へ出かけていた。メイドのジゼルという少女が、ランチで使った陶器の皿を洗う音が、静けさの中、聞こえてくる。

　アンジェルは、夕食はなににしようか、くらいしかとくになにも考えていなかった。遠くの山頂や、高みにある廃城の白い石から視線を下げると、古い果樹園の黄金の茂みに、ほのかな雪片のように落ちている初秋の木の葉に目が留まった。すると、かすかな衣擦れの音が聞こえ、男がひとり立っているのに気がついた。

　男は果樹園の一番はずれ、水車小屋のそばに立っていたが、はっきりは見えなかった。フランスの作業員がよく着ているような青い上着を身に着けていて、太陽に向かって手を目に翳《かざ》しているように見えた。アンジェルはまったく警戒心なく、男に目を据えた。すると男は肩越しに振り返って、刺すような鋭い視線でじっとこちらを見た。だが、木の葉に邪魔されて、男の容貌ははっきり見えなかった。その顔つきにはどこか覚えがあったが、すぐには思い出せなかった。もう一度、視線を向けたときは、もう男の姿はなかった。

　フィリップが帰宅したとき、アンジェラはこのことを話したが、彼はわざとさりげなく言った。「そうか、保健所の人が僕が頼んだ仕事をやってくれていたんだな」

　この説明は、翌日、ピエールとフィリップが排水溝の出口に関することで、小道のずっと先まで実際に行く機会があったため、いかにももっともらしい話になった。フィリップは、イラクサの藪の間を無理やり分け入ったような長い道筋があることをピエールに指摘した。

　その道は、先日フィリップとロジェがたまたまたどり着いたルートとは違うものだった。古い墓地から崩れた古いフェンスがあるところまで続いていて、それからグレイ・ハウスの下の果樹園へと抜けているようだ。ピエールはなにも言わなかったが、非常に奇異な表情でフィリップを見た。ふたりともこれ以上、このことについてはふれなかった。

　戻るとき、フィリップはピエールに果樹園に行ってみないかと言った。最初に水車小屋を調べて以来、足を踏み入れていなかったからだ。果樹園につながる道の跡があったせいで、好奇心を刺激されて、町の保健所が対応してくれたのかどうかを知りたくなった。どういうわけか、ピエールは及び腰で、もう時間が遅いのではと言った。確かに、沈みゆく太陽はすでに長い影を投げかけ、かすかにたちこめ始めた霧のせいで、遠くの木々は輪郭しか見えない。

　今やふたりは、この雰囲気に気おされていた。フィリップが歩き出そうとしたとき、遠くから長く尾を引くような、猫の物悲しい鳴き声が聞こえてきた。ふたりは果樹園の入り口で立ち止まって、しばらく耳をすませたが、もう声が聞こえることはなかった。フィリップは果敢にも、からまる藪の間を音をたてて進み、昔からあるエリアに入っていった。ピエールにイギリス人の冷静沈着ぶりを印象づけるというより、自身の心の平安を保つためだった。

　果樹園にはとくに変わったところはなにもなかった。道は中ごろで途切れていて、錆びた農具がいくつか、雑草の中に半分埋もれているだけだった。だが驚いたのは、グレイ・ハウスの下の壁に、長い鉄の梯子が取りつけられていることだった。枯れ枝が絡み、苔や地衣類にびっしり覆われている。それは、ちょうどテラスの下へと上がっていけるようになっていた。これは調べてみなくてはならないと、フィリップは思った。

　その後、ふたりは家や町へ続く上の道に戻った。ここは、陽が当たって明るく、果樹園付近の奇妙な息苦しいような重い空気を忘れさせてくれた。フィリップが梯子のことにふれたとき、ピエールは首を振った。火事のときの避難経路として設置されたのではないかと思われた。なぜか、そう考えると、フィリップは大いに安心した。陽光の中で気が大きくなり、カフェで食前酒をやろうとピエールをしきりに誘った。

　フィリップが家に帰ったとき、アンジェルはテラスのテーブルに座っていた。ジゼルがたわいのないおしゃべりをしながら、キッチンを出たり入ったりしている。景色を眺めるふりをしながら、フィリップは梯子のほうをじっくり見てみた。そう、確かに梯子があるにはあるが、下で想像したのとはかなり位置が違い、もともとの長さより短くされたものに違いない。理由はわからないが、下から来た誰かがこの古く錆だらけの梯子を使って、テラスに上がるためだと思うと、心穏やかでないものがあった。梯子は家にいる者が火事のときに果樹園へ逃れられるように作られたはずなのだから、このこと自体、筋が通らない。

テラスから一メートルほど離れたところ、キイチゴや藪が茂る途中で梯子が終わっているのも解せない。さらに、もうひとつ見つけたものに、自分で認める以上に不安を煽られた。梯子のへりは苔や地衣類でびっしり覆われていて、長い年月使われていないのがわかるのに、横木はすべて、まるで最近誰かが上がってきたかのように、緑の苔が踏み荒らされていたのだ。

その夜、フィリップは眠れなかった。だが、穏やかな小春日和の日が増え、青い空が続いて安心が感じられると、フィリップは再びグレイ・ハウスのことに熱中し始めた。

アンジェルの機嫌も良く、ふたりはいつもように出歩いた。家の工事は終わっていたが、これまでと同様、地元の友人として、ピエール、ロジエ、ガシオン氏、ジョフロアとの交流は続いていた。

平穏な雰囲気の中、フィリップはかつてないほど執筆がはかどっていた。五月にブルゴーニュに戻ってきてからすぐに書き上げた悪魔の話は、イギリスで空前の売り上げを記録し、ヨーロッパやアメリカでの版権交渉も行われた。なにもかもがうまくいっていた。ジョフロアは思い留まらせようとしたが、フィリップはこれまでで一番の背筋が凍るような禍々しい野心作を書き始めていた。そう、ド・メニヴァル家の逸話に半分基づいた歴史ものだ。フィリップはすっかり元気を取り戻し、奇怪で陰気な方向に心が向かいそうになった、かつての妙な出来事は、今となっては、自身の本のためのネタを大いに提供してくれるものとなった。

フィリップの熱意は日に日に高まり、タイプライターの前に座りっきりになった。アンジェルの耳に、夜遅くまで何時間もキーを打つ音が続くのが聞こえた。十月始め、めっきり夜が寒くなり始めても、フィリップはテラスで仕事をするのを好んだ。アンジェルはそれを諌《いさ》めたが、フィリップは、主婦の古くさい風邪の予防法だとして笑い飛ばし、心配しないよう言った。暖かいセーターとパイプがあれば、なにも問題はない。

十月だというのに昼間は焼けつくような暑さが続いたが、夜は涼しく、フィリップは執筆の進捗に満足していた。五章分を書き終え、さらに三章分もざっくり形にした。十一月の終わりまでには、そろそろ仕上がりが見え始め、新年を迎える前に出版社に初稿を渡すことができそうだった。

　アンジェルは、そんな夫の仕事ぶりを喜んだが、彼の容貌の変化に心を痛めた。仕事のし過ぎで顔は青ざめ、目も落ちくぼんでいる。こんな姿は今まで見たことがなかった。アンジェルは本格的な冬が始まる前に、ふたりでイギリスへ帰ったほうがいいと考えたが、そんな心配に対して、フィリップは冬の間じゅう、グレイ・ハウスに留まると言い出した。仕事にかまけているフィリップにとっては大いに結構なことかもしれないが、ブルゴーニュに長く暗いじめじめした冬が訪れたら、アンジェルにとっては、息詰まるような日々となりそうだった。

　この件に関しては、ふたりはそれ以上言い争うことなく、そのまま放置した。アンジェルは、おそらくそうなるだろうが、来月中に本が完成したら、ふたりでロンドンに帰り、フィリップが原稿を直接出版社に手渡すと約束させた。フィリップはせっかくの効果を損ないたくなかったので、アンジェルに原稿の内容は見せなかった。

「これまでの最高傑作だよ」フィリップはパイプを噛みながら、意気込んで言った。「こんなに筆が進んだことは一度もない。本そのものが自分で書いているかのようなんだ」

　アンジェルはフィリップに鋭い視線を向けたが、なにも言わなかった。

「不可解なことがあるんだ」フィリップは目の前にある山積みのタイプ原稿に向かって眉にしわを寄せると、少ししてから続けた。「一部、書いた記憶がない内容があるんだ。ほら、ここに中世の雰囲気をまさにリアルに表現したような箇所があるのだけど……いや、君はまだ読まないほうがいいな。脱稿するまで待って。前後関係がわからなくなると台無しだから」

　夫の小説の進捗を見ていると、アンジェルはますます心配になってきた。このような彼は見たことがなかったが、あまり口出しするのも良くないと思い、なんとか自分を落ち着かせた。このままでも、まもなく冬になればイギリスに帰るのだから。

　数日後、フィリップは最後の章にさしかかっているところで、推敲はイギリスですると得意そうに言った。アンジェルは喜び、思わずほっとした顔を見せた。フィリップはそんなアンジェルを驚いて見た。その顔は青白く、長い執筆のせいか、どこか凶暴な目をしていた。パイプを置くと、アンジェルを腕の中に引き寄せた。

「君には面白くない日々だったろうね、ダーリン。でもあと数日だ。そうしたら出発しよう。あの本は、間違いなくこれまでの最高傑作になるよ。きっと君も、価値ある作品だと納得してくれるだろう」

　ふたりとも、この展開に喜び、出発の計画を立てるのに夢中になった。夕方には、フィリップは熱に浮かされたように結末に向かっていた。出発は次の水曜日に決めた。荷造りはすでにしてあったし、明日には車の点検もしてもらう予定だった。アンジェルは、フィリップとの関係にも、グレイ・ハウスにも、妙に満ち足りたものを感じていた。来年には、ここの不思議な雰囲気にも慣れるだろう。

　土曜の夜、フィリップは早めに仕事を終わらせた。午後いっぱい根を詰めてクライマックスを書いていたが、なぜか満足のいくものにはならなかった。フィリップは、テラスのテーブルから立ち上がると、思い通りにならない苛立ちに声をあげ、タイプライターと分厚い原稿の束をダイニングへ運んだ。新しい用紙をタイプライターに挟んだはいいが、ふたりでそのまま寝室へ向かったのをアンジェルは覚えている。

　真夜中、アンジェルは目を覚ました。最初はうとうとしていたが、そのうちすっかり目が覚めてしまった。なにかを鋭く引っ掻くような音がずっとしていて、気になってしかたがなかった。フィリップがまた仕事をしているに違いないと気づくと、安心した。中断した執筆に戻ったのだろう。だが、隣で規則正しい寝息をたてている夫の体に腕が触れると、とたんにとてつもない恐怖がわきあがってきた。静かな夜にやけに大きく響く引っ掻くような音は、ダイニングルームから聞こえてくる。アンジェルの頭は恐怖でパニックになった。

　アンジェルは勇敢な女性だった。覚悟を決めると、夫を起こさないよう、そっとベッドを抜け出した。ガウンも羽織らず、忍び足で寝室を出ると、階段を少し降りた。肌に感じる夜の冷気も気に留めなかったし、裸足の下の石の床の冷たさも構わなかった。

　寝室のドアを閉め、電気のスイッチを入れた。見慣れた黄色い光が広がると、少し落ち着いたが、同時に激しい怒りの感情がわきあがった。残りの階段をしっかりした足取りで降り切った。例の引っ掻くような音は、相変わらず続いている。前へ進みながら、手探りする手が探し当てた明かりのスイッチを次から次へとつけていった。どんどん明るさが増していくと、勇気が出てきた。ダイニングルームまであと十メートルほどのところに来たとき、突然、足元の板がきしんだ。ふいに引っ掻く音がやみ、床をこするような妙な音が聞こえてきた。

心臓が激しく鼓動している。思い切ってダイニングのドアを押し開け、すぐにスイッチを入れた。急に眩い光が降り注いだが、部屋には誰もいなかった。すべてはいつもの通りで、今は家全体が静寂に包まれている。夜風がテラスに吹きつけるかすかな音がするだけだ。暗いテラスにこうこうを明かりをつけてみたが、タイルと鉄の手すりが見えるだけで、ほかに動くものはなにもなかった。

アンジェルは、あえてテーブルの上を見てみた。タイプされるのを待っている新しい用紙が何枚か、タイプライターの上に置かれていた。最後の用紙には、苦労して書かれたような手書きのフランス語が、ページの半分ほどを埋めていた。その文章はこう読めた。「そして、処女の肉は、ほかのなによりも欲するものだ。どんな肉よりも柔らかなこの肉を手に入れた者は、永遠の命を得られるだろう。そして、人妻の中でもっとも美しい者は、娼館の主人によって連れ去られ、花嫁となる。墓は婚礼の閨房よりも、激しく燃え上がることだろう……」文章は途中で終わっていたが、インクは今書いたばかりのようにまだ濡れていた。

アンジェルは震えが止まらなくなり、気分が悪くなった。後ずさりしてテーブルから離れようとしたとき、タイプライターのそばのテーブルクロスの上に、なにかあるのに気がついた。それは、緑色の小さな苔のかけらだった。

火曜日、フィリップとアンジェルは、友人たちをお別れの夕食会に招いた。そこで、フィリップは小説の一部を朗読することになっていた。その前の週末は荷造りに追われたが、月曜の午後には、フィリップは喜び勇んでアンジェルのところへやってきた。ついに本が完成し、誇らしげに頭上で大量の原稿を振りかざした。アンジェルは、土曜の夜のことはフィリップに言わなかった。なにか暗いものがこの家にたれこめていて、自分がなにを言おうと、なにも変わりはしないと心の中でわかっていた。唯一嬉しいのは、冬が来る前にここを離れられることだった。それまでは、とにかく表面上だけでも、フィリップが本を完成させたことを一緒に喜んだ。

午後の半分、ふたりは将来の計画を話し合って過ごし、早めのお茶の後で、フィリップはロジェの家に出かけて行った。飲みながら、ビジネスの話をいくつかすることになっていたのだ。フィリップは果樹園を改修しようと考えていて、大きな石壁を作って、古い墓地と隔てようと提案していた。これには、アンジェルも大いに賛成した。ジゼルがアンジェルと一緒にいることになっていたので、フィリップは九時頃には家に戻って、早寝するつもりだった。

　翌日のパーティの準備をしなくてはならず、やることがたくさんあった。また暑い日になり、ジゼルとアンジエルはバルコニーに座っておしゃべりをしていた。照りつける太陽が向こうの山々を深い紅色に染め、その光が丘の下へと落ち込むと、谷は深い影に包まれた。気温が下がり始めると、古い水車小屋から流れ落ちる水の音が静けさの中、妙に大きく響き、深い霧の帯がうねるようにひそやかに果樹園に立ち込める。

　家の下の道にいる猫たちが、今夜はやけにうるさい。アンジェルはふいに立ち上がると、ウールのセーターを取りに行った。しばらくして、アンジェルはジゼルと一緒にキッチンに移動し、おしゃべりを続けたが、テラスのライトはつけっぱなしにしておいた。フィリップは読んでおいてとアンジェルに言って、分厚い原稿の束を残して出かけていった。彼が帰ってきたら、感想を伝えることになっていたが、読むのに三時間以上はかかりそうだった。

　ジゼルと話をしながら時々、アンジェルは、フィリップがいつも仕事をしているテラスの隅のテーブルに置かれた大量の原稿の束に目をやった。やがてジゼルは、掃除をすると言って、掃除機を取りに出て行った。アンジエルはコーヒーカップをテラスに持っていってテーブルについた。どうしてそんなことをしたのか、自分でもわからなかったが、フィリップの小説は、その大半が書かれたテラスで読まなくてはいけないような気がしたのだ。最初のページにはタイトルが書かれていた。『クロスの谷にて』

　アンジェルは夢中になって読んだ。確かに、フィリップがこれまで書いたものの中でも、群を抜く特異な出来だったが、なぜこれほど嫌悪感をおぼえるのか、わからなかった。たぶん、間違ったページから読み始めてしまったのかもしれない。こうした本は、文脈をとり違えると、間違った印象を受けることがある。一時間はたったに違いない。ページをめくるかかすかな音や、遠くからジゼルが掃除機をかける音が聞こえてくるだけの一時間。コーヒーは口をつけないまま、冷たくなっていた。

　ほどなくして、アンジェルはびくっと身震いして顔を上げた。その目はギラギラして、強い感情が宿っている。さらにおかしなことに、テラスが突然、息が詰まりそうなほど暑くなってきた。本の最後の部分を読む覚悟をしつかりしておかなければならないことはわかっていた。この暑いのに、着ているものが多すぎる。そう、身支度を整えなくてはならない。十分後、寝室から出てきたとき、アンジェルは奇妙に狡猾な表情をしていた。だが頬は燃えるように熱く、その瞳はなにかに恋い焦がれるように輝いている。体の線が透けて見えるほどの薄い夜具だけを羽織った、ほとんど裸に近い恰好をしていた。

梳いたばかりの髪は、艶々している。ジゼルが掃除をしている部屋を避けるようにして、こっそり通り過ぎた。またテラスに出ると、かぶりつくようにして、食い入るように原稿を読み始めた。たちまち八時が過ぎ、あと数十ページを残すのみとなった。アンジェルは、淫らな表情を浮かべ、陶酔したように体全体を震わせ始めた。薄い霧がテラスを包み込み始めたのも気に留めなかった。最後のページで明らかにされる、口にするのも許されない淫靡な秘密を知ろうと、一字一句もらすまいとひたすら目をこらした。

女が読むべきではないものを読んで、アンジェルは放心したように目をどんよりさせていた。なにか計り知れないほど大昔のものが、ページを通してアンジェルに呼びかけてきた。スパイクのついたあの鞭のことを思い出し、甘美なまでの極上の恐怖で体を震わせた。ついに最後の文章にたどり着いたとき、テラスで衣擦れの音がしたが、アンジェルはひたすら陶酔しきっていた。

アンジェルの目は、最後の言葉に釘づけになっていた。

「裸になれ、服を脱げ、恥じることはない。そなたの主人の思うがままになる覚悟をせよ。クロスの花嫁になる覚悟を」

アンジェルはすでに立ち上がっていた。目を閉じて、舌をだらりと垂らし、瞼の下から玉のような滴が落ちた。

「私を連れていって、ご主人さま」アンジェルは吐息をもらした。なにかが薄いシルクの夜具を引き裂き、冷ややかな空気に胸が露わになる。たとえようのない悪臭が鼻腔を突いたが、古色蒼然とした腕に抱き上げられたとき、アンジェルはえも言えぬ至福に包まれているかのように微笑んでいた。

午後九時少し過ぎた頃、フィリップは上機嫌でロジエの家から戻って来た。いつもと変わらない帰宅が、すぐに当惑、そして恐怖へと変わった。メイドのジゼルは、ダイニングルームの長椅子で、異常なほどの深い眠りに陥っていた。起こされても、ただただ驚くばかりだった。最後に覚えているのは、部屋を掃除していたことだけだという。フィリップは、妻の名を叫びながら家じゅうを探しまわった。

　ふたりの寝室の床には、アンジェルの服が下着に至るまですべて脱ぎ散らかしてあった。テラスを見て初めて、フィリップははっきりした恐怖に襲われた。コーヒーカップは倒れていなかったが、あたり一面にタイプ原稿が散らばっていて、緑の苔がこびりついていた。下からテラスにつながる例の古い梯子から、キイチゴの枯れ藪の中をなにかが無理やり分け入ったような痕跡があった。棘に妻のブロンドの髪の房がひっかかっているのを見つけたとき、フィリップは正気を失いそうになった。

　ガレージから強力なサーチライトを探し出してきて、イラクサの生い茂る急な小道を妻の名前を叫びながら駆け下りた。その声が不気味にこだまし、再びあのむかつくような腐敗臭がしてきた。それは、道の下のほうに淀んでいる霧から発生しているかのようだ。持っていたライトが暗がりの中になにか白いものをとらえたとき、フィリップの心臓は口から飛び出しそうになった。思うにそのとき、フィリップはアンジェルにもう一度会える希望を打ち砕かれたのだ。破れ、血に染まったアンジェルの夜具の無残な切れ端が、イラクサの藪にひっかかっていた。人生で最悪な暗黒の瞬間、どうしようもないほどの恐怖がフィリップを苛んだ。名状しがたいなにかが、彼女を夜の闇の中へ拉致してしまったのだ。

　フィリップの膝が萎え、激しく震えた。イラクサの藪を貫く道は、あの古い墓地へと続いているのはわかっていた。いくら妻を愛しているとはいえ、あえて夜にたったひとりであの得体のしれない力と対峙するわけにはいかない。よろよろともと来た道を戻るのは、悪夢の旅に等しかった。こけつまろびつしながら、露出している岩にむこうずねをぶつけ、キイチゴのトゲで顔が傷ついた。見るも無残な姿で、町はずれにあるカフェに転がり込み、ロジェに電話してくれるよう必死で懇願した。

　ロジェは、すぐに車を飛ばして来てくれただけでなく、途中で大学に立ち寄ってジョフロアを連れてきてくれた。それから十五分ばかり、ふたりは半狂乱になっているフィリップにつきそった。フィリップのありさまにふたりはショックを受けたが、年かさのジョフロアは、始めからずっと疑い怖れていたことが起きたと、ポツリと言った。

　ジョフロアは、完全装備していた。首には装飾の施された銀の十字架を下げ、片手に祈禱書、そして妙なことにバールを持っていた。ロジェもまたリボルバーで武装し、車の後ろには、まるで車のヘッドライトのようなふたつの大きなランプを積んでいた。

「勇気を出すんだ《クーラージュ》、気の毒な友よ《モン・ポーヴル・アミ》」車に乗り込んだジョフロアは、フィリップを自分の隣に座らせた。「やるべきことをやらなくてはならない。君の愛する奥さんを救うのはもう遅いかもしれないが、この邪悪なものを抹殺するためにできることはすべてやらなくては。彼女の魂を救うためにもね」フィリップは恐怖にかられ、半ば放心状態で、言われたことの半分も理解していなかった。ロジェのスポーツカーは飛び跳ねるように急発進し、自殺行為ともいえるようなスピードで狭い道を下った。フィリップは思わず、ジョフロアの腕につかまった。

　下っていった行き止まりの、キイチゴの茂みが壁のようになっているところまで一気に走り、イラクサのトゲだらけの薮の中を行けるところまで車で入っていった。ヘッドライトの眩い光の先に墓地の門が見えてきた。ロジェは車のライトやエンジンはつけっぱなしにしておいた。

「僕たちが正気だってことを思い出すためだ」ロジェははっきり言った。

「それでいい」ジョフロアは体の前で大きく十字を切った。「あとは神のみぞ知るだ」

　ロジェが、フィリップに長いバールを渡した。ジョフロアが片手にサーチライトを持ち、もう片方の手にバールを持った。ロジェは右手にリボルバー、左手にサーチライトを持つ。三人は並んで濡れた草の上を歩き、フィリップはこれまでのことを包み隠さず話した。フィリップが、墓地の入り口に自分の懐中電灯を置くと、墓地のほぼ全体が明かりの中に浮かび上がった。今一度、勇気を振り絞ると、ド・メニヴァルの墓のほうへ進んだ。

　自分たちの足音が砂利にうつろに響く。墓石の上から、なにかの燃えるような大きな目がこちらに向けられたとき、フィリップはがっくり片膝をついた。ロジェのリボルバーが、二度、耳をつんざくような音をたてた。背中を撃たれた大きな猫が、長く尾を引くような鳴き声をあげ、茂みの中で苦しみながら死んでいった。すぐにジョフロアは、ド・メニヴァルの墓に向かってまっすぐに走り始めた。突然の銃声のショックに震えながらも、あとのふたりも追いかけた。

　フィリップは、そのときの納骨堂の光景を決して忘れることはできなかった。ゴヤの絵の情景のように、生涯脳裏に焼きついた。血しぶきが広がる中、全裸のアンジエルがこと切れていた。悪魔に魅入られたかのような、この上ない至福を浮かべたその顔は、まるで疲れ果てたかのように、墓の入り口に横たわったものの腕にしっかりと抱きかかえられていた。ぼろぼろに擦り切れて色褪せた青いコートを着た、その醜悪極まりないものは、テラスから落ちたのか、古く脆《もろ》い片足が折れてしまっているようだ。ド・メニヴァル家の霊廟の下にある悪臭を放つ隠れ家へと逃げ込もうとしたが、思うように進めなかったと思われる。

だが、最悪の恐怖が待っていた。しなびて灰色になった羊皮紙のような手には、若者の真新しい血がついたスパイクつきの鞭が握られていた。半分食いちぎられ、腐って崩れた皮膚から折れた骨が飛び出している顔が、こちらを向いていた。なにかが動いた。そう、まだ生きている目が毒を浴びせるように、三人の男たちを睨みつけている。老ド・メニヴァルは、最後の最後まで邪悪そのものだった。

ジョフロアはためらうことなく、すぐに十字架を宙にかかげ、凄味のある声で父と子と聖霊の名を唱え始めた。そして、その十字架をフィリップに渡すと、かつては人間だったが、古く朽ち果てた神への冒瀆そのものに、何度も何度も大きなバールを打ち下ろした。歯や髪があちこちに飛び散り、古い骨が砕け、割け、腐敗の塵となって静かな空気の中に舞い上がった。やがて、すべてが静寂に戻った。

ジョフロアは荒い息をつきながら、あとのふたりを遠ざけた。「今夜は、僕たちができることはここまでだ。朝になったら、やることはまだたくさんあるが、この忌まわしいものは、二度とよみがえることはないだろう」

ジョフロアは、ビンに入った聖水をアンジェルの遺体にふりかけ、車からとってきた毛布をかけた。フィリップは、このままでは妻がかわいそうだと苦しそうに抗議したが、ジョフロアは頑として譲らなかった。

「彼女を動かしてはいけない」ジョフロアは言い張った。「アンジェルはもう君の妻ではないんだ、憐れむべき友よ。彼女は彼らの仲間になってしまった。彼女のために、そして彼女の不滅の魂のために、私たちはやるべきことをしなくてはならない」

語られることはほとんどないが、町の人々は、古いド・メニヴァル家の墓で見つかったこの恐怖をずっと忘れることはないだろう。この夜、ジョフロアは、司教から特別な免除を得た。翌日、朝一番で、フランス植民地軍の歩兵たちが集められ、ジョフロアの指示の元、作業が始まった。

兵士たちは戦場で鍛えられていて、ちょっとやそっとのことでは怖気づかないはずだが、地下の納骨堂が開けられ、その光景を目の当たりにしたとき、怯えた子どものようになってしまった。ジョフロアは、冷静沈着、強靭な精神でパニックになるのを抑え、この日は真の聖職者としての資質を存分に見せた。だが、彼が目にした光景と、彼が行わなければならなかったことが、この善良な人物自身の最期を早めてしまったに違いないと、多くが語った。

アンジェルの遺体は、古い墓地に設けられたテント裏に準備された火葬用の薪の上にすぐに運ばれ、聖職者が祈禱を行う間、荼毘《だび》に付された。ド・メニヴァル家の納骨堂の中には、聖職者も兵士も侵入者が啞然として身動きできなくなるような光景が待ち受けていた。そこには、ド・メニヴァル家の者と、若い女たちの裸の遺体が三十体以上あったという。二百年も前の近隣からさらわれてきた娘たちだと思われるが、その体はまったく腐敗していなかったとのことだ。

さらに地下には、生活のためのおびただしい数の部屋や通路が見つかった。ここで、死ぬことのできない死者たちが、いまだに淫らで冒瀆的な儀式を行っていたのだ。とはいうものの、この話がすべて真実であるかは、今は誰にも確かなことは言えない。司教自身が、従軍司祭としてのジョフロアと共に、悪魔祓いの儀式を行った。その後、軍が火炎放射器を持って突入し、横たわっている恐ろしい生ける屍たちをひとり残らず焼き尽くした。地下のたくさんの部屋は軍によって爆破され、周辺一帯も焼き尽くされ浄化された。のちに司祭の命により、その場所にはコンクリートが敷き詰められ、その日から今日に至るまで、町の人々にとくに禍《わざわい》はなく、水車小屋のそばの果樹園に霧がたちこめることもなくなった。

グレイ・ハウスはまだ存在してるが、今や急速に朽ち果て、打ち捨てられた廃墟となりつつある。今はすっかり頭も白くなったガシオン氏は不動産業を引退し、ノルマンディの別荘に引きこもった。モンシニョール・ジョフロアは亡くなり、ロジェ・フレイは建築家として成功し、パリで活躍している。

フィリップは、相変わらず作家として成功していた。今はかなり年の離れた若い妻とロンドンに住んでいる。彼女はなにごともまったく気にせず、本人が言うところの生活のシンプルさに満足している。フィリップは、めったに外国へ行くことはなくなり、ごくたまにフランスへ行くことはあっても、ブルゴーニュには決して近寄らなかった。彼の著作は、英語圏では非常に人気があったが、かつてのような怪奇ものではなかった。

ときに政治ドラマなどは書くものの、おもにコメディや軽い話ばかりだった。フィリップは、五十歳にはまだあと一年かそこらの年齢のはずだったが、髪は真っ白で、すっかり老人のような容貌になっていた。近くで彼の目をじっと見たときだけ、地獄の焔《ほのお》が見えた。

つけくわえることがあるとすると、ささやかなことがふたつ。その後、グレイ・ハウスで、ロジェ・フレイがテラスの丸い石の壺の中に大量の灰を見つけた。

大広間にあった、あの年老いた男と娘の絵は消えていた。壁全体が回廊からごっそりえぐり取られ、硬い石はまるでつるはしで穿《うが》たれたかのように穴があいていた。

フィリップは、このことについてなんの問い合わせをすることもなく、なんの私見ももたなかったため、謎は残ったままになっている。

怪奇の灯は絶えず

著作権消滅

Out of Copyright

ラムジー・キャンベル
Ramsey Campbell

安原和見 訳

年頭に出版された初期作品集『グラーキの黙示』（全二巻　サウザンブックス）で、ラムジー・キャンベルの作家活動のうち、ラヴクラフトの継承者という一面の紹介は一段落ついたようだ。次は、彼がＭ・Ｒ・ジェイムズの系譜に属する怪奇小説家であることを知ってほしい——という願いを込めて、本作をお届けする。古書店主にして怪奇小説のアンソロジストを見舞う怪異を。幻の作品の引用（原文併録）ともどもお楽しみいただけますよう。ジェイムズもかくやのこの古書怪談は、一九八〇年に文芸アンソロジー *Hot Air* に発表され、翌々年に短編集 *Dark Companions* に収録された。


　未亡人は、もの思わしげに本の山を見つめた。「少しは価値のあるものかと思っていたんですけど」

「もちろん、全然ないわけじゃありません」サーンは言った。「たとえば、これなどは数ペンスにはなるでしょう。ただ、ご主人はどうも手当たりしだいに集めておられたようですね。印刷に使った紙の価値すらないものが大半です。そこでいかがでしょう——まとめてこちらで引き取らせていただきまして、できるだけの金額をお支払いするということで」

　紙幣を数えて差し出したあとでも、胸ポケットの札束はろくに減ってもいなかった。本ではち切れそうな段ボール箱をヴァンに運んだ。薄暗い階段を三階下までおろし、垂れ下がる草に隠れた石畳の私道を歩いていく。門を通るときにふと見れば、門柱にのった石球には苔の大陸が生えていた。三度めに階段を降りるころには息があがっていたものの、雑草を蹴りのけながら、それでも彼はほくそ笑んでいた。出向いてきただけの甲斐はあった、間違いなく。

　ひび割れて雑草に覆われた通りを、ヴァンで走り抜けていく。道路わきの錆びた車は内臓をむき出しに外科手術を待ち、玄関の階段にもたれた老人は日光の下でしなびていこうとしている。乳母車が家の外に放置されていて、だれかが赤ん坊を盗んでいってくれるのを待ち受けるかのようだ。窓や割れたガラスに反射して、日光が目に突き刺さってくる。暑熱に通りも視界も揺らめいていた。ミラー越しにちらと見るせいか、背中にのしかかるように感じるせいか、段ボール箱の山は背後にだれかうずくまっているようだ。おまけにこのにおい、外の通りより埃っぽいぐらいだ。

　ほどなくクレセント（湾曲した通りのこと。同様の様式の建物が並ぶことが多い）に帰り着いた。ジョージ王朝ふうの家々が白く輝いてそびえている。その足下で見ると、ヴァンは通りにうち捨てられた安っぽいブリキのおもちゃのようだ。とはいえ、古書を買い取りに行くのに、あまり金回りがよさそうに見えてもいいことはない。

　家に入ると、上品な曲線を描く階段のわきに段ボール箱をおろした。秘書がオフィスの入口に出てくる。「どうでした？」

「ああ、上々だよ。初版本も何冊かあったし、稀覯本もけっこうある。あの男は目利きだったからね」

「郵便が来てますよ」秘書は言った。警察でも来たかのような口ぶりだ。それが癪《しゃく》に障った。法律関係の知識には自信があるし、法はしっかり守っている。「やれやれ、だれがなんと言ってきたって？」

「またあのアメリカのエージェントですよ。ルイスの作品三本に関しては、未亡人に使用料を支払う道義的責任があるそうです。もし支払われないなら、ええと――『貴殿のアンソロジーに関しては、不買運動を依頼人に勧告することを真剣に考慮せざるをえません』ですって」

「よく言うよ、あのごろつきが。わたしなら、あいつを馘首《くび》にするよう勧告するところだ」顔が火照り、こわばる。つい歯を剥きそうになる。「なにが真剣に考慮だ、依頼人の利益もろくに守れないくせに。著作権をちゃんと更新しておかなかったあいつが悪いんだ（一九七六年に著作権法が改正されたさい、改正以前の著作物についても著作権の更新によって保護期間の延長が認められた）。うちはだれにもただの一ペニーだって借りはない。だいたいだな、金に困ってる作家なんかどこにいるっていうんだ。札束に埋もれてるんだ、ひとり残らず。優雅な印税生活さ」そこでもうひとつの不満に思い当たり、彼はひたいを叩いた。「それはともかく、いったい未亡人になんの関係がある。あれを書いたのは死んだ旦那じゃないか」

怒りを冷まそうと、段ボール箱を抱えてふうふう地下室へ降りていった。こめかみがどくどく脈打っている。箱をあけると、塵埃が煙のように吹き出して電球を覆い隠した。ところ狭しと並ぶ書棚のせいでもともと薄暗い地下室だが、それがますます暗くなる。

箱から出した本を整然と積みあげ、こっちの山からあっちの山へとときどき移し替える。トランプのソリテアでもやっているようだ。エースが出てきて手が止まった。ダミアン・デイモンの『あの世からの物語集』。ほとんど伝説の一冊だ、なにしろまるごと復刻されたことは一度もない。それがいま見つかるとは、こんなに好都合な話はないだろう。この本に収録されている「ディアヴォロの取り立て」――これが入れば、いまサーンが編んでいる新しいアンソロジー『裁きは埋葬のあとに』は完璧だ。本の天に溜まった塵を払い、ページを繰って目当ての短編を見つけた。

Even in death he would be recompensed. Might the resurrectionists have his corpse for a toy? Of a certainty – but only once those organs had been removed which his spirit would need, and the Rituals performed. This stipulation he had willed on his death-bed to his son. Unless his corpse was pacified, his course would rise.

死してのちにも彼は支払いを求めるだろう。死体盗掘人どもは、彼の亡骸を好き勝手に弄ぶだろうか。まず間違いあるまい――だがそれは、霊魂にとって必要な臓器が取り出され、「儀式」が執りおこなわれてのちのことだ。臨終の床で、彼はこの条件を息子に言い残した。亡骸が安んじられなければ、呪いが降りかかるだろうと。

Undeed, had the father's estate been more readily available to clear the son's debts, this might have been an edifying tale of filial piety. Still, on a night when the moon gleamed like a sepulture, the father was plucked tuber-pallid from the earth.

しのところ、父の所領を容易に換金でき、めでたく借金を清算できていたら、これは心洗われる孝行息子の物語になっていたかもしれない。それでも、月が墓場のように陰惨な光を投げる夜、生白い根茎のように、父の亡骸は地中より引きずり出された。

Rather than sow superstitious scruples in the resurrectionists, the son had told them naught. Even so, the burrowers felt that they had mined an uncommon seam. Voiceless it might be, but the corpse had its forms of protest. Only by seizing its wrists could the corpse-miners elude the cold touch of its hands. Could they have closed its stiff lids, they might have borne its grin. On the contrary, neither would touch the gelatinous pebbles which bulged from its face...

迷信的な畏れを植えつけるよりはと、息子は死体盗掘人になにも話していなかった。それでも盗掘人たちは、尋常でない獲物を掘り出してしまったのを感じていた。声を失っていても、亡骸の姿かたちが抗議の声だった。その冷たい手触れを逃れるには手首をつかむしかなかった。こわばったまぶたを閉じることができたら、不気味な笑みにも耐えられたかもしれない。しかしながら、その顔から突き出すどろりとした球体に触れようとする者はなく、また

……

このあとの展開はわかっている。父ディアヴォロの亡《なき》骸《がら》は解剖されるが、その手足は町じゅうを徘徊して裏切り者どもを探しだす。そしてのどの奥に潜り込んで臓器を引きずり出すのだ、騙しとられたわが臓器の代わりに。どこをとってもよくできたゴシックロマンだ——凄惨で興味に富み、それでいて軽く読める類いの。近ごろは、こういう作品を書ける作家がいなくなった。正統派のゴシックロマンのツボがわかっていないのだ。そのくせ、支払いがどうのと不平だけは一人前と来ている。

この作品で唯一引っかかるのは、「じつのところ（indeed）」が「しのところ（undeed）」と誤植されていることだ。面白いことに、この誤植は「不死（undead）」に通じる——が、それで間違いが許されるわけではない。この短編は一九二〇年代に一度だけ再録されているが、その版も誤字誤植だらけだった。まあいい、今回は完璧に直したものを出せばいい。サーンのアンソロジーに、納得行かないものを入れるわけにはいかない。

残りの文章をチェックしてから、秘書に渡してタイプしなおすよう頼んだ。まさに計ったようなタイミングだ

った。一分後、ドアベルが鳴って書物コレクターがやって来たのだ。サーンに負けず劣らず時間厳守の男だ。ふたりは互いに有益な三十分を過ごした。「これは今朝手に入れたばかりなんです」サーンは鼻高々に言った。「一冊二十ポンドでお売りしますよ」

申し分ない一日になりそうだったが、そのとき電話が鳴った。秘書の驚いたような悲鳴が聞こえたかと思うと、彼のオフィスに電話がまわってきた。おろおろした声で秘書は言った。「ミスター・ロナルド・メインからです」

「やれやれ、手紙をよこせと言ってやってくれ、まだ文字が書ければだがな。あっちはどうか知らんが、わたしには無駄話をしている暇などないんだ」しかし、先ほどの悲鳴が気になる。秘書の手には負えないという徴候ではないだろうか。メインのやつに、脅しが効く者ばかりではないと教えてやらなくては。「いや、いい――こっちにつないで」

メインのよく響く声が回線を伝わってくる。「人から伝え聞いたんだが、ぼくの書いた作品をアンソロジーに入れているそうじゃないか。こちらにはひとことの断わりもなく」

まったく作家という人種は、手短に言ったら負けとでも思っているのか。「連絡する必要はなかったからね」サーンは言った。「あの作品の著作権は消滅してる」

「それは問題じゃない。使用料の問題はまたあとで話し合うとして、それをべつにしても、作品そのものに関する問題を指摘させてもらいたい。あの作品は全体に手が加えられているが、それは承知しているだろうね」

「もちろんだ。それも仕事のうちだからね、わたしは編集者なんだ」くしゃみが出そうになって、サーンはいらいらした。塵埃のにおいがひどい。「だいたい、あれはきみの初期の作品だ。客観的に言って、わたしの直しのおかげでよくなったとは思わないかね」相手の理屈に押されていると思われてはならない。「ともかく、あいにくきみにはなんの法的権利もないんだから」

メインは絶句したのか、それとももっと強く言い返そうとしていたのだろうか。どちらにしても問題ではない。サーンはそこで受話器を置いた。秘書の様子が気になって、部屋を出て廊下を歩いていった。電話の声はうろたえているようだったが、タイピングのほうはだいじょうぶだろうか。

秘書のオフィスは舞いあがる塵埃でかすんでいた。これでは、本に顔を近づけて凝視しているのも不思議はない――のだが、その様子は熱中しているというか、むしろ没我の境と言いたいほどだった。彼の影が本のページに落ちたとたん、彼女はぎくりとした。はずみでタイプライターのキャリッジが端まで飛んで、甲高い音を立てる。「さっきのも先生ですか？」

「えっ、なんだって？」

「いえ、いいんです。なんでもありません」おびえつつ腹を立てているようだった――彼に対してか、それとも自分で自分に怒っているのだろうか。

少なくとも彼女のタイピングは正確だった。もっとも、タイプしなおした文字がいくつかあるのはわかったが。この短編は冒頭に解説をつけたほうがよさそうだ。彼は『ホラー&ファンタジー人名録』をとりに地下へ降りた。照明を受けて塵埃がもうもうと舞い、のどが詰まりそうになる。

これだ、ダミアン・デイモン、本名シドニー・ドルー。一八七六年四月三十日チェルシー生、一九一一年（？）没（没地不明）「作品よりも、作者の生涯のほうが奇妙で常軌を逸していた。そうでなければ、後世に名を残すことはなかったという評もある。……」

かさこそというかすかな音に、サーンは顔をあげた。棚に並ぶ本と本のあいだから、だれかがこちらをのぞいている。もちろんそんなはずはないが、なぜそんな気がしたのかすぐにはわからなかった。どうやら本と本の隙間で表紙が開いていて、それが人の顔に見えたらしい。

上階に戻り、解説を書いた。「……エージェントと契約せず、また文筆で稼ぐ気もなかったことから、デイモンほど陰でさまざまに噂された作家は少なかった。批評家に言わせると、彼が有名になったのは魔術を使っていると悪評が立ったせいである。しかし、死後に出版された『あの世からの物語集』からわかるとおり、彼はポーの伝統を汲む真に一流の作家のひとり――それも、おそらくは最後のひとりであり……」顔をあげると鏡が見えた。ペンを手に、デスクに向かう自分の姿が映っている。彼に物書きの悩みがわからないなどとはよくも言ったものだ！　彼自身もこうしてものを書いているではないか！

書き終えて気づいてみれば、家じゅうがしんと静まりかえっていた。息をひそめているような、図書館の不自然な静けさだ。書きあげた原稿を秘書に渡そうと廊下を歩いていったが、足音はくぐもって自分の立てる音とも思えなかった。

秘書はデイモンの作品のタイプ原稿を一心ににらんでいたが、それは仕事に打ち込んでいる姿には見えなかった。不安に駆られて、なにかを探している――見つけてはいけない秘密が隠れているとでもいうのだろうか。琥珀色の光のなか、まわりに塵埃が垂れ込めているせいで、その様子は蠟人形か色あせた絵画のようだ。両腕は力なくだらりと垂れ、目はじっとページに注がれて動かない。

彼が口を開くより早く、電話が鳴りだした。秘書の驚きかたは尋常ではなかった。自分がここにいたらますます動転するだろうと思い、彼は廊下に引っ込んだ。すると、背後で黒いものがあとじさった——もちろん自分の影だ。不意を衝かないようにわざと物音を立てつつ、再度なかに入りなおす。

「またミスター・メインです」秘書は泣きそうな声で言った。

「手紙に書いて送るように言っといて」

「できればお手紙をいただきたいとサーンは申しております」訓練のたまもので自制を取り戻しはしたものの、なかなか話を打ち切ることができないようだ。受話器をおろすよう指示すると、怒りのきいきい声がぷつりと途切れてサーンはほっとした。「今日はもう帰りなさい。疲れてるみたいだから」彼は言った。

秘書が帰ったあと、サーンは彼女のデスクに着いてタイプ原稿を読んだ。思ったとおり原本の誤りは修正されており、〝undeed〟は直してあった。原稿は完璧で、すぐにも印刷にまわせそうだ。それなのに、なにかがおかしいと感じるのはなぜだろう。抜けでもあるのか、それとも表現が変わっているとか。

居心地のいい自分のオフィスに戻って、文章を突きあわせてみよう。そう思って立ちあがり、ふと気がついた。カーペットに、塵埃でかすかな足跡がついていた。秘書の席に背後から近づき、そこで向きを変えて離れていっている。きっと、地下室から靴に塵埃をつけてきてしまったのだ。あの地下室はどう見ても掃除が行き届いていない。まったくあの家政婦、なんのために給料をもらっていると思っているのか。

今度もやはり足音はくぐもっていた。耳に埃が詰まっているのかもしれない。なにしろ一面埃だらけなのだ。それにしてもこの家は、古い本のにおいがこれほど充満していただろうか。これまで気になったことはなかったし、それをこんなに不快と感じたこともなかった。皮膚が乾燥してむずがゆくなってきた。

自分のオフィスに戻ると、スコッチをなみなみと注いだ。もう時刻もだいぶ遅いから、後ろめたく思う必要はない。というか、今夜は常になく日暮れが早いような気がする。それとも、これも渦巻く塵埃のせいだろうか。彼には昼日なかから飲んだくれる習慣はない——そういうことをしている作家も何人か知っているが。

本に溜まった埃の玉を払った。まるでそこで育った灰色のキノコかなにかのようだ。舞いあがった塵埃は周囲に渦を巻きつつ拡散し、背後へ漂い流れていく。文章を一行一行突きあわせてみた。どこにも不一致はない。ただ一か所スペルが直してあるだけだ。にもかかわらず、タイプ原稿のどこかに、早急に解明すべき箇所があると感じる。追い立てられるようで落ち着かないし、その理由がわからないのも気に障った。

　眉をひそめて原稿をにらんだまま、頭を休めようとお代わりをついでいると、電話が一度鳴った。いらいらと受話器をとったが、電話は家のなかと同じく沈黙している。いや、待て——塵埃の滝を思わせるかすかな電気的雑音の奥に、ささやき声が聞こえはしなかったか。彼の耳ではとらえきれず、なんとか拾えた一、二音節はラテン語のようだった——ほんとうに聞こえていたとしての話だが。

　がばと立ちあがり、廊下に飛び出した。よく考えてみたら、さっき電話が鳴ったとき、秘書の内線電話があがる音を耳にしていたような気がしたのだ。思ったとおり、受話器ははずれていた。なにかのはずみで落ちたのだろう。受話器をもとに戻すと、塵埃が送話口からこぼれ落ちた。

　廊下で紙が音を立てていないか？　いや、廊下にはなにもなかった。たぶんあのタイプ原稿の音だ。デスクのうえですきま風にあおられたのだろう。秘書のオフィスを出てドアを閉じ、すきま風を——そしてそれとともに、なにかひじょうに古く埃っぽいもののにおいを——閉め出そうとした。

　しかし、そのにおいは自室のほうが強烈だった。『あの世からの物語集』を用心しいしい鼻に近づけてみた。やっぱりそうか、この本から埃のにおいがしているのだ。両開き窓を押し開き、腰をおろしてタイプ原稿を見つめた。まぎれもない嫌悪感が湧きあがってくる。暗号を解読せよと突きつけられ、試験されているようでむしゃくしゃする。どうして原本ではなく、このタイプ原稿だけが気になるのか。

　タイプ用紙をあおぐようにばたばたさせた。灰色の薄い膜に覆われているように見えたのだ。たぶん薄暮のせいだろう、その薄暮じたいが塵埃の膜にみえるほどで、スコッチすら喉に引っかかる。このいまいましい短編のどこがおかしいのか突き止めたら、埃まみれのこの部屋から退散しよう——そして明日には、家政婦に厳しく言って聞かせなくてはなるまい。

　原本との違いはただひとつ、大文字の〝I〟だけだ。

それともほかにもあっただろうか。視野のすみに浮遊する灰色の塊から強いて目をそむけ、急き立てられるような気分に苛立ちつつ、作品の冒頭から大文字を拾っていった。E、M、O、R、T……そこではたと気づいて、からからの口をぽかんとあけた。ペンを引っつかみ、大文字だけを書き出してみる。

E mortuis revoco.

われ死よりなんじを召喚す。

まさか、ジョークかまちがいか、ただの偶然だ。しかし、そのあとに続く大文字を拾ううちに疑念は消え失せた。**われ死よりなんじを召喚す、塵よりなんじを再生す**……作品全体にラテン語の呪文が隠されている。これはダミアン・デイモンの最後の作品であり、と同時に明らかに、最後の魔術の試みでもあったのだ。

そしてそれをサーンが発見したのだ。解説は書きなおさなくてはならない。うまく宣伝すれば、この短編の秘密によって本の売行きは何倍にもなるだろう。それなのになぜ、彼はいま顔をあげるのをためらっているのか。なぜ罠に落ちた動物のように怯え、痛いほどに耳を澄ましているのか。この息詰まる塵埃のにおいのせいだろうか。塞がれた耳ではどこからとも判別できない、かすかな乾いた物音のせいか。それとも目の前に漂う灰色の塊のせいなのだろうか。

ついに思いきって顔をあげたとき、急に動かしたせいで首の筋を違えてしまった。しかし、口から出たのは安堵のあえぎだった。灰色の塊はただの埃の玉で、それが鏡にへばりついているだけだ。たしかに不愉快ではある。塵埃をかぶった顔そっくりに見えるうえに、その顔には不気味に多数の穴があいていて、そこから塵埃があふれてくるようでもあった。まったく、こんなものは見ないで済ませたいし、家政婦の仕事を代わりにやらされるのも業腹だ。

立ちあがり、ややあって気がついた。彼自身の鏡像で、灰色の塊が一部隠れている。ようやくその意味が呑み込めたときには、鏡のなかにさらにふたつ、灰色の塊が持ちあがってきていた。最初の塊の両側、彼の背後に。あれは手か、それとも埃の雲だろうか。その両方かもしれない。最後までどちらともつかないままだった――それが彼の顔に覆いかぶさってきたときですら。

First published in *Dark Companions* (Macmillan, February 1982).

怪奇の灯は絶えず

眺望

The View

ロバート・エイクマン

Robert Aickman

植草昌実訳

『奥の部屋』（筑摩書房）のロバート・エイクマン（一九一四―八一）は、八〇年のアンソロジー『闇の展覧会』（早川書房）に寄稿した生前最後の発表作「マーク・インゲストリー――客の物語」まで、三十年にわたり四十編を超える中短編を発表した。いずれも彼自身が「奇妙な物語《ストレンジ・ストーリー》」と呼ぶように、「怪奇」や「恐怖」を描きつつも、それだけでは言い表しようのない味わいをもつ。最初の作品集 *We are for the Dark*（1951）に収録された本作もまた、奇妙としか言いようのない物語だ。

桟橋を離れた船が揺れながらマージー川の黄色い水の上に出たとき、カーファクスが思い出したのは、フォード・マドックス・ブラウン（一八二一―九三　イングランドの画家。ラファエル前派の流れを汲む）が描いた『イギリスの見納め』だった。川幅は広く、流れは速く、両岸には高いビルディングが見える。ロイヤル・リヴァー・ビルディングやキューナード海運など、用途も目的も謎めいたまま林立する巨大な建築物は、マージー・トンネルが開通して両岸を結んださいに押し上げられたままの土竜塚《もぐらづか》のようで、川越しに見ていると、船がばかに小さいような気がしてくる。流れが危険なほど速い川はいきなり川幅を広げ、行く手は見渡すかぎり海ばかりになった。彼はふと訝《いぶか》しんだ。川を下るあいだに見える中ではひときわ高いはずのニュー・ブライトン・タワーが、自分のいる側からは、船の上部に隠れて見えなかったからだ。記憶が確かならば、グランヴィル・バントック（一八六八―一九四六　ロンドン出身の音楽家）は、タワー舞踏場の音楽監督として、クラシックに興味のない客たちだけでなく、マージー川にかぶさる雨雲のように芸術家たちに重くのしかかる、不遇とも闘っていたはずだ。リヴァプールの気候では、ホイットマンのように川の近くで暮らそうという気にもなれないし、ゴーギャンの最期を想像すると、熱帯の島に移り住みたいとも思わないが、外務省の仕事が性に合う気もせず、音楽や絵画の世界で受ける注目は今や遠い憧れでしかなく、芸術で自らを解放する喜びはもう得られないものと、とうにあきらめていた。カーファクスは「解放」という言葉の中に、あらゆる良いものを見いだしていた――あらゆる美も、あらゆる道義も。同じように考えていたはずの人々は、過去の自分の価値観に引きずられ、すばらしいものを見てもくだらなく思うばかりになって、独特の材料を使った建造物は、かれらの前では人の体と同じように、美も用途も、得られるべき敬意さえも失っていた。

「しかしながら、水分を多く含んだ空気は、ときに景観に思いもよらぬ色彩の深みをもたらします」と、手元の観光ガイドブックには書いてあった。船から見た朝の街の眺めは、輪郭が滲《にじ》み、虹色の水を通したような透明な色調を帯びて、一面にぼんやりとしていた。かの知られざる傑作『イギリスの見納め』に描かれているのが、先の見えない逃避でも、希望を挫くような苦難の旅のはじまりでもないと彼が思うのも、その色調ゆえにだった。

　雨も霧も、風も気まぐれなマージー川畔特有の空の下、カーファクスは低くたなびく靄《もや》越しに、ロイヤル・リヴアー・ビルディングの屋上に一対でとまった、高さ十五フィートの青銅の鳥を見上げた。公共の建築に付属物していながら神秘的なこの鳥が、嵐が飽きることなく来るたびに乗り越えているさまは、人間の絶えざる希望の象徴のようでもあった。シェイクスピア劇場に出演していた、ある美しい女優を見たさに、三等車でこの街に来た十五年前のことを、彼は思い出した。あのころの熱意は、合成皮革の安物のスーツケースを駅の荷物預かり所に置いていくように、忘れられるようなものではない。船は乗客たちを狼狽させるほどに揺れはじめた。船が揺れるのが先か、船酔いするのが先か、どちらにしても不運だ。

　カーファクスを乗せた船は、長く並ぶ二列のブイの先に浮かんで、リヴァプールから南北に走る底知れぬ海底谷を秘めたアイリッシュ海へと導く灯台船に近づいていた。風あたりが強く座席もないので、彼は船首にはいられなくなった。ずっと乗り心地のいい船尾に移動し、オーヴァーコートの襟に顎を埋めて、すれ違う灯台船の甲板で、乗組員が魚の形をした錘《おもり》を下げて水深を測るさまを見ていた。湿度の高い風は冷たいが、堪えられないほど寒くはなかった。ほんとうに荒れたときにはどれほどの風が吹くものか、とカーファクスは考えた。荒波が来れば、これまでの人生を瞬時に目のあたりにしながら船から引き離されるか、ずぶぬれになって火の前で服が乾くのをじっと待つか。海が荒れなくても、見知らぬ人々とずっと一緒にいるのや、ビスケットとコンビーフの食事や、おつきあいのためだけに言葉を交わすことには、すぐに飽きがくることだろう。塗装の褪せた建物と、地下鉄に犇《ひし》めく陰鬱な顔ばかりのイングランドの記憶が遠ざかるなか、他の乗客たちが天候の回復を望んでいるのだと、カーファクスは気づいた。火をつけたばかりの煙草の先から、光る灰が一粒、顔に飛んだ。積まれてあったデッキチェアが音を立てて引き出されていく。油の染みた『リヴァプール・エコー』に包まれた、フィッシュ・アンド・チップスの匂いがした。昔カーファクスが小遣い稼ぎに作曲したものと似た、始めから終わりまで思ったとおりの軽薄な曲が、遠慮なく空気を揺らした。

「あの女《ひと》ったら、自分がどんなに地味か、気づきもしないんだけど、だからって教えるわけにもいかないでしょう」年恰好は四十路半ばの、とても地味な婦人が、自分そっくりな婦人に目を向けて言った。

「共産主義は労働者に、何のために労働するのかを教える」レインコートを着た男が力説していた。その乏しい白髪は、砂嵐に堪え続けた下生えのように見えた。

「だから、緑に染めてくれるんだったらあげてもいいって、彼女には言ったのよ」丸っこい体つきの中年婦人が、しょぼくれた夫の飽き飽きした様子にも気づかず、話し続けていた。

「注文を取ってきてくれれば、生産はこっちでやる。任せてくれ。役人どもの扱いなら慣れている」と言う声が聞こえた。

「しまいに無理やり脱がせたら、あの女まるで別人になっちまってさ」と言いながら、話の主は相手から目をそらすと、得意げな笑みを浮かべて声を潜めた。

「真の信仰を復興させる運動を起こさなければ、この世界に希望はありません」真面目な、というよりは尊大そうな男が言った。聞き手は大勢いるようだ。「真の信仰ですぞ」男は繰り返した。

「ローランド、見て！　イルカよ！」三十歳くらいの女性が息子に、まだこういうものに興味を持つ年頃かどうか、気にしているかのように声をかけた。

フォード・マドックス・ブラウン『イギリスの見納め』（1852-1855）バーミンガム市立美術館 蔵

昼食の時間を告げる鐘が鳴り、カーファクスのまわりにいた乗客たちは散らばっていった。何人かは船内に降りていき、何人かは強風に中身が飛ばされないようにしながら、甲板で包みを開いた。その気になれば世界一周旅行にも付き合いそうな鷗《かもめ》の群が近づいてきて、甲板の上空を飛び交った。死者たちの魂が一群の白い鷗になって、日の光を受けて輝く高い崖の前をゆっくり飛び交うという、偉大にして麗しき古《いにしえ》の詩人サッフォーが遺した断片を、カーファクスは思い出した。ある晴れた日に水辺を散策しているあいだに、魂がわが身から飛びたって、暖かい空気の中をゆったりと、いつまでも漂うさまを想像したこともあった。そのときは、削られたように白く切り立った崖を見上げ、ヴァーグナーがフォン・キューデル男爵（一八二四―一九〇三 ドイツの外交官、政治家。音楽を愛好した）に自作の交響曲を贈ったときに、楽譜の余白に書き添えた言葉を思い浮かべた。「今日、あなたは私と楽園で過ごすことになります」

頭上でけたたましく啼《な》き交わす鷗たちに意識を戻した――猛々しく、自由で、白く軽やかだが、ただそれだけだ。「哀しむべき誤りだ！」カーファクスは呟《つぶや》いた。船室への通路を背に、船尾にまっすぐ向かって腰を落ち着けた。「あまりにも感傷的だ！」椅子の中で身じろぎし、靴に目を落とした。今朝も丁寧に磨いてきたのに、リヴァプールの天候のせいでもう色褪せていた。

「それがなにか？」と尋ねる声がした。

通路際の椅子で本を読んでいた女が、目の前に立っていた。本は今、その手の中にさかさまに収まっていた。ヴォルテールの英訳だとカーファクスは気づいた。

「おなかが空いてしまって」と女は言った。それがあまりにありきたりな口調だったので、あの問いかけも同じ人が口にしたのか、そして、自分がうっかり考えていたことを口に出してしまったのかと、カーファクスは考えた。「戻ってくるまで、見ていてもらえるかしら」女は厚手のオイルスキンのコートを脱いで、座っていた椅子にかけた。その下はジャケットとトラウザーズと、白いシャツだった。帽子も手袋も着けず、本を持った手は白く、指は細長かった。

「忘れませんよ」立ち上がったほうがいいのか決めかねたまま、カーファクスは答えた。それにしても、頼みごとをするには強引にすぎる。

「覚えてくれてありがとう」

女はいなくなった。

男というものは二種類に区分できる。あまりに魅力的な女性がいるために、心の平穏も自身の幸福も長続きしないもの、と肚《はら》をくくった者と、無理解で退屈な女性と折り合いをつけさえすれば、平穏も幸福も得られると気づいた者に。健康上の理由で事実上無職になったカーファクスは、前者のほうに入るだろう。女だけでなく、世間とも縁が切れ（外務省も辞職するとすでに決めていた）、食欲不振は好転せずに三カ月も長引いて、これらはみな自分の愚かさと弱さゆえのことと、苦々しく思いながら、席の約束を忘れて、彼は船内の食堂へと下りていった。

　席の半ば埋まった食堂で、女は長いテーブルに一人で着いていた。脂染みのついた制服のウェイターたちが、冷めかけた羊肉の小さな切れを載せた皿を手に、あわただしく行き来していた。上着を脱ぎ、細身のシャツの肩に柔らかな細い髪が流れ落ちているさまは、女の姿をよそよそしくも、上品にも見せていた。

　カーファクスに気づいた女は、彼が同席を乞うと、喜びも断りもせず、ただ同意した。もちろん、他にも席が空いていることは、どちらもわかっていた。見知らぬ者同士の食事だとしても、その間の会話がこれほど途切れがちで、黙っている時間のほうが長いことは、あまりないだろう。それでも、二人で赤ワインのボトルを一本空けると、食後のコーヒーが来る頃には、静かなりに互いに笑みを交わすほどになっていた。女は大きめの煙草入れからトルコ煙草を取り出した。

「あの島についてご存じですか」カーファクスは尋ねた。

「まあ、少しは」はっきりしない返事だった。

「よいホテルの心当たりがおありなら、教えていただけませんか。この時期は観光客も少ないと聞いてはいますから、どこに泊まっても同じかもしれませんが。決める前に何軒か見てまわるつもりではいるにしても、もしどこかご存じなら」

「人の話は得てして危ないもの」

　その返事に好意を感じて、カーファクスは食事をきっかけに親しくなれたように思い、気をゆるめた。

「体をこわしてしまって」やわらいだように思えた空気が硬くなったが、すぐ元に戻った。「長い休暇を取ることになったんです。島に行くのも医者の勧めなもので」

「なじめない人たちと長く一緒にいると、具合が悪くなるものです」目を上げると、女は心配げな顔で彼を見ていた。「ご体調がよろしくないのでしたら、〈入江荘《フリート》〉にいらっしゃるといいでしょう」そして、カーファクスが口を挟む前に、言葉を続けた。「この時期の島は天気が不安定で、することもあまりありません。そのご体調では、ホテルのラウンジでばかりお過ごしになりたくはないでしょう。よけいに悪くなってしまいます」

　カーファクスは眉をひそめた。

「なので、ホテルでなく、わたしのところにいらっしゃるのがよろしいかと。〈入江荘〉は広いので、わたしとずっと顔を合わせていることもありませんし」

　頭の中がこんがらかって、背筋が痛むほどこわばった。普段は慎重に考えるたちの彼だが、今は思考が空回りし、そこにさらに早計さが加わった。決断をするときには熟考が追いつかないこともある。

　彼はその申し出を粛々と、感謝を込めて受け入れた。

　カーファクスは二人分の食事代を支払い、女と連れだって甲板に戻った。女はオイルスキンのコートをはおり、彼と共に船首に向かった。船首に並んで立ち、島が近づくと、女は山や城や、狭い入江や、日の光を受けてガラスの宮殿のようにきらめく邸宅を指し、それぞれの名前を彼に告げた。島を囲む海は深く、その水は澄んで、空気もまた澄んでいる、と女は言った。甲板に立つその姿は、ホメロス以前の古代ギリシャの女神像か、『アンナ・クリスティ』に出ていたグレタ・ガルボのように見えた。オイルスキンのコートは光を帯び、髪は風になびき、目は輝いて、声は穏やかだがはっきりと響いた。忘れがたい姿だった。カーファクスの内なる悲しみは、気づかぬ間に小さくなり、静まった。

　船が埠頭に着くと、郵便配達の車や出迎えの人々や、散歩の途中の行楽客たちの中に、高級車が一台、待っていた。制服姿で運転席に着いているのは、控えめだが有能そうな若い女性で、その運転は風のようでいながら、習熟された仕事に特有の安心感があった。街中から邸宅の建ち並ぶあたりまで通りを走るうちに、カーファクスは速く確実な運転を楽しみはじめていた。さらに一、二分ののちには、大扉が開いたかのように、喜びに心を委ねていた。こんな感覚は何カ月ぶり、いや、何年ぶりだろう。昇る朝日のように湧き上がる歓喜に、彼は我を忘れた。

「幸福についてのサミュエル・ジョンソン博士の名言を思い出しませんか。『義務もなく、将来を気にしなくてもよいのであれば、美しい女性を連れて四輪馬車で颯爽と駆けまわって過ごしたい』という言葉を」

「ジョンソンでさえ怖れていたのでしょう。死を免《まぬか》れる者はいないことを」

「あなたは怖れてはいない？」

「いいえ」女は溜息をついた。「わたしも不死ではありません」

「本当に？」と問われて、彼女は彼に目を向けた。「不死なる者は名前を持たないか、持っていたとしても、男であれ女であれ、口に出せないものと言われています。ところで、お名前は？」

「わたしには三つの名がありますが、三つともあなたが口にしたくはなるものではありません。ありきたりにすぎますから。女子学生や若い花嫁にも、年金で一人暮らしをしているおばあさんにも、物語に出てくる純真な女性にもある、あまりにもありふれた名前です。名付け親が選んだ名前。よい名前。間違える人のいない、実用的な名前。お聞かせしたくはありません。だから、書いてお見せします」女は手にしたヴォルテールの本を開き、終わりを示すカットの脇に三つの名を書いた。

　自動車レースに参加しているかのように、車は山道を速度を上げて登っていった。路面の凹凸に車が揺れると、鉛筆はあらぬ方に線を描いた。女の手から鉛筆が落ちた。右のサイドウィンドウから強い風が吹き込んできた。鉛筆を拾おうと屈んだカーファクスの髪を、風が乱した。

「あなたのような人に会うのは初めてだ」彼は女から目をそらし、木も家もない、海を見下ろす大地を眺めながら言った。「エアリエルと呼ばせてもらうよ」

　ウィンドウを吹き抜ける風を見つめるかのように、女は外に目を向け、彼の言葉は聞こえていないようだった。

「島に住人はいない？」十分も外を見ているのに、煙をあげる煙突を一度も見ないので、カーファクスは尋ねた。

「それとも、人がいるのは中心街だけなのかな」

「中心街にいるのは旅行者だけ」笑みを浮かべて彼女は答えた。そして、ウィンドウの外の空を指さした。「ほら、雁よ！」彼には何も見えなかった。風の音と、車の走行音で、羽ばたきが聞こえるとも思えない。だが、エアリエルは喜びに舞い上がっているようだった。「なんて素敵！　わたしを待っていてくれたんだわ！」彼女は歓声を上げた。そして、謝るように、温かみを込めた明るい声で「わたしたちを！」と言い直した。そして、カーファクスの腕に手をかけた。「この島はもともと、雁のものだったの」真面目な口調だった。「でも、人間が来て、調査したり絵を描いたり、保護しようとしたりするうちに、帰ってこなくなってしまった」

「タスマニアの入植者が罠をしかけて先住民を捕らえ、駆除してしまったように？」カーファクスが言った。

「ここでは、入植者たちのほうがそんな目にあった」彼女は穏やかに言った。「だから、旅行者は街の中心に身を寄せていなくてはならない。この島の他の場所に誰もいないように見えるのは、そのためよ。わかるかしら。もう建物一つ見えないでしょう」

　だが、彼女が話しているあいだに目の前が開けて、まず丘が、そして、そこに建つ〈入江荘《フリート》〉が、カーファクスの目に入った。

　場所にそぐわない建物だった。イニゴー・ジョーンズ（一五七三―一六五二　スコットランドの建築家）が建てたエディンバラの国会議事堂のように、見た目よりも古いのだろう――いや、それよりずっと古い、とカーファクスは思ったが、自分がこの島の建築についてはほとんど知識がないことを思い出した。いや、むしろあの時代の建築を丁寧に模した、近年のものなのかもしれない。島の風雨にさらされたせいで、昔のものと見間違えるような外観になっているのだろう。だが、だとしたら何を模したのだろうか。十八世紀の小さいが美しい城館にちがいない……だが、このような憶測も、人里離れたところにこれほど綺麗な館が建てられたことへの驚きに置き換えられた。かつてウォリックシャーで見たコンプトン・ワニエイツ（十六世紀初頭の荘園屋敷。一八六七年に修復された）の印象に、わずかだが似たものがあった。だが、ひそかに建つ〈入江荘〉は完成された至高のものであり、想像力と創作力の賜物であり、意識の深奥から響きだしたものの具現であった。

「ここに滞在できるなんて、光栄だな！」子供の頃以来、久しく覚えなかった感激に、彼は声をあげた。

　彼女は穏やかな笑みで応え、はみだしたシャツの裾をトラウザーズに押し込むと、車を降りる仕度をした。

「こんなに綺麗な屋敷は見たことがない」

　車は滑らかに加速すると、車輪の下の砂利を鳴らしながら、黄色い車寄せに入っていった。左右には平らな芝生が広がり、カーファクスは孔雀が何羽もそこで遊ぶさまを空想した。玄関の扉には、かつては何かが彫刻されていたようだった。年号か、主人の頭文字か、家紋か何かが。だが、歳月ゆえにか、石が欠け落ちたかで、読めなくなっていた。その扉が開き、品のよい灰色の絹の制服を着たメイドが出迎えた。エアリエルは段を上がろうと脚を伸ばしたとき、オイルスキンのコートを取り落とした。それでも、穏やかな笑みを浮かべたままだった。この上ない幸福に、静かに身を置いているかのように。

「〈入江荘〉にようこそ！」そのありふれた言葉は、どこかカーファクスをからかっているようだった。

「お帰りなさいませ、マダム」メイドが言った。

＊

入ってまず、館には大勢の人がいる、とカーファクスは思った。だがそれは、いくつかの鏡が三人を幾重にも映しているからだった。鏡はたくさんあるわけではないが、館の構造を活かして最大の効果が出るように配置されているようだ。扉のないところにはどこにでも、さまざまな形と大きさの鏡があり、互いに映しあっていた。どの部屋も鏡を同じようには配していないので、鏡は部屋ごとに異なる明暗と陰影を作りあげ、見る者を酔わせも当惑させもした。その反射がどこからはじまっているのか、カーファクスはほとんど把握できなかったし、一棟の館のはずなのに、中に入ると二棟あるかのように見えて、当惑した。どの部屋も完璧に整えられ、見事に飾りつけられていたが、全体を見渡そうとすると、視界が揺らぐようで、できなかった。

　彼の目の前に延びている階段は、吹き抜けで左右に分かれては、階に着くごとに一つに合わさっていた。女公爵が客人を迎える大階段の、精妙に作られたミニチュアのようだ。カーファクスはメイドに案内され、自分の部屋に着いた。階段を上るあいだに、どの階も一階と同じ構造であることに気づいた。部屋は扉で区切られず、広さも形も色も階ごとに違うが、同じように鏡が掛けられている。彼は眩暈《めまい》を覚えかけた。オックスフォードの学生だった頃、神学の教員に奨められた三次元チェスを思い出した。階段の敷物の柄に目を向けた。端から端まで濃緑色で、中央に黄色い蛇が一匹、長い体を伸ばしている。一段ごとに体のくねりようは異なり、細かいことが気になる彼は、特定のくねりかたが繰り返されていないかと目で追った。用意された部屋はこの館の最上階だったが、カーペットの模様に明らかな繰り返しを見つけることは、ついにできなかった。

　最上階だけは部屋がつながってはおらず、扉もあったが、部屋と廊下の配置は複雑で、謎めいていた。

　だが、案内された部屋は予想に反して、ありきたりなものだった。赤と青の壁に、白い扉。大きなベッドの枠は古風な真鍮造りで、フランス製かと思われる装飾があり、今では重苦しいばかりで趣味が良いとは言えないが、部屋の他の家具ともども、かつては豪華だったことが見てとれる。他の部屋とはずいぶん違うのだろうな、と彼は思った。メイドが荷物を置き、「一階にお茶の御用意がございます」と言うと、出ていった。カーファクスは窓に歩み寄り、外を見た。

　車で移動したあいだに見たのと同じ原野が広がり、その先に海が見えた。到着したときは、この館は高い丘のあいだの谷に建っているものだと思っていた。何もないが美しい風景を目の前にして、カーファクスはその雄大さに酔ったような気分になった。それにしても、この館は周囲から隔絶されているように思い込んだのは、いったい何をどう見たからなのか、今になっては自分でもさっぱりわからない。

床に屈み込み、鞄から双眼鏡を出そうとした。そのとき、絨毯の模様の特異さに目が向いた。部屋に入ってすぐには、毛足の長さが心地よい絨毯だという印象しかなかった。だが、階段の蛇の模様のように、この部屋の絨毯の模様も、繰り返しというものがないと気づいた。どのような説明がつけられるか、考えるうちに閃いたのは、これまで見てきた絨毯はいずれも、さらに大きな絨毯の一部なのかもしれない、ということだった。絨毯を自分の人生経験に重ねたこの仮説に安心すると、彼は精度の高い双眼鏡を窓の外に向けた。見ようとしたのは家でも、道でも、鉄塔でも、原野でもなく、太古から変わることのない海と、ワインのような色に変わっていく空だった。フォン・キューデル男爵へのヴァーグナーの言葉を思い出す。この明るく澄み渡る空虚が、何より欲しかったのだ。満足すると、彼は双眼鏡をしまい、お茶を飲みに下りていった。

広間に控えていたメイドが案内した小さな客間では、エアリエルがティートレイを傍らに、ソファに身を伸ばしていた。ここは角部屋のようで、隣りあった二面の壁にはどちらも大きな窓があった。カーファクスの視界いちめんに丘陵が広がった。

「実に美しい屋敷だ！」バタートーストを前に、カーファクスは声をあげた。「維持が大変でしょう」

「この島の住民は国税を払わなくてもいいの」彼女は答えた。「それに、島には何でもあって、値段も安いわ」

「使用人がいても？　詮索してしまって失礼。ここがあまりに綺麗なものだから。今のイングランドには、美しい建物などなくなってしまった。住宅と役所を除けば、あとは廃墟ばかりだ」

「使用人たちは、いつもわたしと一緒」彼女は答えた。

「不満を言われたことはない」

「不満を感じる理由もないだろう。まさに楽園だ。他に言葉がない。今時の使用人は要求が多いような話ばかり耳にするものだから、ちょっと気になってね。使用人はいても、一人で暮らしているようだね。でも、使用人を連れたお客は頻繁に来るんじゃないのかな」

「島の人たちはイングランドの人たちとは違うわ」彼女は彼の空いたカップにお茶を注いだ。「お客はめったに来ないけれど、島の人たちにはそれぞれ自分の楽しみがあるから、退屈することはない」

「こんなに広いのに、お客がめったに来ないとは。大勢の客人でにぎわうさまが目に浮かぶほどだ。どの部屋も、まるで一時間後に来る客を待っているかのように、完璧に整っているし。それなのに、きみ一人とは――」

「それで？」彼女の口調にからかいの様子はなかった。

「きみは本土から離れた島で、一人静かに暮らしているようには見えない」

「一人で暮らしているなんて言っていないわ。それに、今はあなたがいる」

「つまらないことを言って失礼。こんなことを思ってしまったのも、きみと出会い、招待してもらってこの館にいられるという、夢のような経験がこれまでになかったからね」

「違いがまだわからないだけなのかもしれない。わたしにはわかる。あなたは要求ばかりする他人の中で生きてきた。そんな生活が平穏だと、まわりから言われてきた。たとえ戦争をしていても『平和とはこういうものだ』と言われていたように。一人でいたくても、まわりの人たちがあなたを『独身』と呼び、結婚するように急き立てるように。どこに住み、何をするかを指図し、何を考えたら危ないのかを吹き込んだ。同じことに疲れ果てたあるフランス人が『地獄とは他人のことだ』と言ったのも、無理からぬことでしょう（サルトルの戯曲『出口なし』より）。でも、ここには他人はいない。だから、戦争も、結婚も、政府からの要請もない。自分のしたいことをしていればいいし、要請するものは自然だけ。そこが違いよ。わたしのそばにいるのは、友達――他人ではない人たちだけ」

「ぼくもその中に入れてもらえたのかな」カーファクスはこれまでの自分にはなかった、子供のような無邪気さで尋ねた。

「あなたは他人の中から逃げてきたじゃない」彼女は笑顔で言いきった。

少し間を置くと、彼女はこの館にあるものを手短に説明した。吟味した選書の図書室。レコードを取りそろえ、二台のピアノを備えた音楽室。屋上の小さなアトリエ。プールのある、手入れの行き届いた庭園。「そしてもちろん、この島も」と彼女は付け加えた。「どんなに探検しても、退屈することはない。一生かけても。この島は絶え間なく変わっているから。美しい景観で知られるところはどこでも、そこにたどり着くまでのあいだに、飽き飽きするほど同じ風景の中を行かなくてはならない。でも、この島ではすべてが違っている。同じものや、繰り返しはない」

「もし繰り返しがあったとしても、一人の人間では理解できないほど大きいのか」カーファクスは口を挟んだが、さらに別のことが思い浮かんだ。「あるいは、あったとしても人の一生より時間がかかるのか」

「いいえ、繰り返しがないだけでしょう」考えこんでいる様子で、彼女は答えた。「変化はいつでも、どこにでもあるもの。でも」と続けた。「男は変わらないものを探してばかりだし、女は変わっていくものを求めがちね」そう言うと、彼女は笑った。「大事なことをお知らせしましょう。わたしは日中はあまりあなたに会えなくなるから、そのあいだご自分ですることを、何か見つけるといいわ。ここは静かなだけが取り柄だから、退屈しないように」

　彼女の希望に応えるよう、カーファクスは努めた。

　エアリエルの立ち居にある、これまでに目にすることのなかった優雅さに気づいた彼は、彼女がソファから立ち上がり、ドアに向かうのをただ見ていた。彼はただ魅了されていた。だから、大柄でいかつい男のものに見える影が、館の角を回りこむように、二つの窓の向こうを通り過ぎていっても、視界と意識の片隅をかすめていくばかりだった。エアリエルは何も言わなかった。カーファックスにはもちろん、彼女しか見えてはいなかった。


　その日の夕方、彼は庭で絵を描いて過ごした。春の日差しと館を囲む丘のおかげで、風を受けることはなかった。庭に踏み込むや、彼は丘のある眺めに目を奪われた。これまでに見たことのない風景が、紙かカンヴァスに写すようにと、脳に直接訴えかけてきたかのようだった。その場から動かず、彼は描きはじめ、鉛筆を素早く動かしては、力強い描線を重ねていった。作業は粛々と進んだ。二、三時間ののち、カーファクスは最初の一枚を描きあげ、またも粛々と次の絵に取りかかっていた……エアリエルのことも忘れて、彼は描きつづけた。鉛筆は霊応盤《プランシェット》（降霊術に用いる、霊にメッセージを書かせる器具）のように動きつづけた。スケッチは今日まで、明日からは傑作に着手する。気温が下がり、湿度が増して、まだ春は浅く、この島はイングランドから千マイルも離れていないことを思い出すまで、彼は描いていた。

　エアリエルが晩餐の席に、簡略化されてはいるが、エリザベス朝の男性の服装で着いたことに、カーファクスは驚いた。黒ずくめの服の下、白いシャツの襟元を開いてさらに白い肌を見せている彼女は、ハムレットを演じる女優、さしずめサラ・ベルナールかルシール・ラ・ヴァーン（一八七二—一九四五　アメリカの映画女優）のようだった。肩に落ちる長い金髪も、女らしいというより、初対面のときの印象を思い出させた。黒く長いストッキングは、脚の美しさを際立たせ、ちょっとした動きさえ優雅に見せていた。

　カーファクスは尋ねた。

「どうして世間の女性は、きみのような格好をしないんだろう」静かな口調だった。「見た人は驚きも、心惹かれもするだろうに」

「わたしの友達はみんな、こんな感じよ」彼女は答えると、小さいが精妙な作りのグラスを彼に渡した。

　こぢんまりした食堂は楕円形で、天井画はビアッジョ・レベッカ（一七三二―一八〇八 イタリアの装飾画家）の手法で、深い奥行きがあるように描かれている。二人が小さな楕円形をした、サテンウッドのテーブルの両端に着くと、昼間は灰色の制服姿だったメイドが、黒い装いに着替えて、申し分のない順序で申し分のない料理を運んだ。

　食事のあと、二人は音楽室に入り、それぞれの演奏を聞いたり、合奏したり、二台のピアノで連弾したりした。合間にメイドがコーヒーとロクム（砂糖とナッツで作るトルコの菓子）を持ってきて、二人のあいだのテーブルに置いていった。暖炉の火が明るいので、ランプや蠟燭はいらなかった。ことに、音楽を理解している二人には。

「暖炉の上の肖像画は誰を描いたのだろう」カーファクスが言った。

「わからない。誰も知らないわ」彼女は答えた。「ずっと掛かっている。この家の一部になってね」

　二人は演奏の合間に、静かな口調だが、しかし熱心に語りあった。音楽の美しさや不思議さ、音楽家たちが経験した苦労や挫折や、癒やしようのない失望を。ときおり風が吹いて、煙突を鳴らし窓枠を揺らしたが、ほかに物音はなかった。館には時計はなく、時はただ流れ去っていくだけだった。

　カーファクスはピアノを弾く手を止め、もう一台のピアノの、彼女のそばに立った。彼女は、この島の歌だと言って、弾きはじめた。「わたしが作ったの」重いほどの静けさの中に、流れるように調べが響いた。島の何を歌うものか、彼にはわからなかった。

　その黒衣の肩に、カーファクスは両手を置いた。「エアリエル」彼は言った。「エアリエル、ぼくはきみを心から愛している」

　彼女は軽く、いくぶんふざけているかのように、この小曲を弾きつづけた。彼女のゆったりとした口調とそっくりなメロディ。静かな曲に載せるように、彼女は口ずさんだ。

「いちばん上の枝の林檎は、赤くて甘い
　いちばん上の枝だから、林檎取りはもぐのを忘れた
　忘れられた林檎は誰のものでもない　誰も手に入れられない……」

　それから二、三小節弾くと、彼女は手を止めた。立ち上がるとテーブルに近づき、コーヒーを注いだが、その仕草には疲れが見えた。なぜそう見えたのか、カーファクスには言葉にできなかった。詩的な喩《たと》えさえできそうになかった。

「晩《おそ》くなったわね」見慣れた笑顔で彼女は言った。「もうお寝《やす》みしましょう。もうお寝みしましょう」


　自分の部屋に帰ったときはもう朝で、日の光が燦々と差し、開いた窓からは風が吹き込んでいた。昨夜、庭から戻ったときは、鎧戸が下ろしてあったので、彼は初めて、窓から外を見て、庭から見ていた風景と比べることができた。

　今、目下に広がる原野に、絵の主題に選んだあの丘の連なりが見えないので、彼はなんとも落ち着かない気持ちになった。庭にいたときにはこのことを想像してもみなかった自分を訝しんだ。この問題はたしかに大きいが、この二十時間のあいだに起きた眩暈のするような出来事の数々に比べれば、さして重要ではない些細なことで、困惑はしても気にはしなかった。カーファクスは着替えながらも外を見つめつづけ、閉じかけた窓を抜ける風に震えた。

　愛しいエアリエルと朝食の席で顔を合わせたら、言葉を整理して尋ねてみよう、と彼は決めた。

　だが、尋ねようとしたことの一つは、部分的だが答えを得られた。彼女は乗馬ズボンにブーツという出で立ちで現れただけでなく、夕方まで顔を合わせることはない、と彼に告げたからだ。そう告げた様子には、ただの好意ではなく愛情がこもっていて、昨夜のことは何も響いていないようだった。が、彼女がすることはつねに最善であり、カーファクスの立場から見てもそれがすべて彼自身にとって最善であると、いう確信がすぐに湧き起こり、落胆を押しのけていった。彼女が何をしているか、ほとんどはわからなかったが、彼にも奇妙な、だが申し分のない満足を与えているような気がした……一人でいる時間が長ければ、絵に打ち込んでいられる……あとで会えるのだから、描き続けていられる……また会えると知っているのだから……彼を置いて彼女が日中にしているのは、うすうす想像はしていたが、乗馬だった。そう知っ

ただけで十分だった。

「気づいたことがあるんだ」彼は言った。「とても快適な部屋を使わせてもらっているけれど、きみの部屋はもちろん、この館のどの部屋とも、内装も調度も違っているのは、なぜだろう」

「ここは何度も改築や改装をしているの」口調は丁寧だったが、彼女はこのことにはあまり興味がなさそうだった。「あちこち、いたるところで。もちろん、大勢のいろいろな人が暮らしてきたし。だからでしょう」

「男性客用の内装かな、と思っただけさ」そう思い込んでいただけに、彼女のこの答えには思い至らなかった。

「性別と内装を結びつけて考えたことはないわ」当たり前のことでしょう、と言いたげな口調で、彼女は答えた。だがそのとき、その答えのどこかに奇妙なものがあるように、カーファクスは感じた。

「ねえ、エアリエル。それは素敵だけれど、なんだかおかしいね」彼は言った。「おかしなことはどこか素敵だ。素敵で、おかしい」

「昔の人が、美しいものはすべてどこか奇妙だ、と言っていたわ」彼女はまた、あの穏やかな笑みを浮かべた。

「この屋敷の絨毯のようにね」彼はすかさず口を挟んだ。「階段の絨毯は、どうやって一段一段、違う模様にできたのかい？　とんでもなく大きな絨毯の一部なのか、それともきみが特別にデザインしたものなのか」

「階段の意志《エスプリ・デスカリエ》よ」彼女は微笑んだまま答えた。「階段がそうしているだけ。答えられない問い。繰り返しの見えない模様——ひらめいて、それが何かわかっても、そのときはもう手遅れ」

「ぼくが本当の答えを見つけたときは、もう遅い、ということかい？」彼は尋ねた。

「疑問が解けたとき、希望が叶ったとき、犠牲が払われたとき、誰かが殺されたとき、どんなときでも、起きてしまったあとでは、もう遅いの」

灰色の制服のメイドが、果物を盛りつけた大ぶりな磁器のボウルを運んできた。二人はしばらく、恋人同士のような親密な沈黙のなかで、果物を食べた。

そのあと、彼女は食器を下げさせるために、ベルを鳴らした。

「絵を描くのに熱心になりすぎて、腕を痛めたり、鉛中毒（絵の具の顔料に鉛が含まれることがある）になったりしないようにね」二人だけで広間に立っているとき、彼女は言った。「今晩、生きて元気でいるあなたに会えるのを楽しみにしているわ」

彼は思いあまって、彼女をかたく抱きしめた。彼女は玄関の扉を開いた。外には美しい馬具をつけた黒い馬がいて、手綱を取っているのは車を運転していたあの女性だった。エアリエルは馬に乗ると、彼に笑いかけ、蹄の音も高らかに砂利道を素早く走り去っていった。カーファクスは彼女の姿が見えなくなるまで見送っていた。運転手の女性が自分の持ち場に戻っていったので、彼も自分の仕事の準備を始めた。

傑作を仕上げようとするカーファクスの意気込みは、失望のうちに終わった。眺望が気になってしかたがなかったのだ。しばしば画架《イーゼル》を離れて屋内に入り、蛇模様の階段を上って自分の部屋に戻ると、あれこれ思索を巡らせた。方角は曖昧にしかわからないが、自分の部屋の窓が南を向いているのと、館の南面に背を向けて絵を描いていることは、間違えようがなかった。だが、イーゼルを立てた小さなテラスから振り返っても、自分の部屋の窓がどれなのか、どの窓からあの素晴らしい眺望を見られたのか、まったくわからなかった。寝室の窓からは、位置関係のせいだろうか、イーゼルは見えなかった。だが、庭を見下ろすと、館の前から見た庭とは造りも植栽もそっくりで、それどころかまったく同じように見えた。結局、彼は寝室の窓にタオルを掛けておくという、ごくありふれた方法をとってみることにした（掃除やベッドメイクをする側にはばかげたことかもしれないが、それを思いつくまで、彼はこの問題を考えながらベッドに横になり、正しい位置関係を把握するために輾転反側していた）。だが、庭に下りて見つけたのは、地面に落ちたタオルで、掛けておいた窓はどこなのか、開いていても閉じていても見つけることができないと知った。苛立ちながら階段を上り（エアリエルと別れてから五度目だった）、そのたびに見かけるメイドをまた目にしたのは、使用人の中でもひときわ目立つ灰色の制服のせいかもしれなかった。

部屋に戻ったとき、何気なく目を向けた窓の外で、景色が一変しているのに気づき、彼は初めて恐怖を覚えた。ほんの十分前まで建物などなかった、そう、たしかに何もなかったのをこの目で確かめた遠い崖の上に、小さな建物が——漁師が住んでいそうな白い小屋が建っているのに気づき、カーファクスは瞬きも身じろぎもできず、ただ身震いをこらえていた。激しく震える体を椅子におさめ、靴を包んでおいた新聞紙を広げた。気を落ち着けて読もうとしたが、新聞を持つ手が震えるので、文字を目で追うのはひと苦労だった。記事はプランプトンの競馬の結果報告だったが、昨日だと思っていた日付は、一週間以上も前になっていた。二十年も前の大学生の頃にはおなじみだった、悪酔いの吐き気を思い出したような懐かしさを、彼は覚えた。

気を落ち着けて、もう一度目を向けた。何も怖れることはない。見間違いだ。小屋は最初から崖の上にあった。より広い眺望に気をとられて、気づかなかったのにちがいない。

また階下に降りた。一階の踊り場に飾った甲冑をせっせと磨いている灰色の制服のメイドのかたわらを、また通り過ぎた。ごく些細なことだが、その甲冑の立ち姿に、見覚えがあるような気がした。恋する者の愚かしさゆえか、それがエアリエルの体形に合わせて作られたかのように（まったくばかばかしいことだが）見えたのだ。彼女に出会って以来、恋する人の姿とその声が、実体がなくてもすぐそばに感じるほどになってしまったようだ。

庭に戻り、決然として絵を描きはじめた。これまでの実験も、些細な疑問も、頭から追い出した。疲れた神経は、彼が今にも迎える至福の時を妨げる唯一のものである、眺望へのぼんやりした不安を消し去った。だが、それは唯一の妨げだと思いこんでいただけなのかもしれない。別の小さな妨げがすぐに現れた。奇蹟に等しかった絵の構想が、すっかり崩れてしまったのだ。一人でいるのにちょうどいい小さな四角の書斎に、灰色の制服のメイドが用意してくれた、申し分ない昼食を挟んで、彼は失われたものを取り戻し、少しでも絵を良いものに仕上げようと試み、もがいた。だがその結果は、塗りつぶしや染みや、稲妻よろしきジグザグの線にしかならなかった。謎をはらんだ眺望から自分の思いを徹底的に引き離すことで、かえって絵を描く力を損なってしまったのではないか、という疑念が、心の片隅に湧いた。想像力というものは、すべてを受け入れるか、何も受け入れないかのどちらかでなければならないのだろうか。

エアリエルが帰ってきたのには気づかなかったが、彼が消え去った霊感を取り戻そうと続けていた苦闘は、エリザベス朝の黒衣をまとった彼女が来たことで中断された。昨晩と同じように日暮れは早く、エアリエルが春の宵の急な寒さにかすかな身震いをしているのに、彼は気づいた。その姿から目が離せなくなった。カーファクスは片手を伸ばし、広く開いたシャツの胸元から、彼女の肌に触れた。

「エアリエル、愛しい人」彼は言った。「ぼくは偉大な画家にはなれそうにないよ」そして、この日の失敗の数々を指し示した。

「肝心なのは」彼に接吻したあと、彼女は答えた。「早く描くことよ。見たものを、すぐにね。見たままに。手を休めないで」

「たしかにそのとおりだ。完璧な解決だ。昨日は――」

「そこよ」彼女は言った。「昨日と今日は、すべてが違う。ものは見ているあいだにしか存在しない。わたしたちでさえ、お互いの気持ちを合わせたものにすぎない」

「きみの気持ちはそんなに変わるのかい」彼は尋ねた。

「あらゆるものが変わる。絶え間なく。速く。わたしも変わる、と言えることが嬉しい。変化を怖れるのは死者だけなのだから。わたしも、あなたも生きている。温かい血の流れる体をもって」

「きみがぼくを変えてくれるまで、どのくらいかかるのかな」

「あら」彼女は急に声をあげた。「もう夕食の時間じゃないかしら」

威儀を正して晩餐の席に向かうように、彼は彼女の手を取った。もう一方の、終日の描き損じに疲れた手は、露か霧かに、わずかに濡れていた。

寝室の窓から外を見ると、そのたびに遠景には小さな建物が、新たに加わったような気がした。ある静かな夜ふと目覚め、エアリエルが自分の胸で眠っているあいだに、彼はばかげたことを考えもした。「あの部屋で眠っていなくてよかった」彼女の部屋の、暖色のカーテンで仕切った壁や、華やかな衣類でいっぱいの箪笥や、絹のカバーをかけた家具に、彼は賛嘆の目を向けた。大きな窓から星明かりが差すところのほかは、暗く沈んでいた。ぼんやりと見える光景と、腕の中の不思議な生き物が、今の彼にとってはこの上ない安息であり、喜びだった。解放された意識がおぼろになるに任せ、彼は眺望のことを忘れた。この館に来て以来、初めて覚えたこの日の怖れを、太陽と風が散り散りにしていった。だが、エアリエルが何度も「変化」と言っていたのに、彼はそれについて尋ねられなかった。自然に抱いた疑問でも、軽く尋ねてみるにはあまりに重く、知る必要に迫られてもいないような気がしたのだ。

だが、ある朝、その日初めて目を向けた眺望の中、遠い崖の上には白い小屋だけでなく、色とりどりの建物がいくつか建っていたが、それよりも近くにあるものに、彼は気づいた。最初のうちは、海と館との中間あたりに、石柱と呼ぶほどには高くない、大きな岩が現れたかのように見えた。もう一度目を向けると、岩とも石組の建造物とも思われたのが巨人で、微動もせずただ一点をじっと見つめているのがわかった。エアリエルと過ごした最初の午後、居間の外を通り過ぎた男だった。カーファクスにはその姿が、恐怖の具現であるかのように見えた。遠くて服装も表情もわからないし、動かないが、たしかに生きている。あの朝のように、体の奥底から震えが湧き起こるのを、彼は感じた。

　だが、彼は自分の心を前よりもずっとよく守れるようになっていたし、エアリエルと共にいさえすれば、それを補ってあまりある良いことが、泉のように湧いてきた。それゆえ、彼はすぐに落ち着きを取り戻し、朝食の席に向かうことができ、さほど困惑してはいなかった（エアリエルがベッドを共にすることをいつも望むわけではないのが不満ではあったが）。もっとも一つだけ、避けられない質問はあったが。

「あれは島の神々の一柱」と彼女は答えた。「昔から言い伝えられているの」

「エアリエル！」彼は堪えきれずに声をあげた。「お願いだ、教えてくれ。これまで見てきたことは、何を意味しているのか。言ってしまうのは気がひけるが、怖くなってきたんだ。ねえ、エアリエル、どうすればいいんだ？　部屋の窓から見る景色は、なぜ毎日のように変わるんだ？」

「愛しい人」彼女は席を立つと、隣に座った。そして、彼を優しく抱きしめた。「あなたは病気だということを忘れないで。人生について思い悩まなくてもいいの。変化は止められない。止めようとしても無理。がんばりすぎてはいけないわ。絵がうまく描けなかったときみたいになってしまう」ありきたりな慰めの言葉に、彼は自分の動揺が子供じみたばかばかしいものに思えてきた。神経症ゆえの幼稚なふるまい。

「本当に落ち着かせてくれるのは、ありふれたものだけだよ、エアリエル」

「ありふれたものと、特別なものを分けたがるのは、子供か、子供が抜けきらない不幸な人たちだけよ。『ありふれたものには恵みが隠れている』（アルフレッド・ダグラス卿の詩「The Dead Poet」からの引用）あなたは今、回復してきて、ありふれたものの中に特別なものが見え、特別なものがごくありふれたものになってきたことに気づきはじめたの。あなたはようやく他人から解放されたのだから」

「すると、ぼくの病気はそんなに重かったのか。あらゆるものが違って見えてきたのなら、これまでは正気を失っていたにちがいない。それも、何年ものあいだ」

「そうかもしれない」彼女は答えた。「正気をなくした人たちの中にいたら、何が正気なのか、わからなくなるものよ」

「でも、ここに来てから起きたことを不思議に思わないでいられるのも、正気の沙汰とは言えないんじゃないか。理解できないこと、説明のつかないことばかりだ」

「でも、幸せでしょう？」

「こんな幸せがあるなんて、夢にも思わなかった。それに、ぼくは自分がものを知っているとは思っていない。ゲーテの言葉に従おうとしているだけだ。自分の心が許容できると思ったものだけを考えるようにしてきた。真実の限界を定めるのは自分の心か、まだ自分の中に生まれてきていない、最善の心なのだ、とね。その言葉は真実なのだろう。きみはどう思う？」彼は不安を抱いたまま、エアリエルに目を向けた。

「あなたがそう思いたいのなら《コジ・エ・セ・ヴィ・パレ》。真実なんて、それだけのもの。退屈なだけ。退屈でないのは、愛する者との朝食の会話くらいよ」彼女は立ち上がり、元の席に戻った。「形而上学は食べるか、愛の代わりにするか、どちらかの役にしか立たないもの」

「たぶん、ぼくの心がここで理解できることは、イングランドで理解してきたこととは違うのだろうな」彼はためらいながら言った。

「イングランドにいた頃のあなたなら、わたしを愛することを後ろめたく思ったでしょうし、バターをたっぷり使った朝食を食べることもなかったでしょう」軽い口調で彼女は言った。「何の変化もなかったのなら、イングランドからも出なかったのでしょうし」

「ぼくの部屋の窓からの眺めが、毎日どころか、一日のうちに何度も変わることを、きみは知っているんだね」彼は言いつのった。

「眺めは変化するし、あなたも変化しているのよ。ずっと同じままでいたいと思うのは、病気のせい。あなたはずっと早く、良くなってきている」

「ねえ、エアリエル、ぼくは完全には幸せになれないんだ。なぜ窓からの眺めが絶え間なく変わるのか、なぜ他の部屋から見た眺めとは違うのか、なぜ——際限なく起きる、わからないことの答えを得るまではね。ねえ、きみ、なぜなんだ？」彼の顔からは血の気が引いていた。「ぼくを愛しているのなら、答えを知っているのなら、教えてくれ」

　自分に対する恐怖が彼女の顔に浮かんだのを、彼は初めて見た。彼女はふたたび食事を中断し、しばらく彼を見つめていた。「わたしも知らないの」彼女は言った。「尋ねられたことを理解できた気もしない。あなたが完全に幸せになってしまったら、そこからまた変わっていくのだろうと思うだけ。そうなると、完全な幸せは見いだせなくなってしまうでしょう。わたしたちは考えられるし、行動もできる。他にできることはないのだし。あなたとわたしが共に考え、共に何かをするとき、そのあいだだけは幸せでいられるけれど、それだけ。あまりに多くのことを知ると、すべてを失ってしまいそうで、怖いの。一緒にいると、とても幸せだけれど、あなたに尋ねられるのは怖い」

　彼はこの状況を受け入れようという気になってきた。

「ねえ、エアリエル」と声をかけたが、言葉はすぐには続かなかった。「今日は乗馬には行かないでくれないか。一緒にいてほしいんだ」

「今日は行かないわ」彼女は答えた。愛と、ひとかたならぬ恐怖が、二人を寄り添わせた。

　彼女は立ち上がり、楕円形の部屋を出ていった。戻ってきたときの出で立ちは、ストライプのシルクのドレスと、ハイヒールだった。特に何をするでもなく、二人はその日を過ごした。

　午後遅く、彼女は違う部屋を使うように言い、彼はその提案を受け入れた。そして、少ない持ち物を持って部屋を移った。新しい部屋には綺麗な装飾つきの調度が具えられ、温かく、快適だった。窓から見えるのは、あの高く険しい丘だった。その変化しない眺めを前に、カーファクスはその稜線を描こうと苦心したことを、ちらりと思い出した。その夜は、窓からの日差しの他は心安らぐことのなかった前の寝室のことを思い出さずに眠った。

　翌日、彼女は乗馬に行ったが、その翌日には行かなかった。毎日という習慣はなくなり、三日に一度は休むようになった。カーファクスは絵を断念し、音楽室にこもって、エアリエルが書いた詩に曲をつけることに没頭した。夜には彼女がその曲を歌うこともあった。後日、彼は図書室でトーマス・ラヴェル・ベドーズ（一八〇三－四九　イングランドの詩人、劇作家、医師）の綺麗な手刷りの詩集を見つけ、その詩から歌曲を作ろうと試みた。完成させられないかもしれないが、着手するやいなや、これまでに書いてきた曲の評価が一変したのに気づいた。それまでは、自分の曲をエアリエルがコントラルトで歌うと、それがこれまでに手がけた中でも最高のものだと思った。だが、一日がかりでベドーズの詩に曲をつけてみると、これまでの曲がまるで価値のないもののように思えてきた。エアリエルがまた歌いたいと言ったら、自分の才能のなさを恥じるだけになりそうな気がして、そうなったときの言い訳はしようがないので、曲をすべて捨ててしまおうとしたが、なんとか思いとどまった。だが、彼女に歌わせることは、もうなかった。

何日も、いや何週間も、カーファクスはただ美と幸福だけに包まれて過ごした。彼は楽譜をスーツケースにしまった。ベドーズ相手の苦闘も、すべて満足とは言えなかったが、出来はけっして悪くはなかった。その他のことは、純粋な喜びばかりだった。作曲の苦悩だけが、エアリエルが言っていた幸福が完成したあとの運命を免れているのだ、と彼は考えた。完璧な作品には天が嫉妬するので、あえて欠陥を描きこむという中国の絵のように。その可能性はないかと、彼はエアリエルに尋ねた。

「欠点は称えるべきよ」と彼女は答えた。「今夜はおかしな格好をして、あなたを安心させてあげる」

その夜、彼は美しい宮廷道化師と食事を共にし、パックやオベロン、エアリエル（『テンペスト』の方だ）やフエステの役を演じるのは、男か女かどちらが良いかと、議論を楽しんだ（いずれもシェイクスピア戯曲の登場人物）。

ある日、乗馬に出たエアリエルが、読みかけの本を置いたままにしていったのに、彼は気づいた。椅子に伏せたその本を見て、初めて出会ったとき彼女が手にしていたヴォルテールを思い出した。伏せてあったのはドイツ語の本で、ダルマイアーという編者による、アラビア語圏のユダヤ寓話集だった。外務省の職務の必要で学んだ言語だが、同じ理由で習得した他の言語と同じく、結局は使う機会がなかった。そのため、今はところどころ怪しいうえ、本のほうも活字が髭文字体《フラクトゥール》で、慣れていないとなかなか読みづらい。それでもカーファクスは、中から短いものを適当に選んで、翻訳をしはじめた。

最初に選んだ一編は、賢者から贈り物として知恵と富と美徳のいずれか一つを選ぶように言われた若者が、迷わず富を選んだという、いかめしい字面には不似合いな話だった。その選択は、この若者がすでに知恵を持っていて、この先には美徳を得ることだろう、と賢者が述べるところで話は終わった。

これらの抽象的な言葉に著者が込めた意味を読み取って訳するのに、カーファクスは苦心した。だが、訳し終えるとすぐに、次の一編に手をつけた。ある若者が鬼神《アフリート》（と著者は呼んでいるが、悪意をもつ存在ではないようだ）から巻物を贈られる話だった。不幸なときや、世に倦《う》んでしまったりしたら、巻物を右側に速く巻き取れば、時間が早く進められると、鬼神（と呼ばれるもの）は若者に教えた。だが、読んだかぎりでは、どうも巻物は放っておいても、若者の人生の進みように合わせて巻き取られていくようだった。さらに、幸せなときに巻くのを遅らせて、喜びを長引かせる力は、彼には与えられなかった。この寓話のほとんどは、若者の日常生活を語っている。時が過ぎ去るのを彼が望むのは、早く一人前になりたいし、断食を早く終えたいし、次の恋人をすぐに見つけたいし、早く出世したいし、病気にはかかりたくないし重責は負いたくないから。そして、彼が天寿を全うして物語は終わるが、最後に巻物を得てから死ぬまでがたった三カ月と十七日だったことが明かされる。

　翻訳を試みた三編めは、別の世界からの来訪者が、戦士たちの一団に加わって経験する、危険きわまりないが痛快な冒険を描いた物語のようだった。カーファックスが初めて見る（おそらく一般的な辞書には載っていない）言葉が次々に出てきて難しいのだが、この一編がとりわけ面白そうに思えたので、読んでいるうちにわかってくるだろうと読み進めたものの、結局はどんな話なのかも見失ってしまった。より語彙の多い辞書がなければ、これ以上読んだとしても、無駄になるばかりだろう。最後のページ（金言のようなものが記されてあった）に目を通し、装丁を眺めると、彼はもとあったところに本を戻した。

　ベドーズの詩に戻ると、それまでと同じように、この詩人の考えや経験には共鳴するところが多いように思えて、落ち着けなかった。とりわけ、エアリエルと出会ってからの考えや経験と、とても近いようだった。階段の甲冑をはじめ、何度も繰り返されてきた数限りない出来事を、彼は思い出していた。外的な経験と内的な経験の、完全に不変な平行性が、少しばかり怖ろしいような気がしてきた。取り憑かれているのか。だとしたら、エアリエルに？　それとも、他の何かに？　自己と他者の区別がつかなくなる、幼少時に虐待を受けた者によく見られる症例の、精神病の類ではないのか。自分のもつバランスの悪さに気づく機会はあったか？　いや、それで説明のつくことなのか？

　演奏を止めて鍵盤に置いた片手が、同じ和音を何度も鳴らしているのに、彼は気づいた。座り直して、思いを巡らせる。深刻に悩んではいない。自分が正気をなくしてしまったとも思わない。この〈入江荘〉に来てからの、このうえなく豊かな経験が、それだけで説明できるわけがない。たしかに、ここ何年ものあいだ、精神的な状態はよくなかったし、現状のうち少しのことは、そこから説明できるだろう。だがそれは、周囲の人々と比べて、自分が精神的に不安定であることを認めることにもなる。しかし、彼がひどく不安を感じるいろいろな物事や出来事は、エアリエルには理解できないようだった。はじめのうちは、彼女自身にも事情があって、理解を示そうとしないのだ、と思っていた。だが今は、彼女には本当にわからないのだ、と確信している。一度、窓からの眺めのよい部屋に連れていったが、互いに見ているものが一致せず、二人ともひどく当惑したことがあった。今は、どの部屋に一緒にいても、それぞれが違うものを見ているような気がしてならない。経験を共有しようと話を向けたり、尋ねたりするうちに、次第にわかってきた。彼女は本当に困惑していたし、互いの愛で心を安らがせたいと思っているようだった。さらに、ここで起きたことの不可解さは、狂気ゆえのものである可能性を示していた。自分が当惑していることについて、使用人たちに尋ねたことがある。だが、相手にわかるように話すことは難しく、試みは成功しなかった。だが、それは予想できたことでもあったので、彼は失敗しても気にはとめなかった。一緒にいればいるほど、エアリエルと自分は別の世界にいるような気がしてきた。そして、彼女も徐々に、それに気づいてきたようだった。カーファクスは、他の人たちと見えているものが違うとは気づかない、色覚障害の人たちについて考えた。片方の目の視力がないことに大人になってから気づいた人のことも。エアリエルと自分が完全に調和するようなことは、あってはならないのではないか、と彼は思った。

エアリエルの美しさを、優しさを、共に楽しんだことを、深く感じた幸福を、彼は思い浮かべた。お互いの精神が根本で異なっていたとしても、彼女への愛は揺るがなかった。もしかすると、この世の不幸な人々の中でただ一人、自分だけが幸福を得られる素晴らしい機会を与えられたのではないか。もしそうなら、疑ったり調べたりせず、信頼をもって、この贈り物を受け取るべきなのは、まちがいない。「信頼だ!」とひと声あげると、彼はまたベドーズに取り組みはじめた。

「どうしたの?」と、耳に馴染んだ声が尋ねた。「そう、信頼よ。でも、愛もないとね」乗馬服姿の彼女は、まっすぐ彼に歩み寄った。自分が思うよりも長いあいだ、彼は一人で考えていたようだった。

*

〈入江荘〉に着いたその日、エアリエルは島を散策する楽しさを熱心に語ったが、そのあとすぐに窓からの神秘的な眺望に心を奪われたカーファクスは、この館から離れるのは賢明ではない、幸せを求めて止まないのに不安定な自分はここにいるのが良いのだ、と気づいた。だが、エアリエルからは、散歩に行こうと提案されたことはなかった。その日の晩餐のあと、彼女から海岸まで歩こうと誘われたとき、彼はふと不安になった。

「大丈夫かな」

「島はわたしたちを気に入っているわ」

「きみにとっての島は、ぼくのとは違うような気がする」

「一緒に島に出かけることがなかったからでしょう」

二人は黄色い車寄せの脇の芝生を歩き、門を出た。黙ったまま、手をつないで、崖に向かう小道をたどった。夏になっていた。小さな島には特有の、温気と涼しい風がともに流れているような夜だ。風はなく、汚されることのない海は、足枷《あしかせ》に抗うように、言葉にならない呟きのように、波をざわめかせていた。二人は崖に立った。静けさを破ったのは、マシュー・アーノルドの『ドーヴアー海岸』を朗唱する、カーファクスの声だった。

愛しき者よ、互いに誠実であろう！
目の前に広がるこの世界は、夢の国さながらに、
あまりに多様で、きわめて美しく、そして日々新たに見える。
だが、喜びも、愛も、光も、本当にはありはしないのだ。
信じうるものも、平和も、痛みを和らげる術も、実はないのだ。
ここは夜闇の迫る平原。
暗がりの中、全てを見失った兵士たちが、
戦い、敗走し、惑乱する哭《おら》びの響《どよ》めくところ。

彼女は彼に腕をまわし、接吻した。いつまでも心に残り、あとで思い出せば痛みのようにさえ感じる接吻を。そのとき、二人はようやく出会い、互いを知った。それがほんの一瞬の、だが完璧な幸福だったと、彼はあとになって知った。だが、そのときはそんなことは思いもしなかった。海を除いて、すべてが暗く、静かで、時の流れから取り残されていた。思うことも感じることもそのままに、二人はそのとき、不死の存在となった。永遠の瞬間だった。

しばらくのち、二人は黙ったまま、手をつないで館に帰った。二人の恋は、彼が詩を詠《よ》む少し前にはじまり、少しあとには終わっていた。散歩のあと二人はともに、深い幸せな眠りについたが、夜中にふと目を覚ましたとき、カーファクスは自分が一人なのに気づいた。

彼は捜し、呼びかけ、答える声を待った。エアリエルの寝室の扉を開き、彼女の名を何度も呼びかけたが、館じゅうが暗く静まり返っているようだった。呼ぶ声が

谺《こだま》となって響き、彼を驚かせた。そして、ほんの一瞬後、心に湧き起こったもう一つの謎に、彼の気が移った。エアリエルがいなくなると同時に新たに感じたこの奇妙な感覚は、いったいどこからくるのか。とても遠くで、かすかに、扉を叩くような音が何度も聞こえた。そして、玄関の扉が開き、閉じる音と、車寄せの綺麗に整えた砂利を踏む足音も、聞こえたような気がした。だが、それらの音は遠く、歪《ひず》んで、夢の中で聞いているようだった。彼は奇妙な設計をされた、複雑な構造の館の中を駆けまわり、車寄せを見下ろす窓を探した。「エアリエル！エアリエル！」と呼びかけながら。もう何の音も聞こえなくなっていた。最後に聞こえたのは、遠い——と言っても距離よりは時間の離れた、目覚める直前の夢の中で聞いたような音だった。ようやく、彼は何が間違っていたのかに気づいた。この館そのものが、もうすでに変わってしまっていたのだ。今、自分がどこにいるのか、彼にはすぐわかった。フランス風の装飾をした真鍮の枠のベッドを備えていたが結局は安眠できなかった、赤と青の壁紙の、最初に案内された寝室だった。

　扉を開くと、窓から光が差す部屋に風が吹き込み、蠟燭の火を消した。窓の向こういっぱいに、町が広がっていた。ネオンサインがまたたき、きらめいていた。どの家の窓にも、明かりが灯っていた。さまざまな音が、何カ月も都会の喧噪から遠ざかっていたカーファクスの耳に届いた。忘れかけていた生活のにおいが、夜風に運ばれてきた。そこからはとうに解放されたものとばかり思っていた。だが、そのにおいに気づいたとき、束縛は解かれてはいなかったのだ、と気づいた。絞首刑にされた男の体にまつわりつく屍衣のように、悲惨な思いが彼を包み込んだ。あの美しい生き物とともに安逸を貪った記憶は消しようがなく、今やむしろ呪わしいものとなり果てた。彼女の夢は、きっと繰り返し見ることだろう。そして、目覚めれば以前と同じ他人たちの世界にいて、以前と同じ生活をおくっていくのだろう。感涙も、希望も、彼女と共にしたすばらしい食事も遠く過ぎ去り、その喪失感と絶望さえ、やがては過ぎ去っていくのだろう。愚かしく、邪悪で、愛のない世界に、彼はただ一人、帰ってきたのだ。

　誰もいない館は、まさに廃墟だった。窓を閉め、蠟燭に火を点け直すと、荒れ果てた部屋に自分の持ち物が散らばっているのが見えた。彼は荷物をまとめ、酒に酔った観光客でまだ騒がしそうな町に向かって歩いた。館の門には、「売約済」と大きな赤い文字が示す、不動産業者の看板がついていた。

館は取り壊され、あとには別荘が建てられるのだろう。あるいは、こぢんまりしたホテルか、私立学校か、養護施設か何かが。ここは何度も改築や改装をしている、とエアリエルは言っていたが、〈入江荘〉は今、彼の知らない新たなところに建っているにちがいない。ここに残っている廃墟は、思いがけず相続した地主の次男坊か誰かにとっては、ただ古いばかりでありがたくもないもので、しばらくは放っておいたのだが、いよいよ重荷になって処分したのかもしれない。相続人でなくても、この館には魅力もなく役にも立たないことは、見れば明らかなのだから。島の公立図書館に行けば、この館について簡単に調べがつくことだろう。だが、カーファクスには調べる気はなかった。

　中心街行きのバスに乗った。立っている乗客が他に二、三人いて、彼のスーツケースを見た一人の少年が、席を立って譲った。小銭を探してポケットに手を入れると、指先に触れるものがあった。ベドーズの詩集にしおり代わりに挟んであった紙片だった。小銭で運賃を払うと、彼は気も重く、紙片に目を落とした。そこにあったのは、忘れようもないエアリエルの自由で優美な文字で書かれた、短い戯詩《ざれうた》だった。

何故《なぜ》と問うても詮《せん》ないことよ
如何《いか》にと問うて御覧《ごろう》じろ
知りうることは押しなべて
金の枝こそ指し示す

サー・ジェイムズ・フレイザーの『金枝篇』を踏まえたつもりなのだろうか。カーファクスは身じろぎもできないほど沈みこんだ。

　その日の夜、大きなホテルに部屋を取ったあとで、バスの少年がなぜ親切だったのかに、彼は気づいた。備えつけのワードローブの鏡に映ったのは、老人の姿だったのだ。

　山中に迷ったリップ・ヴァン・ウィンクルのように、何年も眠ってはいなかったとはいえ、三カ月ばかりのあいだに、彼はすっかり年老いていた。

　翌日、彼は始発の船でイングランドに帰った。同じような服装の観光客で込みあう夏の甲板で、ほんの一瞬、どこか見覚えのある大柄でいかつい人影を目にしたような気がした。だが、それもまだ夢から醒めていないせいだろうと、彼は自分に言い聞かせた。

小さな手　ホラー短編集4

金原瑞人編訳　佐竹美保絵　岩波少年文庫　七六〇円（税別）

〈評〉植草昌実

装画：佐竹美保

海外文学の名作を読み継がれるようにするには、新訳がもっとも良い手段なのではないだろうか。もちろん、訳文の寿命が長くあるに越したことはない。だが、残念なことに、原作が名作でも、その翻訳まで名訳であるとはかぎらない。もちろん、作品が変わることはないし、読者も人間である以上、さほど大きく変わりはしないが、読者が身を置く社会環境ともども、言葉は変わっていく。

たとえば、創元推理文庫の『怪奇小説傑作集』全五巻が名アンソロジーであることには、論を俟たない。が、翻訳は一九五〇年代にされたものであるし、第一巻が平井呈一の名訳によるとはいえ、この訳さえあれば良い、というものでもないだろう（なお、このアンソロジーは残念なことに、現在は品切になっている）。

怪奇小説も古典の新訳はさかんだが、アンソロジーとしてまずお奨めしたいのは、岩波少年文庫の〈ホラー短編集〉シリーズだ。金原瑞人編訳で英米編の『八月の暑さのなかで』『南から来た男』、平岡敦編訳でフランス編の『最初の舞踏会』が出ている。一見は若年者向きではあるが、作品の選定も翻訳も、そして佐竹美保の扉絵も、大人の読者を十二分に満足させるもので、怪奇短編の古典を楽しむには好適である。

そのシリーズの第四巻が本書だ。収録作品は、ジェイコブズ「猿の手」、カポーティ「ミリアム」、ビアス「月明かりの道」、ハーヴィー「五本指の獣」、コウヴィル「首を脇に抱えて」、スティーヴンソン「死体泥棒」、キラ‐クーチ「小さな手」、キプリング「子どもたち」。コウヴィルの作が一九九三年のもので初訳、あとは古典の新訳だ。ハーヴィー、キラ‐クーチ、キプリングの作は、既訳を探すのにちょっと手間がかかりそうだが、あとは有名作で、これまでも名だたる訳者たちが手がけている。だが、金原訳で読めるのは本書がもちろん初。定評ある訳者の仕事だけに、初心者にも安心して読める。マニアには昔読んだ作を新訳で読み返す良い機会になるし、既訳と読み比べる楽しみも得られる。

怪奇小説の翻訳には、怖さの勘所を押さえる目が必要だ。本書の翻訳は、シリーズの既刊同様、平明かつ率直だ。どの作品も怖さの勘所を的確に押さえられている。さらに、怪奇とともに作品の中にある、ユーモアや叙情も鮮やかに訳されている。翻訳者として学ぶところの多い一冊だが、それよりも、一人の読者として無心に楽しんだことを、ここに正直に書いておきたい。

怪異猟奇ミステリー全史

風間賢二　新潮選書　一五〇〇円（税別）

〈評〉牧原勝志

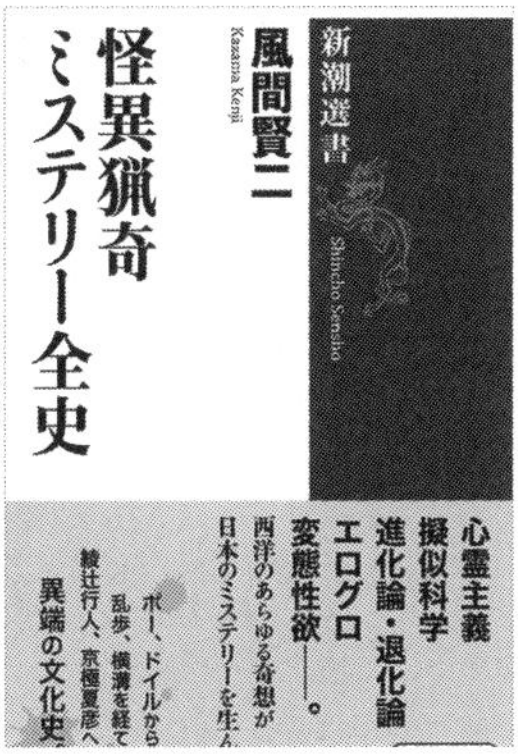

装丁：新潮社装丁室

本書は、ラジオの教養番組のテキスト（『怪奇幻想ミステリーはお好き？　その誕生から日本における受容まで』ＮＨＫ出版二〇一三）を加筆改稿したものだ。それだけに、ともすればマニア向けになりそうな濃い内容が、まさにラジオで語るかのような平易さで述べられている。

題名どおり、ミステリー小説の歴史を論じてはいるが、本書の重点は謎解きを主眼とする「本格探偵小説」にはない。ゴシック小説から始め、そこから分岐していったホラーやＳＦを共に論じたうえで、明治からの日本の翻訳小説を経て探偵小説、とりわけ江戸川乱歩に代表される「変格探偵小説」に至る。題名に「怪異猟奇」とある由縁である。そして「探偵小説」でも「推理小説」でもなく「ミステリー」としているのは、ジャンルが未分化だった時代の作品や、分類の不明確な作品や、越境している作品が、論の中心となっているからだ。探偵も怪奇も、空想科学も内包する「謎《ミステリー》」の物語として。

こと前半、第六章まで（著者いわく「欧米編」）は、要点を押さえた怪奇小説の略史となっており、このジャンルに興味を持ちはじめた読者には良い手引きになるだろう。そして、「それ知ってる」「昔読んだ」と言って流してしまいがちな（そう、評者のような）古い読者には、再発見に満ちた復習の機会となるはずだ。オカルト探偵登場の背景を語る第四章を読めば、ブルワー・リットンの「幽霊屋敷」やブラックウッドのジョン・サイレンスものを読み返したくなるだろうし、進化論や犯罪学が怪奇小説に及ぼした影響を論じた第六章から、『ジキル博士とハイド氏』や『モロー博士の島』がどのような話だったか、思い出そうとするにちがいない。

第七章以降では、日本の探偵小説が独自の発展を遂げていく過程が語られる。前半の欧米編を踏まえた「ミステリー」という異文化の輸入史だ。明治の翻訳小説がどのようなものだったのか、性科学への関心が探偵小説にどのような影響を与えたのか、興味が尽きない。そして、軍部による検閲体制から敗戦を経て、戦後の「探偵小説」か「推理小説」かの議論の末に「みな仲良く〝ミステリー〟となった」と著者はいったん締めくくる。そして、最終章で語られる〈新本格〉もまた、日本独自の発展形だ。

怪奇も探偵も、欧米も日本も含めた「ミステリー」を概説した本書を、初心者もマニアも、ぜひ一読していただきたい。新たな発見が得られるだろう。

感応グラン＝ギニョル

空木春宵　東京創元社　一八〇〇円（税別）
〈**Reader's Review**〉 **早高叶**

装画：machina　装幀：内海由

　本書は空木春宵の初の単行本である。収録された全五編に共通しているのは、目を覆いたくなるほどの残酷さと痛みであり、その中から紡ぎ出される切なさと恋情だ。

　表題作「感応グラン＝ギニョル」は戦前の浅草六区――あるいは、それによく似た異世界――が舞台。身体に欠損のある少女ばかりを集めた劇団に、並外れて美しく瑕《きず》一つない少女「無花果《いちじく》」が現れた。座長は「無花果は己《おのれ》の心を持たぬ代わりに、他者の心を映し出す」と言う。しかし無花果の能力は単純な読心術ではなく、過去の記憶や感覚までも写し取り、それを第三者に投影させることさえ可能だった。無花果によって一座の少女たち――全身が瑕だらけの千草、鼻を削がれた蘭子、盲いた双子の香蘭と藤袴、両脚を切断した牡丹、腕無しの夏水仙ら――は、互いの記憶と痛みを共有する快楽に耽溺してゆく。読む側も少女らとともにあやうい快楽に浸ってしまいそうになるが、それだけに結末のカタストロフィは衝撃的である。

　続く「地獄を縫い取る」も、痛みと感覚の共有が重要なファクター。室町時代の地獄太夫の伝承を下敷きに、ネット空間にはびこる児童への性加害を題材としている。近未来の物語だが、そのまま現代社会への問題提起としても読める。「メタモルフォシスの龍」は安珍清姫伝説を鮮やかに換骨奪胎させた一編。失恋すると女は蛇に、男は蛙に変化《へんげ》してしまう世界で、「生成《なまな》り」（蛇体化していく途中）のテルミとルイの交情を描く。「恋しい」と「食らいたい」がないまぜになった激しい感情が切なく迫ってくる。

「徒花物語」は吉屋信子の『花物語』を本歌取りして、独自の世界を築いている。戦時中の女学校とよく似た、「花屍《かばね》」（ゾンビ）化してしまう病に侵された少女たちのサナトリウム。少しずつ明らかになる無慈悲な真相とその中でもがく少女たちから目が離せない。「Rampo Sicks」は「感応グラン＝ギニョル」の続編で、舞台は遠い未来――文明が半ば崩壊した後の〈Asakusa Six〉である。題名でわかるように江戸川乱歩作品へのオマージュに溢れ、その筆致にはほのかなユーモアも漂う。しかしそこで提示されるのは、美も醜も越えて「ありのままの私を見て」という切実な叫びだ。

　いずれの作品も謎を秘め、それを解き明かしていく形で物語が進行するので、核心に触れる紹介ができないのがもどかしい。ぜひじかに、この奇想に満ちた世界を味わっていただきたい。

日々のきのこ

高原英理　河出書房新社　二二〇〇円（税別）

〈Reader's Review〉藪下明博

装画:ヒグチユウコ 装丁:名久井直子

キノコである。全編キノコである。

往年のB級ホラー映画ファンならば、キノコと来れば、まずはホジスン原作の日本映画『マタンゴ』（一九六三　本多猪四郎監督）を想起するに違いない。残念ながら本書にはマタンゴのような怪物は現れないが（?・）、マタンゴに勝るとも劣らない大小様々、色彩艶やかなる異様な菌類が登場する。しかも、遠い彼方の無人島での出来事ではない。バスで行けるほどの至近距離にある、身近な森での出来事なのだ。

巻末の参考文献を見るならば、作者はキノコ類を猛研究、相当キノコに取り憑かれたようだ。「ノモホコリタケ」「タモギタケ」「脳茸」「ベニテングダケ」「黒傘茸」「におうふすべ」「タマゴタケ」……。ホントかウソか知らないが、とにかくそれっぽいキノコの種名がワンサカと登場する。レオ・レオーニの『平行植物』を思わせるナンセンスだろうが、これがまた理系の読者には、堪らなく面白いのだ。

本書は「所々のきのこ」「思い思いのきのこ」「時々のきのこ」の三篇を収録する。そのタイトルの付け方も恣意的だ。まるでホンワカとした楽しげな、キノコ・エッセイでも読むかのような軽いタッチに、読者は冒頭からハメられる。

決して血みどろのホラーではない。かといって、奇天烈な謎を解くミステリーでもない。謎と言うならば、むしろ本作そのものが謎なのである。もはや謎は解くものではなく、謎は謎のまま享受することが、正しく本書を読み解くコツであろう。

まず三作品どれもが、合理的、或いは理性的なドラマツルギーによって構成されるものではない。とは言え、作品中に於ける秩序・コモンセンスは確かに成立している。幾つかの「しきたり」や言葉の概念、造語なども散見されるが、その説明はバッサリと省略されている。平たく言って、よく分からないのだ。奇想である。書かれた内容もその伝達方法も、悉く奇想を極めているのだ。閉ざされたキノコの森に包囲された、惑乱状態のディストピア。まるで高原英理は、キノコの毒にあてられた散文詩人にでもなったかのようだ。言葉遊びと、幻想と、異世界の秩序の構築。あらゆる解釈をも可能とし、加えて、お得意のマイノリティなエロスも醸し出すこととなる。

「ばふ屋」とよばれる職業の者が、ノモホコリタケをばふんばふんと踏みつぶす。……いや、やはりストーリを追うのは止めるとしよう。思いのタケは山ほどあるが、読者の楽しみを奪ってはならないから。

魂の形について

多田智満子　ちくま学芸文庫　一〇〇〇円（税別）
〈Reader's Review〉石倉康司

装丁：岡本洋平（岡本デザイン室）

　長らく絶版になっていた、多田智満子の傑作エッセイがこの度復刊された。本書『魂の形について』は、一九七〇年代に詩人の鷲巣繁男と高橋睦郎と共に創刊した『饗宴』の、同題の連載をまとめたものである。

　当たり前だが、魂というものは明確な形のない、不確かな存在だ。彼女は日本や中国、古代エジプトやギリシア、キリスト教、インド神話などをひもときながら、国や時代を超えて不思議な共通項を持つ魂の形について考察していく。圧巻なのはその博学ぶりだ。言語学、宗教学、民俗学、哲学を始めとした膨大な知識が本書の下支えになっており、それらをしっかりと体系立てられて語られるテクストは、澁澤龍彦や種村季弘の著作を思わせる（背後にミルチャ・エリアーデやガストン・バシュラール、パラケルススなどの影が垣間見える部分も似ている）。さらに、彼女特有の硬質な文体は抑えられ、風のような軽やかさで語られているため、非常に読みやすいのも特徴だ。

　個人的に印象に残ったのは、古代エジプト人たちについて論じられている箇所だ。読んでいてクスリとしてしまうほどウィットに富んだ文章で、大変面白い。また、ヒエログリフの形象についての論考に関しても、文字や言葉についての概念が広げられるようで、興味深い。独特な死生観や風習は、現代から見ると珍妙で理解し難いものかもしれないが、彼女が親しみを込めて語るため、わたしは古代人が友達の友達ほどの距離感に思えてきてしまった。

　そして特筆すべきは最終章である。魂と花のイメージの結びつきがテーマであるが、彼女自身の「薔薇宇宙」と呼ばれるＬＳＤ体験と重ねられ、絢爛たる内的宇宙の大伽藍として語られる（彼女は医師立ち会いのもと、ＬＳＤの服用実験を受けたことがある）。これはもはや彼女にとっての詩論、創作論と言える。森羅万象と内的宇宙を重ね合わせ、色彩豊かなイメージで彩り、堅固な知識で固めるという、彼女の作風の源泉が垣間見える興味深い文章だ。

　さて、めでたく多田智満子の多岐に渡る文筆活動の一端が今回復刊したわけだが、彼女の著作はいまだ絶版になっているものが多く、手に入りにくい状況だ。これを機に、それらが復刊される事を願ってやまない。彼女の深い知識、自由奔放な想像力は、インターネットやＳＮＳによる煩雑な情報に塗れたこの現代においてこそ、ひときわ美しい輝きを放つと思うのだ。

フィッシャーマン 漁り人の伝説

ジョン・ランガン　植草昌実訳

新紀元社　二〇〇〇円（税別）

〈Reader's Review〉長尾竜之

装丁：坂野公一

表紙を目にしただけで傑作の予感がした小説だ。原書と同じ絵だという。ドイツに生まれ、アメリカに移民した風景画家が描いた「太平洋岸ピュージェット湾」（一八七〇年作）という作品を使っているのだが、ドラマティックかつ畏怖と崇高が入り混じった画風は、本書を読み終えるとわかるが、ぞくりとするほど物語に似合う。

現代アメリカの実力派ホラー作家なのに短編四作の邦訳しかなかったジョン・ランガンの、本邦初紹介の長編である。アメリカのホラー小説界で最も権威のあるブラム・ストーカー賞の二〇一六年長編賞受賞作だが、それも納得。読む者を圧倒する一冊だ。

妻を癌で失った男と、妻子を交通事故で一度に失った男。出会った二人はダッチマンズ・クリークと呼ばれる川に向かう途中、立ち寄ったダイナーの料理人から奇妙な物語を聞く。一九世紀にさかのぼるその物語が現在につながったとき、たどりついたダッチマンズ・クリークは魔の川へと変貌し、おぞましい異界が二人を飲み込む……。

ページを埋め尽くすように綴られていく密度の高い文章が生み出す、重厚な物語世界。作者ランガンは特に影響を受けた作家のひとりにアメリカ文学界の巨人ウィリアム・フォークナーを挙げているが、言われてみると文章のうねり具合にフォークナーの呼吸がある。それも露骨ではなく、さりげない呼吸。ランガンはこの文章のうねりで、恐怖を静かに盛り上げていく。物語の閉じ方も実に上手い。想像力の限界に挑んだかのような異界での怒濤の終盤のあとも物語を丁寧に綴り、最後に戦慄の文章で鮮やかに物語を閉じる。スティーヴン・キングも特に影響を受けた作家のひとりとのことだが、キングは長編小説の物語の閉じ方が見事な作家だ。ランガンはその技術をしっかり受け継いでいる。

ちなみにランガンにとって、イギリスの有名なコミック原作者アラン・ムーアも特に影響を受けたひとりだそうだ。コミックブックに社会的なテーマを持ち込み、大人の読み物に変えたと言われるムーアだが、彼には〈魔術師〉という肩書きもある。本物の魔術師だ。原書刊行時は六〇代前半。若い頃から伸ばし放題だった髪とひげに埋もれたその姿は、妖しい老魔術師そのものだ。本書に嵌め込まれた一九世紀の物語では、石工職人たちが黒魔術師と戦うが、案外、ムーアが源泉となって、ランガンはこの黒魔術師を生み出したのかもしれない。

メキシカン・ゴシック

シルヴィア・モレノ=ガルシア　**青木純子訳**

早川書房　三〇〇〇円（税別）

〈Reader's Review〉　勝山海百合

装画:佳嶋 装丁:柳川貴代(Fragment)

原著は、メキシコで生まれメキシコとアメリカ合衆国で育ったカナダ人作家シルヴィア・モレノ=ガルシアによって英語で書かれた長編小説 *MEXICAN GOTHIC*（2020）。

ごく短く物語を説明すれば、孤絶した邸宅を訪れた主人公が怪異に遭う話だ。

舞台は一九五〇年のメキシコ。メキシコシティに住む裕福な家の子女であるノエミは、結婚して遠方に住んでいる従姉のカタリーナが病気だと父親から知らされる。カタリーナとその夫が寄越した複数の手紙を読むと満足な治療を受けていないようなので様子を見て来て欲しいと頼まれ、ノエミははるばるエル・トリウンフォを訪れる。そこは霧に包まれた山間の痩せた土地で、都会で暮らすノエミには異郷だった。カタリーナが結婚したのは英国式邸宅〈ハイ・プレイス〉に暮らす、銀鉱山を経営するために英国から移住してきたドイル家の零落した末裔で、邸内では英語が話され、其処彼処にウロボロスの紋があった。ようやく会えたカタリーナは結婚前とは様子が違っており、彼女の夫は「結核で投薬治療を受けているが心配ない、回復している」と言うもののにわかには信じられず……。

ノエミは聡明で社交を楽しみ、煙草を嗜む大学生。仮装パーティーの途中で父親に呼び戻され、カタリーナの様子を見に行ってくれたら大学院への進学を許すと言われて引き受ける。怪奇小説の主人公はこういうものだろうという読者のある種の予断を冒頭から良い意味で裏切る。それゆえに、この黒髪で現代的な価値観をもつチャーミングなノエミが、どのように〈ハイ・プレイス〉の魔に絡め取られ、対峙するかが読みどころとなる。〈ハイ・プレイス〉に到着したノエミに真っ先に襲いかかってきたのは、霧、黴だらけの邸宅、禁煙、影のような使用人たちである。

やがて過去の恐ろしい事件の影に運命を自ら切り開こうとした勇敢な女性がいたことや、〈ハイ・プレイス〉を支配しているのが病み衰えた家父長男性なことも明らかになる。ノエミは従姉を救い出せるか。〈ハイ・プレイス〉に抑圧された者たちは家父長を倒せるか。

「訳者あとがき」によると、シルヴィア・モレノ=ガルシアはアンソロジストでもあり、本邦ではオリン・グレイと編んだ『FUNGI 菌類小説選集』（野村芳夫訳　Pヴァイン）が刊行されている。また、修士論文のテーマは「ハワード・P・ラヴクラフト作品に見る優生思想」だそうだ。